D1536156

Forum

Recueil de textes

Français

2e cycle du secondaire

Deuxième année

Sophie Trudeau
Carole Tremblay

GRAFICOR

CHENELIÈRE ÉDUCATION

Forum
Français, 2e cycle du secondaire, 2e année

Recueil de textes

Sophie Trudeau, Carole Tremblay

© 2008 Les Éditions de la Chenelière inc.

Édition : Ginette Létourneau
Coordination et révision linguistique : Sophie Blomme-Raimbault,
   Simon St-Onge
Correction d'épreuves : Lucie Lefebvre
Conception graphique : Valérie Deltour
Direction artistique et infographie : Valérie Deltour
Conception de la couverture : Chantale Audet, Josée Brunelle
Demandes de droits : Christine Guilledroit, Marie-Chantal Laforge
Recherches de textes : Hélène Racine (dossier 6)
Impression : Imprimeries Transcontinental

Illustrations

Christine Delezenne : pages 14, 42, 50, 102, 181, 192, 217,
   251-252, 254, 256.
Vincent Gagnon : pages 24, 34, 141, 220 à 222, 264, 266,
   269, 270, 272.
Stéphane Jorish : pages 71, 110, 201, 204, 258, 260, 262.
Éric Theriault : pages 7, 242 à 248.
Vigg : pages 80, 122.
Anne Villeneuve : pages 98, 182 à 184.

Source

Couverture : Edward Hopper, *Compartment C, Car 293*, 1938.
   Photo : Geoffrey Clements/CORBIS.

GRAFICOR

CHENELIÈRE ÉDUCATION

7001, boul. Saint-Laurent
Montréal (Québec) Canada H2S 3E3
Téléphone : 514 273-1066
Télécopieur : 450 461-3834 / 1 888 460-3834
info@cheneliere.ca

ISBN 978-2-7652-0477-0

Dépôt légal : 2e trimestre 2008
Bibliothèque et Archives nationales du Québec
Bibliothèque et Archives Canada

Imprimé au Canada

2   3   4   5   ITIB   12   11   10   09

Nous reconnaissons l'aide financière du gouvernement du Canada par
l'entremise du Programme d'aide au développement de l'industrie de l'édition
(PADIÉ) pour nos activités d'édition.

Gouvernement du Québec – Programme de crédit d'impôt pour l'édition de
livres – Gestion SODEC.

Table des matières

«Clé de lecture»: courts textes dont le contenu éclaire d'autres textes.

LE fantastique

EN 15 nouvelles

L'inquiétante étrangeté est partout.

Dans un **livre** qu'il vaudrait mieux ne pas ouvrir

Dans un **roman** qu'il vaudrait mieux ne pas commencer

Dans un **scénario** qu'il faudrait savoir écrire

Dans un **parapluie** qu'il vaudrait mieux ne pas ramasser

Dans un **cérémonial** qu'il vaudrait mieux respecter

Dans une **conversation** qu'il vaudrait mieux ne jamais avoir

Dans une **lettre** qu'il vaudrait mieux recevoir au bon moment

Chez une **beauté** à laquelle il vaudrait mieux ne pas s'attacher

Dans une **chambre** où il vaudrait mieux ne jamais dormir

Chez une **ombre** qu'il vaudrait mieux oublier

Chez une **infirmière** qu'il vaudrait mieux ne pas avoir à son chevet

Chez une **fillette** qu'il vaudrait mieux ne pas importuner

Dans un **portrait** qu'il vaudrait mieux ne jamais peindre

Dans des **yeux** qu'il vaudrait peut-être mieux ne jamais chercher

Dans un **monde** qu'il aurait mieux valu ne jamais détraquer

Prenez garde à vous.

Sommaire

▨ correspond aux clés de lecture

PAGE PRÉCÉDENTE : Philip Corbluth, *Peur.*

LE LIVRE DE SABLE

L a ligne est composée d'un nombre infini de points; le plan, d'un nombre infini de lignes; le volume, d'un nombre infini de plans; l'hypervolume, d'un nombre infini de volumes… Non, décidément, ce n'est pas là, *more geometrico*, la meilleure façon de commencer mon récit. C'est devenu une convention aujourd'hui d'affirmer de tout conte
5 fantastique qu'il est véridique; le mien, pourtant, *est* véridique.

Je vis seul, au quatrième étage d'un immeuble de la rue Belgrano. Il y a de cela quelques mois, en fin d'après-midi, j'entendis frapper à ma porte. J'ouvris et un inconnu entra. C'était un homme grand, aux traits imprécis. Peut-être est-ce ma myopie qui me les fit voir de la sorte. Tout son aspect reflétait une pauvreté décente. Il était vêtu de gris et il
10 tenait une valise à la main. Je me rendis tout de suite compte que c'était un étranger. Au premier abord, je le pris pour un homme âgé; ensuite je constatai que j'avais été trompé par ses cheveux clairsemés, blonds, presque blancs, comme chez les Nordiques. Au cours de notre conversation, qui ne dura pas plus d'une heure, j'appris qu'il était originaire des Orcades.

15 Je lui offris une chaise. L'homme laissa passer un moment avant de parler. Il émanait de lui une espèce de mélancolie, comme il doit en être de moi aujourd'hui.

— Je vends des bibles, me dit-il.

Non sans pédanterie, je lui répondis:

— Il y a ici plusieurs bibles anglaises, y compris la première, celle de Jean Wiclef. J'ai
20 également celle de Cipriano de Valera, celle de Luther, qui du point de vue littéraire est la plus mauvaise, et un exemplaire en latin de la Vulgate. Comme vous voyez, ce ne sont pas précisément les bibles qui me manquent.

Après un silence, il me rétorqua:

— Je ne vends pas que des bibles. Je puis vous montrer un livre sacré qui peut-être
25 vous intéressera. Je l'ai acheté à la frontière du Bikanir.

Il ouvrit sa valise et posa l'objet sur la table. C'était un volume in-octavo, relié en toile. Il avait sans aucun doute passé par bien des mains. Je l'examinai; son poids insolite me surprit. En haut du dos je lus *Holy Writ* et en bas *Bombay*.

— Il doit dater du dix-neuvième siècle, observai-je.

30 — Je ne sais pas. Je ne l'ai jamais su, me fut-il répondu.

Je l'ouvris au hasard. Les caractères m'étaient inconnus. Les pages, qui me parurent assez abîmées et d'une pauvre typographie, étaient imprimées sur deux colonnes à la façon d'une bible. Le texte était serré et disposé en versets. À l'angle supérieur des pages figuraient des chiffres arabes. Mon attention fut attirée sur le fait qu'une page paire por-
35 tait, par exemple, le numéro 40514 et l'impaire, qui suivait, le numéro 999. Je tournai cette page; au verso la pagination comportait huit chiffres. Elle était ornée d'une petite illustra-

tion, comme on en trouve dans les dictionnaires: une ancre dessinée à la plume, comme par la main malhabile d'un enfant.

L'inconnu me dit alors:

40 — Regardez-la bien. Vous ne la verrez jamais plus.

Il y avait comme une menace dans cette affirmation, mais pas dans la voix.

Je repérai sa place exacte dans le livre et fermai le volume. Je le rouvris aussitôt. Je cherchai en vain le dessin de l'ancre, page par page. Pour masquer ma surprise, je lui dis:

— Il s'agit d'une version de l'Écriture Sainte dans 45 une des langues hindoues, n'est-ce pas?

— Non, me répondit-il.

Puis, baissant la voix comme pour me confier un secret:

— J'ai acheté ce volume, dit-il, dans un village de 50 la plaine, en échange de quelques roupies et d'une bible. Son possesseur ne savait pas lire. Je suppose qu'il a pris le Livre des Livres pour une amulette. Il appartenait à la caste la plus inférieure; on ne pouvait, sans contamination, marcher sur son ombre. Il me dit 55 que son livre s'appelait le livre de sable, parce que ni ce livre ni le sable n'ont de commencement ni de fin.

Il me demanda de chercher la première page.

Je posai ma main gauche sur la couverture et ouvris le volume de mon pouce serré contre l'index. Je m'efforçai en vain: il restait toujours des feuilles entre la couverture et 60 mon pouce. Elles semblaient sourdre du livre.

— Maintenant cherchez la dernière.

Mes tentatives échouèrent de même; à peine pus-je balbutier d'une voix qui n'était plus ma voix:

— Cela n'est pas possible.

65 Toujours à voix basse le vendeur de bibles me dit:

— Cela n'est pas possible et pourtant cela *est*. Le nombre de pages de ce livre est exactement infini. Aucune n'est la première, aucune n'est la dernière. Je ne sais pourquoi elles sont numérotées de cette façon arbitraire. Peut-être pour laisser entendre que les composants d'une série infinie peuvent être numérotés de façon absolument quelconque.

70 Puis, comme s'il pensait à voix haute, il ajouta:

— Si l'espace est infini, nous sommes dans n'importe quel point de l'espace. Si le temps est infini, nous sommes dans n'importe quel point du temps.

Ses considérations m'irritèrent.

— Vous avez une religion, sans doute? lui demandai-je.

75 — Oui, je suis presbytérien. Ma conscience est tranquille. Je suis sûr de ne pas avoir roulé l'indigène en lui donnant la Parole du Seigneur contre son livre diabolique.

Je l'assurai qu'il n'avait rien à se reprocher et je lui demandai s'il était de passage seulement sous nos climats. Il me répondit qu'il pensait retourner prochainement dans sa

patrie. C'est alors que j'appris qu'il était écossais, des îles Orcades. Je lui dis que j'aimais
80 personnellement l'Écosse, ayant une véritable passion pour Stevenson[1] et pour Hume[2].

— Et pour Robbie Burns[3], corrigea-t-il.

Tandis que nous parlions je continuais à feuilleter le livre infini.

— Vous avez l'intention d'offrir ce curieux spécimen au British Museum ? lui demandai-je, feignant l'indifférence.

85 — Non. C'est à vous que je l'offre, me répliqua-t-il, et il énonça un prix élevé.

Je lui répondis, en toute sincérité, que cette somme n'était pas dans mes moyens et je me mis à réfléchir. Au bout de quelques minutes, j'avais ourdi mon plan.

— Je vous propose un échange, lui dis-je. Vous, vous avez obtenu ce volume contre quelques roupies et un exemplaire de l'Écriture Sainte ; moi, je vous offre le montant de
90 ma retraite, que je viens de toucher, et la bible de Wiclef en caractères gothiques. Elle me vient de mes parents.

— *A black letter Wiclef* ! murmura-t-il.

J'allai dans ma chambre et je lui apportai l'argent et le livre. Il le feuilleta et examina la page de titre avec une ferveur de bibliophile.

95 — Marché conclu, me dit-il.

Je fus surpris qu'il ne marchandât pas. Ce n'est que par la suite que je compris qu'il était venu chez moi décidé à me vendre le livre. Sans même les compter, il mit les billets dans sa poche.

Nous parlâmes de l'Inde, des Orcades et des *jarls* norvégiens qui gouvernèrent ces îles.
100 Quand l'homme s'en alla, il faisait nuit. Je ne l'ai jamais revu et j'ignore son nom.

---

1. Robert Louis Stevenson (1850-1894), un écrivain écossais, a notamment écrit *L'île au trésor* et *Le cas étrange du Dr Jekyll et de M. Hyde*.

2. David Hume (1711-1776) est un philosophe écossais.

3. Robert (Robbie) Burns (1759-1796) est un poète écossais.

LE THÈME DU LIVRE DANS LA LITTÉRATURE FANTASTIQUE

La présence de l'objet livre, dans la littérature fantastique, s'explique avant tout par l'intérêt porté aux livres maudits — au départ, grimoires de sorcellerie ou écrits hérétiques —, envers ténébreux
5 des livres sacrés. De fait, le thème du livre maudit est récurrent […]. *Le nom de la rose* d'Umberto Eco en offre une variante intéressante, puisque le livre qui est au *cœur* de l'intrigue est un traité d'Aristote sur la comédie, qu'un vieux moine
10 aveugle nommé Jorge (allusion probable à Borges) juge si dangereux qu'il est prêt à tuer pour empêcher qu'on le découvre.

Le livre est le symbole par excellence du *cosmos* au sens de monde complet et ordonné, de totalité
15 définitive du sens : d'où l'aura sacrée — ou à l'inverse, maudite — qu'il conserve, même au sein d'une culture laïque. Jorge Luis Borges, qui fut directeur de la Bibliothèque nationale argentine, à Buenos Aires, est particulièrement sensible à cette
20 aura.

Michel Viegnes, *Le fantastique*, Paris, © Éditions Flammarion, coll. «GF Corpus», 2006, p. 157 et 158.

Je comptais ranger le livre de sable dans le vide qu'avait laissé la bible de Wiclef, mais je décidai finalement de le dissimuler derrière des volumes dépareillés des *Mille et une nuits*.

105 Je me couchai mais ne dormis point. Vers trois ou quatre heures du matin, j'allumai. Je repris le livre impossible et me mis à le feuilleter. Sur l'une des pages, je vis le dessin d'un masque. Le haut du feuillet portait un chiffre, que j'ai oublié, élevé à la
110 puissance 9.

Je ne montrai mon trésor à personne. Au bonheur de le posséder s'ajouta la crainte qu'on ne me le volât, puis le soupçon qu'il ne fût pas véritablement infini. Ces deux soucis vinrent accroître ma
115 vieille misanthropie. J'avais encore quelques amis; je cessai de les voir. Prisonnier du livre, je ne mettais pratiquement plus le pied dehors. J'examinai à la loupe le dos et les plats fatigués et je repoussai l'éventualité d'un quelconque artifice. Je constatai
120 que les petites illustrations se trouvaient à deux mille pages les unes des autres. Je les notai dans un répertoire alphabétique que je ne tardai pas à remplir. Elles ne réapparurent jamais. La nuit, pendant les rares intervalles que m'accordait l'in-
125 somnie, je rêvais du livre.

L'été déclinait quand je compris que ce livre était monstrueux. Cela ne me servit à rien de reconnaître que j'étais moi-même également monstrueux, moi qui le voyais avec mes yeux et le
130 palpais avec mes dix doigts et ongles. Je sentis que c'était un objet de cauchemar, une chose obscène qui diffamait et corrompait la réalité.

Je pensai au feu, mais je craignis que la combustion d'un livre infini ne soit pareillement infi-
135 nie et n'asphyxie la planète par sa fumée.

Je me souvins d'avoir lu quelque part que le meilleur endroit où cacher une feuille c'est une forêt. Avant d'avoir pris ma retraite, je travaillais à la Bibliothèque nationale, qui abrite neuf cent mille livres; je sais qu'à droite du vestibule, un escalier en colimaçon descend
140 dans les profondeurs d'un sous-sol où sont gardés les périodiques et les cartes. Je profitai d'une inattention des employés pour oublier le livre de sable sur l'un des rayons humides. J'essayai de ne pas regarder à quelle hauteur ni à quelle distance de la porte.

Je suis un peu soulagé mais je ne veux pas même passer rue Mexico[4].

Jorge Luis Borges, «Le livre de sable», dans *Le livre de sable*,
traduit de l'espagnol par Françoise Rosset, Paris,
© Éditions Gallimard, 1978, p. 137 à 144.

JORGE LUIS BORGES
(1899-1986)

Aujourd'hui considéré comme l'un des auteurs clés du XXe siècle, l'Argentin Jorge Luis Borges devra écrire trente ans avant que la critique internationale ne reconnaisse l'ampleur et l'originalité exceptionnelles de son univers. En 1941, il publie *Le jardin aux sentiers qui bifurquent*, un premier recueil de nouvelles, dans lequel se trouvent déjà les thèmes favoris de ses livres futurs (*Fictions*, 1944; *L'aleph*, 1949; *Le livre de sable*, 1975): les labyrinthes et les miroirs, la nature multiple de l'identité et de la réalité, les énigmes du temps, l'infini... Dans plusieurs récits de Borges, philosophie, théologie et fantastique s'emboîtent dans des enquêtes policières et des critiques de livres imaginaires. Perdant graduellement la vue, le «Sphinx de Buenos Aires» a construit de mémoire et dicté ses derniers ouvrages.

___
4. À cette époque, la Bibliothèque nationale d'Argentine était située rue Mexico.

CONTINUITÉ DES PARCS

I avait commencé à lire le roman quelques jours auparavant. Il l'abandonna à cause d'affaires urgentes et l'ouvrit de nouveau dans le train, en retournant à sa propriété. Il se laissait len-
5 tement intéresser par l'intrigue et le caractère des personnages. Ce soir-là, après avoir écrit une lettre à son fondé de pouvoirs et discuté avec l'intendant une question de métayage, il reprit sa lecture dans la tranquillité du studio, d'où la vue s'étendait sur
10 le parc planté de chênes. Installé dans son fauteuil favori, le dos à la porte pour ne pas être gêné par une irritante possibilité de dérangements divers, il laissait sa main gauche caresser de temps en temps le velours vert. Il se mit à lire les derniers chapitres.
15 Sa mémoire retenait sans effort les noms et l'apparence des héros. L'illusion romanesque le prit presque aussitôt. Il jouissait du plaisir presque pervers de s'éloigner petit à petit, ligne après ligne, de ce qui l'entourait, tout en demeurant conscient que sa
20 tête reposait commodément sur le velours du dossier élevé, que les cigarettes restaient à portée de sa main et qu'au-delà des grandes fenêtres le souffle du crépuscule semblait danser sous les chênes.

Phrase après phrase, absorbé par la sordide
25 alternative où se débattaient les protagonistes, il se laissait prendre aux images qui s'organisaient et acquéraient progressivement couleur et vie. Il fut ainsi témoin de la dernière rencontre dans la cabane parmi la broussaille. La femme entra la première,
30 méfiante. Puis vint l'homme, le visage griffé par les épines d'une branche. Admirablement, elle étanchait de ses baisers le sang des égratignures. Lui, se dérobait aux caresses. Il n'était pas venu pour répéter le cérémonial d'une passion clandestine pro-
35 tégée par un monde de feuilles sèches et de sentiers furtifs. Le poignard devenait tiède au contact de sa poitrine. Dessous, au rythme du cœur, battait la liberté convoitée. Un dialogue haletant se déroulait au long des pages comme un fleuve de reptiles,
40 et l'on sentait que tout était décidé depuis toujours. Jusqu'à ces caresses qui enveloppaient le corps de l'amant comme pour le retenir et le dissuader, dessinaient abominablement les contours de l'autre corps, qu'il était nécessaire d'abattre. Rien n'avait
45 été oublié: alibis, hasards, erreurs possibles. À partir de cette heure, chaque instant avait son usage minutieusement calculé. La double et implacable répétition était à peine interrompue le temps qu'une main frôle une joue. Il commençait à faire nuit.

50 Sans se regarder, étroitement liés à la tâche qui les attendait, ils se séparèrent à la porte de la cabane. Elle devait suivre le sentier qui allait vers le nord. Sur le sentier opposé, il se retourna un instant pour la voir courir, les cheveux dénoués. À son tour,
55 il se mit à courir, se courbant sous les arbres et les haies. À la fin, il distingua dans la brume mauve du crépuscule l'allée qui conduisait à la maison. Les chiens ne devaient pas aboyer et ils n'aboyèrent pas. À cette heure, l'intendant ne devait pas être là
60 et il n'était pas là. Il monta les trois marches du perron et entra. À travers le sang qui bourdonnait dans ses oreilles, lui parvenaient encore les paroles de la femme. D'abord une salle bleue, puis un corridor, puis un escalier avec un tapis. En haut, deux portes.
65 Personne dans la première pièce, personne dans la seconde. La porte du salon, et alors, le poignard en main, les lumières des grandes baies, le dossier élevé du fauteuil de velours vert et, dépassant le fauteuil, la tête de l'homme en train de lire un roman.

Julio Cortázar, «Continuité des parcs», dans *Les armes secrètes*, traduit de l'espagnol par C. et R. Caillois, Paris, © Éditions Gallimard, 1963, p. 85 à 87.

JULIO CORTÁZAR
(1914-1984)

Son enfance à Buenos Aires en Argentine, Julio Cortázar la passe en grande partie au lit, malade. Il se distrait avec les livres que lui apporte sa mère et découvre alors les *Voyages extraordinaires* de Jules Verne, auteur qu'il admirera toute sa vie. Après ses études, Cortázar sera professeur de littérature et traducteur, notamment des récits d'Edgar Allan Poe et du *Robinson Crusoé* de Daniel Defoe. En 1951, il s'installe à Paris et commence sa carrière d'écrivain en publiant *Bestiaire*, un recueil de nouvelles fantastiques. D'autres recueils de la même veine suivront, dont *Les armes secrètes* (1959) et *Tous les feux le feu* (1966), consacrant Cortázar comme un des maîtres du genre. Inspiré à la fois par le surréalisme et le réalisme magique, Cortázar s'amuse à éclipser la frontière entre le réel et le rêvé et oblige les lecteurs à revoir leur position, leurs illusions. Avec *Marelle* (1963), son œuvre maîtresse, Cortázar reprend les règles du jeu d'enfant et propose deux modes de lecture pour avancer dans l'histoire. Le roman interactif est né!

SOLIDARIDAD con CHILE

Le parc

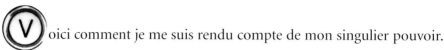Voici comment je me suis rendu compte de mon singulier pouvoir.

Le balcon où j'écris par beau temps donne directement sur un jardin public qu'il est inutile de décrire en détail. C'est un parc que je connais et apprécie de haut, pour ainsi dire, car je le fréquente depuis mon balcon plus volontiers que je n'en parcours les allées. Au-dessus de ma petite machine à écrire, je peux donc admirer une allée bien entretenue qui forme un demi-cercle presque parfait. Le jardinier l'arrose tous les matins vers huit heures même s'il a plu à torrents toute la nuit. Traînant un long boyau derrière soi, son pas énergique évoque l'invincible progression d'un soldat, baïonnette au canon. Il dirige son puissant jet d'eau non seulement sur les pelouses mais aussi sur les bancs, ce qui n'a pas l'heur de plaire aux usagers. En ce moment, les oiseaux sont nombreux; ils vont d'un arbre à l'autre par groupes compacts. Ils sont venus en grand nombre du Nord, comme les clochards, et ils font halte avant de traverser la Méditerranée.

L'allée semi-circulaire du parc est bordée de trois pins qui sont de grosseur moyenne et à égale distance l'un de l'autre. Devant chaque arbre, il y a un banc de couleur bleu turquoise. L'allée propre, humide par endroits, le gazon court, les arbres et les bancs disposés symétriquement, tous ces détails que je vois en plongée me donnent l'impression d'un décor de théâtre.

Dans ce coin de parc, de menus incidents surviennent à tout moment. Il arrive qu'ils ne manquent pas d'intérêt pour le voyeur impénitent que je suis. Par exemple, voici une femme qui porte un manteau beige trop grand. Elle sort une pièce de coton de son sac à main et se met à nettoyer le banc avec une application inusitée, pliant, dépliant, repliant son linge pour qu'il absorbe bien. Elle apprécie le travail bien fait ou elle fait preuve d'un louable sentiment communautaire, car elle nettoie soigneusement le siège dans toute sa longueur même si elle n'en occupera que le quart. Civisme ou manie? Mais voici une femme en robe de chambre rose qui promène son barbet à poil frisé, celle-là même qui, hier encore, reprochait au jardinier d'arroser trop généreusement les bancs, eu égard aux crottes de moineaux. Voici un homme qui met son béret au bout d'une canne pour se protéger du soleil. Voici un homme tiré à quatre épingles qui porte une jolie poupée dans ses bras: il s'assoit, dépose délicatement sa petite compagne en plastique à ses côtés, arrange les plis de sa robe rouge. Ensuite, il sort un journal de sa poche et se met à lire après avoir tourné le dos à sa compagne. Avouez qu'il y a de quoi zieuter.

Voici une femme aux cheveux grisonnants qui paraît côté cour. Elle s'assied sur le premier banc. Après un moment, elle se ravise et va s'asseoir sur le deuxième banc. Autre moment d'hésitation puis elle se lève et va s'asseoir sur le troisième banc, côté jardin. Il n'y a pas lieu de s'étonner: elles finissent toujours par choisir le troisième banc. Rapport à l'ombre ou à la lumière, à la vue sur la mer, à la circulation d'air, je ne sais trop. Il doit bien y avoir une raison, consciente ou pas. La femme sort des petites lunettes rondes de son sac à main, puis une pastille de menthe qui brille au soleil et qu'elle suçote tranquillement. Elle ne fait rien, elle se contente d'être là. Elle pourrait bayer aux corneilles mais il n'y en a pas. Elle attend Godot ou quelque chose comme ça. Attendez, vous allez voir où je veux en venir. Il faut bien que je prenne le temps de raconter. Si je ne prends pas tout le temps, vous ne me croirez pas.

Côté jardin, surgit une deuxième femme. 45 Cheveux blancs, teint cuivré. Elle est plus petite que la première. Elle marche lentement avec une canne, boitille un peu. Elle aussi porte une robe bleue mais plus pâle. Elle va s'asseoir à côté de la première femme, sur le même banc, après avoir 50 jeté un regard indifférent aux deux autres. Qu'est-ce que je vous disais? Deux bancs vides, un banc surpeuplé. À quoi rime ce déséquilibre? Le besoin de se rapprocher de quelqu'un? de sentir une présence? L'envie d'engager une conversa-55 tion? Pourtant non, chacun rêvasse de son côté en silence. Ne vous impatientez pas, j'y arrive. On est toujours trop pressé. C'est le mal de notre siècle. Ne me bousculez pas, j'ai tout mon temps, vous aussi. Vous avez tort de croire que rien 60 d'extraordinaire ne va se passer.

Sur mon balcon, le goût me prend de décrire les curieux déplacements des dames. Pourquoi cette brusque envie de raconter des petits faits anodins, insignifiants? Civisme ou manie? Mais 65 c'est que rien n'est insignifiant. Le moindre jeu de lumière, le bruissement d'un feuillage, le profil d'une oreille, l'odeur d'un citron, le glouglou de l'eau dans les tuyaux, la façon dont une femme s'assoit, les inscriptions sur une boîte d'allu-70 mettes, rien n'est banal. Me voilà donc à essayer de décrire le parc et à raconter le petit jeu inoffensif, un brin mystérieux, des bonnes femmes qui préfèrent toujours un banc aux deux autres.

Je décide par la même occasion d'improviser 75 un petit scénario. J'écris: «La femme à canne change de banc.» Caprice d'auteur. Au moment même où les lettres s'impriment sur la feuille blanche, la femme susnommée change de banc. Coïncidence, pensé-je. J'écris: «La femme, une 80 fois assise, lance sa canne sur la pelouse.» Eh bien, vous me croirez si vous voulez, elle a en quelque sorte suivi mes instructions: une fois assise, elle a balancé sa canne derrière elle, sans même tourner la tête, dans un geste subit, méca-85 nique, inattendu, merveilleux. Je devins perplexe. Je le fus encore davantage quand sa voisine de tout à l'heure se leva et vint lui offrir ses bonbons à la menthe, ainsi que je venais tout juste de

UNE ALLUSION À BECKETT

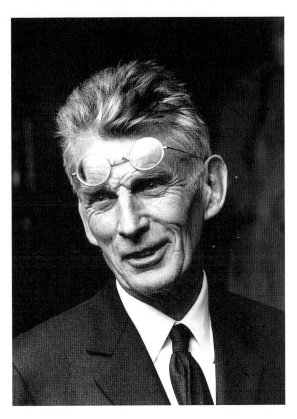

INTERTEXTUALITÉ *Elle attend Godot ou quelque chose comme ça*, lit-on à la ligne 40 de ce texte. Il s'agit d'un clin d'œil à la pièce de théâtre *En attendant Godot* écrite en 1953 par le romancier et dramaturge irlandais Samuel Beckett.

Les comédiens Jack Robitaille et Jacques Leblanc dans la pièce de Beckett *En attendant Godot*, jouée à Québec en 2006.

l'écrire. Comme si des ondes télépathiques émanaient du doux crépitement de ma
90 machine à écrire, comme si taper avec les deux index, c'était suggérer, dicter, commander,
dominer.

Commencez-vous à comprendre ? Dès que je tape quelque chose sur ma petite
machine allemande, à peine plus haute qu'une cigarette à bout filtre, 44 touches, 88 caractères, modèle courant, *cela* se produit en bas dans la portion de parc qui est dans mon
95 champ de vision. Je précède la réalité, je la dirige. Vous saisissez la portée de cette découverte ? Suis-je écrivain ou écrivant ? Je commande aux gens, à mes frères humains, par le
truchement de mon clavier. Et c'est ainsi que je suis devenu le metteur en scène clandes-
tin de ce coin de parc, moins public que privé.

ANDRÉ BERTHIAUME
(né au Québec en 1938)

La carrière d'écrivain d'André Berthiaume commence de manière fulgurante : son tout premier
roman, *La fugue*, lui vaut le prix du Cercle de
France en 1966. Tout en enseignant la littérature
à l'université Laval et en collaborant à de nombreuses revues littéraires, André Berthiaume
publie des romans et des recueils de nouvelles
fantastiques. Pour *Incidents de frontière* (1984),
le jury du Grand Prix de la science-fiction et du
fantastique québécois lui remet son prix annuel
en 1985. On souligne alors l'acuité de son regard
d'écrivain et sa remarquable attention aux détails
par lesquels s'insinue le fantastique.

Depuis, j'ai organisé des tas de petits événe-
100 ments. J'ai réconcilié des amoureux, empêché des
vols, fait danser des vieux, réconforté des clochards,
embêté l'agent qui vient chaque soir à six heures, le
sifflet entre les dents, annoncer la fermeture du parc.
Quel auteur peut en dire autant ? Et qui sait jusqu'où
105 demain j'irai ? Car figurez-vous que j'ai des projets.
Je me propose de visiter avec ma machine à écrire les
réunions publiques, les congrès, les parlements. Une
fois que j'aurai bien rodé mon système, je me rendrai
aux Nations Unies. Qui sait ? Demain, je comman-
110 derai peut-être aux éléments. Ma petite machine
ouverte sur mes genoux collés ensemble, les index
aux aguets, je serai le maître du monde.

André Berthiaume, «Le parc», dans *Le mot pour vivre*,
Québec, Les Éditions parallèles, 1978, p. 172 à 176.

Bernard Buffet,
Le pont, 1961.

La femme au parapluie

— Tiens, drôle d'endroit pour perdre son parapluie.

Il se pencha, ramassa le parapluie.

• • •

5 Le téléphone sonna.

— Allo.

— Bonsoir, monsieur. Vous avez trouvé mon parapluie ?

— Pardon ?

10 — Je vous demande si vous avez trouvé mon parapluie. Un parapluie noir avec…

— Oui, en effet, j'ai trouvé un parapluie, ce matin. Mais comment savez-vous, madame, que c'est moi qui l'ai trouvé ?

15 — Mais, mon cher monsieur, je l'ai perdu précisément pour que vous le trouviez ! Et maintenant je voudrais le ravoir. Vous voulez bien venir me le porter ? Je vous attendrai ce soir au milieu du pont de bois, à l'est de la ville, à onze heures. Bonsoir,
20 monsieur.

• • •

— Vous êtes en retard, je vous attends depuis dix minutes.

— Je m'excuse, j'ai été retardé… Voici votre
25 parapluie, madame.

— Merci, monsieur.

Elle le regardait droit dans les yeux.

— Et maintenant, sautez. Votre heure est venue. Il est temps. Allez…

30 Il enjamba le garde-fou et se jeta dans la rivière.

Et elle repartit, laissant son parapluie au milieu du pont de bois, à l'est de la ville…

Michel Tremblay, «La femme au parapluie»,
dans *Contes pour buveurs attardés*, Montréal,
© Leméac Éditeur, 1996, p. 143 et 144.

MICHEL TREMBLAY
(né au Québec en 1942)

Dramaturge, romancier et scénariste, Michel Tremblay est l'un des plus grands écrivains québécois. C'est avec sa pièce *Les belles-sœurs*, montée au Théâtre du Rideau-Vert en 1968, que sa carrière littéraire prend son envol. En 2006, à peine remis d'une importante maladie, Michel Tremblay renoue avec le fantastique dans son roman *Le trou dans le mur*. Profondément ancrée dans la réalité québécoise, son œuvre rejoint les rangs des classiques universels.

CÉRÉMONIAL NOCTURNE

*Tous les craquements, les bruits nocturnes,
la vie secrète et grinçante des planchers trouvaient
en lui un observateur aussi vigilant qu'infaillible.*

Bruno SCHULZ

Mon père ne m'imposait jamais aucune heure de rentrée lorsque je sortais le soir. Je devais uniquement me porter présent. Je frappais alors discrètement à la porte de la chambre.

Mon père faisait: «oui!» d'une voix bourrue. J'entrais et déjà la lampe à
5 son chevet se trouvait allumée. Ma mère dormait paisiblement. Mon père regardait sa montre et me dévisageait d'un coup d'œil. Selon que l'heure était raisonnable ou tardive, il y avait de la bienveillance ou de la réserve sur son visage. Je l'embrassais au front. Son nez très fin percevait alors si j'avais trop fumé, trop bu, ou si le parfum d'une femme flottait autour de moi.
10 Aucun mot n'était prononcé. Je montais alors me coucher à l'étage supérieur, heureux ou inquiet selon l'état de ma conscience.

Je m'étais habitué à ce cérémonial nocturne et l'idée ne me serait jamais venue de m'y soustraire ou d'en être agacé.

Un jour cependant, un de mes camarades me fit remarquer «qu'après
15 tout, j'étais majeur» et que cette silencieuse reddition de comptes avait un côté humiliant; qu'il n'aurait jamais pu, pour sa part, s'y plier.

Je n'étais pas convaincu de la sincérité de ce propos et je soupçonnais même celui qui le tenait de jouir de moins de liberté que moi. Mais je fus néanmoins piqué au vif. Aussi décidai-je de rompre, à la première occasion,
20 avec une tradition qui me faisait mal juger.

Une nuit, — il était vraiment très tard cette fois — je rentrais d'un bal où je m'étais ennuyé. J'ouvris la porte de la maison avec précaution et la refermai très doucement derrière moi. Sans allumer la lumière dans le corridor, pour éviter le bruit de l'interrupteur, je me déchaussai prudemment.
25 Marche après marche, le cœur battant, je gravis l'escalier dans les ténèbres.

La grande horloge du hall faisait son tic-tac familier, mais ce bruit, en ces circonstances, emplissait la maison silencieuse d'une solennité inaccoutumée.

À la porte de la chambre de mes parents je m'arrêtai hésitant. Je me sen-
30 tais honteux de ce que je faisais. À travers la cloison, je croyais entendre le souffle un peu fort de mon père. À contrecœur, je passai outre et abordai la seconde volée d'escaliers. L'obscurité était totale à présent, aucune fenêtre

n'apportant à ma lente ascension le concours d'une faible clarté nocturne
35 venue du dehors.

La main gauche à la rampe qui craquait parfois imperceptiblement, je progressais le cœur gonflé à la fois d'orgueil et de remords.

40 — Quelle tragique coïncidence, me disais-je, si mon père venait à mourir cette nuit dans son sommeil !

Et j'essayais, en vain d'ailleurs, de chasser cette sotte pensée.

45 Tout à coup, je me sentis glacé d'effroi et je me tins immobile. *Quelque chose* descendait à ma rencontre. Je n'entendais aucun bruit, mais tout mon être hérissé m'avertissait. La main tenant ferme la
50 rampe, le bras droit tendu en avant pour parer toute surprise et me protéger en même temps le visage, j'attendais…

Ce fut très rapide. Il y eut comme un glissement léger, dont je ressentis la
55 vibration et, soudain, passa sur ma main agrippée à la rampe, une autre main, toute froide, une main *seule,* qui n'appartenait pas à un corps, puisque je ne sentis qu'elle qui «enjamba» tout simple-
60 ment mon poignet et continua à descendre dans les ténèbres.

Dès que *cela* m'eut croisé, la sensation d'avoir quelque chose devant moi disparut. Je n'avais plus à me défendre d'une rencontre, mais je restais figé d'horreur et, après tant d'années, j'avoue ressentir encore à ce souvenir un
65 indicible malaise.

Combien de temps demeurai-je ainsi figé ? Quelques secondes sans doute, car on perd en de telles circonstances la notion exacte de la durée.

La voix de mon père me parvint d'en bas. — «Oui !» — disait-il bourru. Puis, de nouveau, d'un ton impatient : «oui !».

70 Je dévalai les marches jusqu'à sa chambre et entrai puisqu'il m'y invitait. La lampe brûlait déjà. Mon père me regardait.

— Pourquoi attends-tu si longtemps après avoir frappé ?… Tu deviens sourd ?

Mais de voir l'altération de mon visage, mon père s'inquiéta.

75 — Ça ne va pas ?

Il se redressa brusquement et ma mère s'éveilla en poussant un cri qui ajouta à l'étrangeté du moment.

— Si, si, ça va, fis-je la gorge serrée.

— Tu es vert, dit mon père.

80 — Quelle heure est-il? demanda ma mère.

Il l'apaisa d'un geste et s'allongea à nouveau remontant la couverture jusqu'à son menton.

Je l'embrassai au front. Je perçus à cet instant avec quelle intensité il cherchait à me deviner, mais rien d'autre ne fut dit. Je me retirai bouleversé 85 et trouvai bien difficilement le sommeil.

Par la suite, le cérémonial nocturne se déroula sans le moindre accroc, jusqu'au moment où je quittai la maison de mes parents pour me marier.

Mais jamais plus, depuis bientôt trente ans, je ne monte un escalier dans l'obscurité.

Thomas Owen, «Cérémonial nocturne» dans *Cérémonial nocturne et autres contes insolites*, © SABAM Belgium 2008.

THOMAS OWEN
(1910-2002)

Pendant près de quarante ans, le Belge Gérard Bertot, alias Thomas Owen, sera directeur d'une meunerie le jour et auteur estimé de nouvelles fantastiques le soir. Sous le pseudonyme de Stéphane Rey, il sera également un critique d'art respecté. La carrière d'écrivain de Thomas Owen s'amorce au cours de la Seconde Guerre mondiale: il écrit d'abord des récits policiers teintés d'humour très noir, pour ensuite se tourner vers le fantastique. Il publiera une douzaine de recueils de nouvelles où l'étrange et l'insolite se glissent peu à peu dans le quotidien des personnages qui passent, en quelques pages, de l'inquiétude banale à l'effroi total. Son ami et mentor Jean Ray a sans doute décrit le plus justement son style: «Owen arrive en pente douce à la Peur, il prend le lecteur par le bras pour une promenade innocente, dans l'intention perverse de lui fausser compagnie une fois face à l'épouvante.»

La fillette oubliée

Mᵐᵉ Ada Tormenti, veuve Lulli, se rendit pour quelques jours à la campagne, invitée par ses cousins Premoli. Il y avait toujours beaucoup de gens dans cette maison. Et comme c'était l'été, la compagnie se réunissait le soir dans le jardin jusqu'à une heure, deux heures du matin, en bavardant. Une certaine fois, la conversation vint sur les maisons de la ville. Un nommé Imbastaro, homme très intelligent mais fort antipathique, se trouvait là. Il disait :

— Chaque fois que je quitte ma demeure, à Naples, eh, eh, eh bien quelque chose arrive (il ricanait toujours ainsi, sans aucun motif ; ou bien peut-être avait-il un motif, celui de faire du mal à son prochain ?). Je m'en vais, façon de parler ! car je n'ai pas fait deux kilomètres que l'eau se met à déborder du lavabo, ou que la bibliothèque prend feu à cause d'un mégot laissé allumé, ou que les rats d'égout font irruption et dévorent tout jusqu'aux pierres ; eh, eh, ou bien la concierge, seule personne qui résiste à la ville dans cette saison, prend un coup de sang, et le lendemain matin on la retrouve tout à fait prête à être enterrée, avec les cierges, le curé et le cercueil. La vie n'est-elle pas ainsi, peut-être ?

— Non, pas toujours, dit Mᵐᵉ Tormenti, heureusement.

— Pas toujours, c'est vrai. Mais vous-même, madame, par exemple, pourriez-vous jurer que vous avez laissé votre maison parfaitement en ordre, de n'avoir absolument rien oublié ? Pensez-y, pensez-y bien. Tout est-il absolument en ordre ?

À ces mots, Ada sentit son visage blêmir : une pensée horrible vint la frapper soudain. Pour profiter de l'invitation des Premoli, elle avait conduit sa fillette de quatre ans chez une tante. Pour être plus exact, elle avait décidé de la conduire. Car maintenant, en y repensant, bien qu'elle fût tout à fait certaine de l'avoir fait, elle ne parvenait plus à se souvenir comment et quand elle avait conduit Luisella chez la tante. Comme c'était étrange ! Elle ne se souvenait ni de quand elles étaient sorties ensemble de la maison, ni du chemin parcouru, ni des adieux chez la tante. Comme si un trou s'était creusé dans sa mémoire.

En somme, son doute était le suivant : elle, Ada, avait peut-être oublié d'emmener la fillette chez sa tante et, sans y penser, en s'en allant, elle l'avait enfermée à la maison. C'était une idée absurde : pourtant l'imagination travaille parfois sur des choses tellement étranges… Ridicule, folie, mais suffisant pour lui glacer le sang dans les veines. Les autres la virent, avec stupeur, se lever soudain, abandonner leur société.

— Dites-moi, s'il vous plaît, demanda-t-on à Imbastaro, lui avez-vous dit quelque chose de désagréable ?

— Moi ? Rien de particulier, eh, eh. Je ne comprends pas.

Ada rentra dans la maison des Premoli et, sans rien dire à personne, courut au téléphone. Elle appela Milan en hâte, donna son numéro. Puis elle attendit, se tordant les mains.

Elle obtint la communication presque aussitôt.

— Allô, allô.

— Vous avez appelé Milan, le 400-79-27 ?

— Oui, oui, fit-elle.

— Vous l'avez, parlez…

Parler ? Avec qui ? En appelant, elle avait espéré ne pas obtenir de réponse. Sa maison n'était-elle pas vide, fermée à clef ? Et puisque

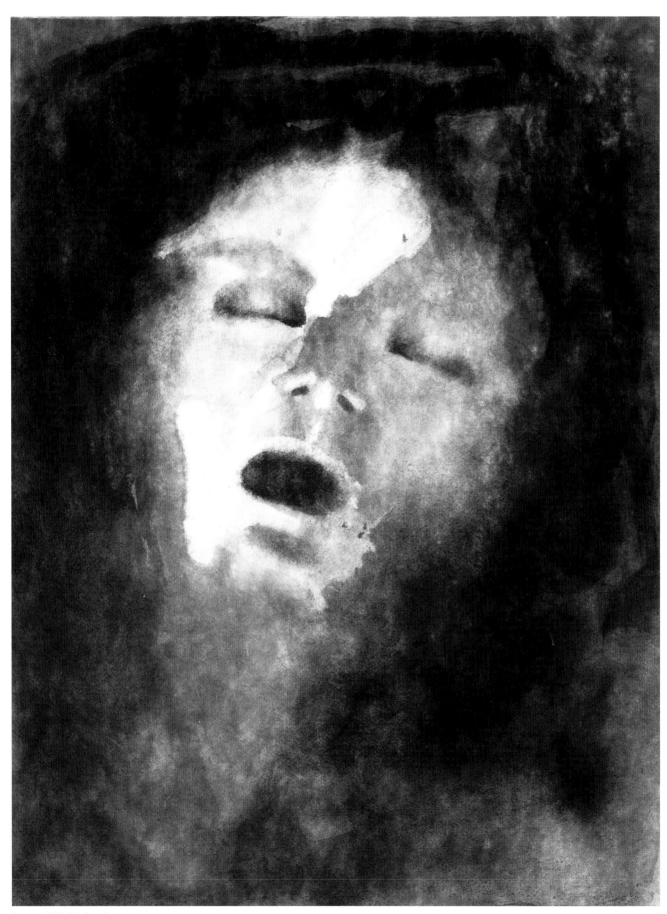

Leonor Fini, *Endormie*.

quelqu'un venait à l'appareil, cela signifiait donc que ses craintes étaient fondées, que Luisella était demeurée enfermée à l'intérieur. (Bien qu'elle ne fût âgée que de quatre ans, elle savait déjà répondre au téléphone.) Et dix jours avaient passé désormais; et il faisait une chaleur étouffante, et Ada n'avait laissé à la maison pas même la moindre bouchée de pain. La chaleur! Quand il fait une telle canicule, les meubles cuisent, rôtissent dans les maisons abandonnées, et les êtres vivants, s'il en reste, meurent étouffés. Ada se sentit défaillir. En tremblant, elle murmura:

— Allô.

— Allô! répondit, de Milan, une voix d'homme.

En un éclair, Ada imagina la scène: Luisella enfermée et seule dans la maison, incapable d'ouvrir la porte, ses cris, alertant enfin le quartier, la police, la porte enfoncée, la fillette folle de peur…

— Allô, qui est à l'appareil? demandait l'homme.

— C'est moi, la maman. Mais qui êtes-vous?

— Quelle maman? Je ne connais pas de maman. Vous vous êtes trompée de numéro! Et il raccrocha.

Ada redemanda aussitôt Milan (mais la panique la tenait désormais tout entière). Elle obtint le bon numéro, perçut la sonnerie et cette fois nul ne répondit.

Elle se sentit soulagée. Tout de même! Quelle idée d'affabuler sur de telles sornettes? Elle se repoudra un peu devant un miroir, retourna au jardin. On la regarda, mais personne ne dit rien.

Toutefois, quand elle se retrouva au lit, que le lourd silence de la nuit s'appesantit sur la grande maison de campagne, et que seul le chant des grillons vint la rejoindre par la fenêtre entrouverte, elle connut de nouveau la peur. Elle se mit à imaginer l'enfant, désormais consumée de chaleur et de faim, à genoux, les mains agrippées au verrou inférieur de la porte, les yeux écarquillés, et lançant ses derniers gémissements. Elle avait beau se dire que, à tout prendre, quelqu'un aurait entendu ses cris. Une autre voix, perfide, remarquait: si quelqu'un l'avait entendue, on

l'aurait secourue; dix jours sont passés désormais, à cette heure tu serais prévenue. Et puis il se pouvait aussi que les appartements voisins fussent vides, en cette époque de vacances. Et, cinq étages plus bas, la concierge pouvait-elle entendre?

Elle regarda sa montre, il était quatre heures. Ada sauta du lit, se vêtit, prépara sa valise. Peut-être que je commence à devenir folle, se disait-elle. Mais elle se sentait incapable de résister.

Elle griffonna un billet d'excuse. À pas furtifs, elle descendit, ouvrit la porte du jardin, se mit en route pour la gare: à quatre kilomètres de là.

Plus le train avançait, plus forte devenait sa panique. Elle arriva à Milan vers trois heures de l'après-midi. La ville grillait dans un halo de poussière humide et brûlante. Ada s'engouffra dans un taxi, balbutiant son adresse.

La vue de sa maison, enfin! On n'y remarquait rien d'insolite. Les volets de son appartement étaient tous tirés, comme elle les avait mis onze jours plus tôt.

Elle passa en courant devant la concierge. La concierge lui fit le même salut qu'à l'accoutumée. Que béni soit le Ciel, pensait Ada. C'était un cauchemar, rien d'autre.

Silence, tranquillité, sur le palier du cinquième étage. Mais pourquoi sa main tremblait-elle ainsi en glissant la clef dans la serrure? En s'ouvrant, la porte laissa passer un souffle chaud et lourd.

Aussitôt Ada sentit une douloureuse contraction nouer sa poitrine: une petite, une incompréhensible fumée venait flotter au-dessus de sa tête, minuscule nuage effilé, pâle, inodore, comme hâtif de s'enfuir.

Elle courut à la fenêtre de l'entrée, écarta les volets, se retourna.

Sur le parquet, à deux mètres à peine, quelque chose, comme une large tache, épaisse. Elle s'approcha, toucha du pied. De la cendre. De la cendre étendue uniformément, formant une sorte de dessin. Et cette contraction qui nouait sa poitrine devint le feu, l'enfer. Les contours de la tache étaient exactement ceux de Luisella.

Dino Buzzati, « La fillette oubliée », dans *L'écroulement de la Baliverna*, traduit de l'italien par Michel Breitman, Paris, Éditions Robert Laffont, 1960, p. 167 à 172.

LE CAS HEDDA LENNON

Madame Hedda Lennon, veuve d'un entrepreneur dans le bâtiment installé au Caire, avait une fille mariée qui habitait en Angleterre. (Je restitue ici l'essentiel de l'histoire parce que le déroulement chronologique serait trop long et trop complexe.)

5 Hedda Lennon habitait, à l'extrême périphérie du Caire, une villa entourée d'un jardin. Un jour, c'était en 1934, elle reçut une lettre de sa fille, appelée Lois, qui devait entrer en clinique à la suite d'une hémorragie. Deux jours plus tard, venant du mari de Lois, Harry Thomson, ingénieur dans une usine de câbles électriques,
10 elle reçut un télégramme lui annonçant la mort de Lois.

À cette époque on n'avait pas l'habitude d'utiliser les lignes aériennes. Hedda Lennon partit en paquebot, elle se rendit à Marseille, de là en train jusqu'à Cherbourg, puis Londres. Elle demeura abasourdie quand elle arriva à la maison de son gendre,
15 à Coventry. Sa fille Lois était vivante et se portait comme un charme.

Sa fille comme son gendre eurent l'impression que c'était elle, Hedda, qui était devenue folle. En pure perte la mère répétait qu'elle avait reçu la lettre et le télégramme ; malheureusement pour elle, les deux messages étaient restés au Caire et elle ne pou-
20 vait pas les leur montrer. Bref : à peine un mois plus tard, Hedda Lennon, assez bouleversée, rentra au Caire. Où immédiatement elle se mit à chercher la lettre de sa fille et le funeste télégramme de son gendre. Mais elle ne put les retrouver.

Trois mois passèrent. Puis elle reçut une lettre de sa fille Lois qui lui annonçait qu'elle
25 devait entrer en clinique à la suite d'une grave hémorragie. Deux jours après arriva le télé-gramme du gendre annonçant le décès. Elle partit de nouveau. À Coventry, elle trouva la maison en deuil. Lois était bel et bien morte. Hedda Lennon dut être accueillie dans une mai-son de santé, où elle mourut durant la guerre.

Commentaire

30 On ne dispose pas pour l'épisode Lennon d'une documentation complète comme pour l'affaire Mortara. Cependant les témoignages sont dignes de foi. Ici aussi il paraît avéré qu'on se trouve devant une déformation du temps. Lequel, pour Hedda Lennon, prit un rythme bien plus rapide que pour le reste du monde, sans qu'elle s'en rendît compte. De cette manière, elle reçut l'annonce de la mort
35 de sa fille quatre mois avant que celle-ci ne se produisît. Les conditions spéciales dans lesquelles elle vivait le temps ont cessé toutefois au moment où, à Londres, elle se mêla à la vie des autres, qui suivait un cours normal. Comme si le tissu-temps avait formé une minuscule protubérance juste là où elle se trouvait, pro-tubérance qui disparut automatiquement quand elle mit pied sur le sol anglais.

40 «Étranges déformations de ce qu'on appelle le temps»,
Pianeta, n° 9, septembre-novembre 1965.

Dino Buzzati, «Le cas Hedda Lennon», dans *Nouvelles inquiètes*,
traduit de l'italien par Delphine Gachet, Paris, Éditions Robert Laffont, 2006, p. 77 et 78.

LA BARONNE
ERIKA VON KLAUS

Je suis la baronne Erika von Klaus. Je n'ai pas d'histoire.

Quand le soleil est bien couché et que tout Paris allume ses feux, je me parfume avec des essences rares, j'enfile une robe vaporeuse qui met en valeur ma beauté du diable, et je sors.

5 Au long des boulevards, les hommes que je croise me saluent avec déférence. Je sais que je leur plais.

Puis, toujours, j'entre chez Maxim's dans un bruissement de soie noire qui interrompt les conversations et fait tourner les têtes. Bien que je n'adresse la parole à personne, il se trouve inévitablement quelques galants qui m'offrent tour à tour champagne et caviar et 10 me font danser jusqu'à l'aube.

Les femmes m'observent du coin de l'œil avec une envie mêlée de rage secrète. Certaines n'ont plus été revues au bout de quelque temps, mais leurs maris reviennent quand même et m'attendent. Ils sont tous fous de moi et me comblent de diamants ou de saphirs 15 que je glisse savamment dans mon corsage. Deux ou trois d'entre eux, murmure-t-on, sont morts de m'avoir trop aimée. Je suis flattée de ces marques d'attention.

De cavalier en cavalier, la nuit s'écoule, tandis 20 que je me grise de musique et de paroles tendres. Si l'on m'offre une alcôve avec des draps parfumés, je refuse en souriant, puis me glisse hors des bras qui cherchent à me retenir. Mais les passions que j'éveille sans cesse m'enivrent mieux que 25 les meilleurs crus.

À l'aube, quand la musique s'est tue, je rentre chez moi. Si d'aventure me suit l'un de mes prétendants, je me faufile agilement parmi les rues étroites. Personne n'a pu découvrir où j'habite.

30 Là, dans mon domaine, j'enlève gants, bijoux, robe et masque. Tous ces accessoires qui me font exister.

Alors, dépouillée de tout, fluide et invisible, je retourne, heureuse, au néant.

Marie José Thériault, «La baronne Erika von Klaus»,
dans *La cérémonie: Contes*, Ottawa,
Les éditions La Presse Ltée, 1978, p. 40 et 41.

MARIE JOSÉ THÉRIAULT
(née au Québec en 1945)

C'est d'abord sur scène que s'est exprimée la créativité de Marie José Thériault: au cours des années 1960, parcourant l'Espagne et l'Italie, elle est à la fois danseuse de flamenco et chanteuse. Au début des années 1970, elle amorce sa carrière dans les lettres québécoises: elle sera poète, nouvelliste, romancière, traductrice, chroniqueuse et éditrice. Elle signe notamment un roman fantastique, *Les demoiselles de Numidie*, et plusieurs recueils de nouvelles (*La cérémonie, Portraits d'Elsa*) qui font s'entrecroiser réalisme, merveilleux et fantastique et dont la narration est souvent assurée — caractéristique rare dans le genre — par les personnages surnaturels plutôt que par un personnage humain, témoin de l'étrange.

LA TOUR

Il est désormais très rare que je séjourne dans ma ville natale: nous n'y avons plus de maison. Quand j'y vais, je descends chez une cousine éloignée, vieille fille qui habite, seule, un palais ancien
5 mélancolique du côté de l'enceinte Pallamaio.

Ce palais comporte une aile intérieure qui donne sur le jardin, et où, de mémoire d'homme, personne n'a jamais habité, pas même jadis, aux temps heureux. On l'appelle, qui sait pourquoi? la
10 Tour.

Or, la légende familiale prétend que dans ces salles désertes erre la nuit un fantôme: une certaine

mythique comtesse Diomira morte il y a très long-temps après une vie peccamineuse[1].

15 Eh bien, la dernière fois, il y a trois ans, peut-être avais-je un peu bu, toujours est-il que je me sentais en forme, j'ai demandé à Emilia de me faire coucher dans une des chambres ensorcelées.

Elle de rire: «Quelle drôle d'idée!

20 — Quand j'étais enfant, dis-je, certes je n'aurais pas osé, mais avec l'âge certaines peurs disparaissent. C'est un caprice si tu veux, mais satisfais-le, je te prie. Je regrette seulement le dérangement.

25 — Si c'est pour cela, me répond-elle, aucun dérangement. Dans la Tour, il y a quatre chambres à coucher, et depuis le temps de mes arrière-grands-parents elles ont toujours été tenues en ordre, les lits faits, etc.; le seul inconvénient sera un
30 peu de poussière.»

Elle non et moi si, elle non et moi si, à la fin Emilia se décide: «Fais comme tu veux, que Dieu te bénisse.» Et elle m'accompagne elle-même là-bas, avec des bougies, parce qu'à la Tour on n'a jamais
35 installé l'électricité.

C'était une grande pièce avec des meubles Empire et quelques portraits d'ancêtres que je ne me rappelle pas; au-dessus du lit, le fatidique baldaquin.

40 La cousine s'en va, et quelques minutes après son départ, dans le grand silence de la maison, j'entends un pas dans le couloir. On frappe à la porte. Je dis: «Entrez.»

C'est une petite vieille toute souriante, vêtue
45 de blanc comme les infirmières; et sur un plateau, elle m'apporte une carafe d'eau et un verre.

«Je suis venue voir si Monsieur n'a besoin de rien.

— Non, de rien, vous êtes trop aimable», je
50 réponds. Je la remercie pour l'eau.

Et elle: «Comment se fait-il qu'on ait installé Monsieur ici, alors qu'il y a tant de chambres plus commodes dans le palais?

---

1. Une vie de péché.

Traditionnellement, les fantômes sont la manifestation visible de l'esprit d'un mort, qui pour des raisons diverses n'a pas pu trouver de repos dans l'au-delà: Jean Servier, dans *L'homme et l'invisible*, explique que les rites funéraires ont comme fonction première, chez la majorité des peuples, d'apaiser l'âme du défunt, de la persuader de s'en aller vers l'autre monde et de ne pas «revenir» dans celui des vivants (Payot, 1980, p. 86).

Michel Viegnes, *Le fantastique*,
Paris, © Éditions Flammarion, coll. «GF Corpus»,
2006, p. 181 et 182.

— C'est moi qui ai voulu, par curiosité. Parce
55 qu'on dit qu'un fantôme habite dans cette Tour, et
j'aimerais le rencontrer.»

La petite vieille secoue la tête: «Monsieur n'y
songe pas. Autrefois peut-être, qui sait? mais
aujourd'hui, le temps des fantômes est passé.
60 Maintenant surtout qu'on a installé un garage en
dessous d'ici, à l'angle. Monsieur peut être tranquille, il dormira tout d'une traite.»

De fait, il en fut bien ainsi. Je me suis endormi
presque aussitôt, et quand je me suis réveillé le
65 soleil était déjà haut.

Mais pendant que je m'habille, en regardant
de côté, je m'aperçois que le plateau, la bouteille et
le verre ne sont plus là.

Je m'habille, je descends, je trouve ma cousine:
70 «Je te demande pardon, peut-on savoir qui est
entré dans la chambre pendant que je dormais
pour emporter la bouteille et le verre d'eau?

— Quelle bouteille? fait-elle. Quel verre?

— Mais si, ceux que, hier soir, je suppose sur
75 ton ordre, m'a apportés une gentille petite vieille,
un peu après ton départ.»

Elle me fixe: «Tu as dû le rêver. Mes domestiques, je les connais. Il n'existe aucune petite vieille ici.»

Dino Buzzati, «La tour», extrait de «Trois histoires de Vénétie»,
dans *Les nuits difficiles*, traduit de l'italien par Michel Sager,
Paris, Éditions Robert Laffont, 1972, p. 79 à 81.

DINO BUZZATI
(1906-1972)

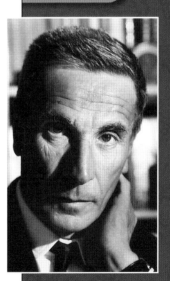

Après des études de droit, l'Italien Dino Buzzati devient, à l'âge de vingt-deux ans, journaliste dans un grand quotidien de Milan, le *Corriere della Sera*. Il y restera jusqu'à sa mort. Parallèlement à son métier de journaliste, Dino Buzzati s'intéresse à la peinture, à la gravure et à la création de décors pour la scène. Mais c'est à titre d'écrivain qu'il se fait surtout connaître. Son œuvre est abondante et touche tous les genres: contes, nouvelles, romans, pièces de théâtre, scénarios de films, livrets d'opéra et poèmes. L'auteur a lui-même illustré certaines de ses œuvres, dont *La fameuse invasion de la Sicile par les ours*. Malgré sa renommée internationale, Dino Buzzati ne se considérait pas comme un écrivain. Il se voyait plutôt comme un journaliste qui écrivait des nouvelles de temps à autre. Il fut pourtant l'un des écrivains les plus fascinants de son époque.

Ombre d'escale

— Voulez-vous voir la maison, sir ?

La question était formulée en anglais, un langage correct, qui sentait l'école, à deux pas de mon visage, sans que, dans la nuit orageuse, je pusse distinguer la personne.

Une ombre parmi les ombres du vieux port.

5 Au nord-ouest, Barcelone brûlait comme une fête foraine ; à l'est, l'eau se fléchait du reflet des feux de position des cargos.

Un œil rouge pour un œil vert et la claire étoile des mâts.

J'avais un pied pris dans une marcotte de la 10 berge, et une main obligeante l'en dégagea.

— Merci, madame, dis-je, car c'était une main de femme.

— Maintenant, voulez-vous voir la maison, sir ?

— Ah ! la maison, c'est vrai… pourquoi pas, 15 après tout ?

Il y eut un silence plein de honte à mes côtés.

— Mais non, sir, vous vous méprenez, c'est une maison dont la solitude intérieure est aussi complète que celle des alentours… Vous êtes bien 20 le second de l'*Endymion* ?

Je me retournai vers mon cargo qui rougeoyait sous les torches à pétrole, hurlait de ses triples *whimchs* qui déversaient le cardiff dans les péniches d'intérieur.

25 — L'*Endymion*, le charbonnier de Hull, parfaitement. Je suis Larkins, le second, et vous ?

— Mon Dieu, moi, cela n'a pas d'importance, je suis celle qui peut vous montrer la maison.

Mon cœur se serra et j'eus un geste de répulsion.

— Vous voulez parler de la maison où l'on assassina Andy Russel, mon prédécesseur 30 de l'*Endymion* ?

— C'est bien cela, sir.

— Pourquoi voulez-vous que j'aille voir cette horreur ? J'ai quelque peu connu Andy, c'était un bon garçon, mais je ne dois rien à sa mémoire.

— Il faut le faire parce qu'une pauvre femme vous le demande, monsieur l'officier. 35 J'habite la maison et c'est si horrible… avec lui.

— Avec lui ? Avec lui ? Je ne vous comprends guère, madame !

Les feux lointains de mon bord poussaient les reflets vers la rive désolée et je vis une haute forme frissonnante, et un éclat de perles sur un visage blanc: des larmes qui coulaient silencieusement.

40 — Il revient, sir! Il est là! Son âme… Elle est affreuse, les esprits qui ne peuvent trouver la paix de Dieu, prennent des formes abominables pour séjourner parmi les vivants. Il est devenu une créature de la nuit, qui me torture. Peut-être qu'il voudra vous écouter et s'en aller… se perdre dans les ténèbres à qui il appartient.

La voix qui me débitait cela d'une traite était morne et lasse, comme si elle récitait 45 quelque pénible leçon; j'eus un unique moment de révolte.

— Le corps d'Andy Russell a été porté en terre, dis-je sèchement, j'ai salué sa tombe; ses frères et ses sœurs l'ont fleurie.

— Sans doute, s'énerva-t-elle, mais son esprit ne l'a pas suivi, il est resté ici.

À ce moment, une vedette de la police fluviale sortit d'une darse et son projecteur 50 balaya les eaux.

Pendant quelques secondes, nous fûmes violemment éclairés par le pinceau blanc de son feu.

Le visage de la femme était d'une si surhumaine beauté, qu'un frisson me secoua les épaules.

55 — Je vous suis, madame, si c'est un piège que vous me tendez, j'oublierai que vous êtes une lady, et c'est sur vous que je tirerai.

— Pour le service que vous allez me rendre, je veux accepter l'injure, riposta-t-elle avec une joie sombre.

La route que nous nous mîmes à suivre était longue et droite, tracée au cordeau à tra- 60 vers des friches et des dépotoirs; de distance en distance brûlaient les réverbères munici- paux, grêles sur pattes comme des faucheux infirmes.

Et, de nouveau, je vis son visage.

— Andy Russell venait-il vous rendre visite?

— Oui!

65 Je toussai, une pensée trouble me hantait.

— C'était un très bel homme…

— Oui!

— Il vous faisait… la cour?

Elle éclata d'un rire si farouche que je m'écartai d'elle.

70 — Il m'aimait, dites cela, lieutenant Larkins, et moi aussi je l'aimais.

Je baissai la tête, confus, obscurément peiné par cet aveu passionné.

Elle me précédait de quelques pas sur la chaussée ténébreuse; une crécerelle chassant bas dans le ciel passa avec un chuintement de colère, ma compagne s'arrêta et me laissa approcher d'elle.

75 — Les affreuses voix de la nuit, murmura-t-elle.

Elle était si près de moi que je sentis son grand corps souple trembler et s'agiter.

Salvador Dali, *Venus et le marin*, 1925.

— J'ai vécu toute ma vie dans la nuit et dans la peur. Je suis malade, mon sang est brûlé. Je suis née d'un inceste effroyable. Mes criminels
80 parents ne m'ont donné que la beauté, mais ils ont mis la nuit dans mes veines, la nuit qui a mangé mon cœur.

«Bien, me dis-je, c'est une folle. J'aurais dû m'en douter de prime abord. Toute l'aventure se
85 termine là.»

On passait le dernier réverbère, je vis son regard, plein d'un hautain mépris, fixé sur moi.

— Andy Russel aussi me croyait folle, n'empêche qu'il m'aimait, répondit-elle à ma pensée.
90 Je l'ai voulu parce qu'il était beau et sain. Il avait le cœur simple d'un Anglais et d'un marin; auprès de lui la nuit ne pouvait rien contre moi. Et vous, lieutenant Larkins, vous êtes comme lui: beau, sain, marin et Anglais; votre cœur ne
95 connaît pas de détours. Vous pourrez m'aimer.

— Madame… suppliai-je.

Mais j'étais un homme qui venait de la mer, sevré de tendresse; l'appel de tous les ports d'escale chanta, trouble, dans mon cœur.

100 — Venez, lieutenant.

La maison était devant nous, obscure, émergeant d'un bosquet de tamaris nains.

Dans un hall irrégulier, aux céramiques claires, une lampe mauresque jetait des lueurs de prisme.

105 Sur une table en cuivre rouge, il y avait du vin d'Espagne, des gobelets en cristal rouge comme des lampes de sacristie, et une conque de nacre remplie de cigarettes.

— Prenez ce fauteuil, c'est là qu'Andy Russell est mort, tué par qui? Par la nuit, je présume.

D'un geste rapide elle écarta une draperie, et une chambre à coucher magnifique
110 parut: un lit immense, large, bas, d'une pureté polaire; des peaux de bête, une haute lampe brûlant en veilleuse.

Lentement elle dégrafa sa cape sombre, une épaule de marbre parut, puis un bras éblouissant.

— J'appellerai «Larkins!» et vous viendrez!

115 La draperie se ferma derrière elle.

Je ne touchai ni au vin ni aux cigarettes; en pensée, je vis la cape tomber aux pieds de la singulière créature.

Une pluie serrée s'était mise à tomber et grignotait le silence du dehors; au même rythme s'écoulaient les secondes que j'entendais compter par mon chronomètre.

120 — Larkins !

Une voix aiguë, impérieuse, m'appelait.

Je me glissai derrière la draperie.

La chambre était vide.

Je parcourus la maison, qui n'était pas bien grande. Sur tout traînait une poussière
125 épaisse ; une odeur d'abandon stagnait, obsédante.

— Madame ! Madame !

Je restai jusqu'à l'aube et personne ne vint.

• • •

L'officier de police m'écoutait sans sourire.

130 Un veilleur du port m'avait vu sortir de la maison solitaire et, poliment, il m'avait
invité à l'accompagner au poste.

Quand j'eus raconté ma bizarre aventure, le fonctionnaire se leva pour fouiller dans
un carton vert, d'où il retira, à la fin, une grande photographie, gainée de papier noir.

— Ne serait-ce… la dame ?

135 — Mais, oui, c'est elle !

Le policier leva sur moi des yeux graves, trou-
blés par l'inquiétude.

— C'est Isabella Portez y Mendoza, ou plutôt
c'était…

140 — Hein ?

— Elle assassina plusieurs officiers de marine
anglais, entre autres Andy Russell. Condamnée à
mort, voici six mois qu'elle a fini sur l'échafaud
par la « garrotta ».

145 • • •

L'*Endymion* est parti, je suis resté.

J'ai trouvé, à Barcelone, une humble occupation chez des courtiers maritimes anglais.

Je me suis fabriqué des fausses clés et, le soir,
150 je m'introduis dans la maison du crime.

J'allume les lampes et j'attends.

Elle viendra… Oh ! sûrement, elle viendra.
Des créatures comme elle gardent leur promesse,
même au-delà des lois monstrueuses de la mort.

155 J'attendrai jusqu'à la fin de mon terme sur
terre, s'il le faut ; mais je sais qu'un soir, de l'autre
côté de la draperie, elle m'appellera.

Jean Ray, «Ombre d'escale», dans *Les histoires
étranges de la Biloque*, (extrait), sans date.

JEAN RAY
(1887-1964)

Le Belge Raymond de Kremer (dit Jean Ray) a
connu plusieurs vies : tranquille fonctionnaire,
journaliste, auteur jeunesse, nouvelliste bilingue
prolifique… ou, selon la légende qu'il a lui-même
répandue, bagarreur, dompteur de lions, trafiquant de rhum, dernier des pirates. Cette vie
d'aventures est le fruit du formidable imaginaire
qui a enfanté des milliers de récits policiers, de
chroniques et de contes. C'est sous le pseudonyme de Jean Ray qu'il publie son premier livre,
Contes du Whisky, en 1925. Dans les années
1930, il devient, presque malgré lui, l'auteur prolifique de la série des *Harry Dickson*. En effet, les
textes qu'il doit traduire sont tellement mauvais
que son éditeur le charge de les réécrire : « Je m'y
suis mis, et je rédigeais mon *Harry Dickson* en
une nuit. » Sous le pseudonyme de John Flanders,
il signera en français et en néerlandais plusieurs
textes, notamment des nouvelles pour la jeunesse. Toutefois, c'est d'abord et avant tout
pour ses nouvelles et ses romans fantastiques
que Jean Ray est reconnu. Ses personnages y
affrontent de terrifiantes apparitions, des reve-
nants et des créatures diaboliques, et plongent
— comme les lecteurs — dans la paranoïa et la
peur. Son roman *Malpertuis* a été porté à l'écran
en 1972, avec le grand Orson Welles dans le rôle
principal.

À L'HEURE DES REPAS

Depuis l'accident, ils me gardent enfermé dans cette chambre aux murs coussinés, loin de la lumière du soleil. Pour mon bien, qu'ils disent.

À vrai dire, je n'ai pas de raisons de me plaindre;
5 ils me nourrissent diligemment et veillent sur ma santé avec un souci que j'oserais presque qualifier de religieux, si ce n'était des circonstances.

Mais je ne suis ni dupe ni fou.

Et cet enfer est tout sauf un hôpital !

10 Dans le corridor, les pas de l'infirmière.

C'est toujours à cette heure qu'elle vient me donner à manger et faire ma prise de sang quoti-dienne. «Pour fins d'analyses», a-t-elle pris l'habi-tude de plaisanter cyniquement.

15 La démone ! Aujourd'hui, je compte bien lui faire ravaler toutes ses railleries ! Lui montrer de quel bois je me chauffe !

J'entends glisser sa carte dans la serrure élec-tronique. Je resserre le poing autour de mon arme.
20 Les portes coulissent et le corridor souffle vers ma chambre une bouffée de son haleine de tombeau.

— Bonjour, Monsieur Christian, murmure l'ombre de femme découpée dans le cadre de
25 lumière. C'est l'heure du repas…

Sans répondre, je bondis sur elle en pointant mon arme vers son cœur. Plus prompte, elle m'attrape au vol et me soulève comme un fétu de paille. Tandis que sa main droite se resserre sur
30 mon cou, celle de gauche écrase mon poignet tel un étau.

— Franchement, Monsieur Christian ? Vous ne vous trouvez pas un peu ridicule, des fois ? Et puis, nous ne sommes pas dans un film, vous savez…

35 Impuissant, je regarde tomber de ma main le barreau de chaise en bois que j'avais mis toute la journée à scier, mon dernier espoir.

— La prochaine fois, essayez un cordon d'ail, me suggère-t-elle, sarcastique.

40 Sans effort apparent, l'infirmière me relance à bout de bras vers mon lit où je m'écrase, pantin désarticulé.

— Assez joué, maintenant ; je n'ai pas que vous à voir, vous savez, dit-elle en tirant le petit chariot
45 sur lequel se trouve mon repas. Dépêchez-vous de manger, que je puisse vous faire votre prise de sang…

Ses lèvres carminées s'entrouvrent en un rictus diabolique qui découvre ses canines excessivement
50 pointues. Avec un sentiment d'horreur chaque fois renouvelé, je constate qu'elle n'a comme d'habitude pas apporté de seringue.

Stanley Péan, «À l'heure des repas»,
dans *Treize pas vers l'inconnu*, Saint-Laurent,
© Éditions Pierre Tisseyre, coll. «Conquêtes, 58,
Nouvelles fantastiques», 1996, p. 161 à 163.

STANLEY PÉAN
(né en Haïti en 1966)

Stanley Péan grandit à Jonquière, au Québec, où sa famille émigre l'année de sa naissance. Après quelques essais dans le monde du théâtre et des variétés, il étudie la littérature et publie ses premières nouvelles dans les années 1980. Sa carrière est foisonnante. Il a écrit une vingtaine de livres de fiction (romans, nouvelles) pour les adultes et les adolescents ainsi que des articles et des études. Mélomane, animateur de radio, traducteur, scénariste et journaliste, il est, au moment d'écrire ces lignes, président de l'Union des écrivaines et écrivains québécois (UNEQ).

À PROPOS DU VAMPIRE MODERNE

Andy Warhol, *Série sur les grands mythes : Dracula*, 1981.

Dans sa version contemporaine, le vampire se repaît du sang des vivants et cesse ses activités dès les premières lueurs de l'aube afin de ne pas être tué par les rayons du soleil. Il est doué
5 d'une force surhumaine et il peut lire dans les pensées. Le teint blafard, les cheveux noirs, les lèvres rouges et les dents pointues, voici le portrait que l'on peut dresser de lui. Son image ne se reflète pas dans les miroirs et son corps ne
10 fait pas d'ombre. À la différence du fantôme, le vampire a une enveloppe charnelle.

Les objets sacrés (crucifix, hostie, bible, eau bénite…), ou encore l'ail, le font reculer. Une branche de rosier sauvage déposée sur le
15 cercueil dans lequel il dort le jour empêche le vampire de sortir. La terrible créature est définitivement supprimée quand on la décapite ou qu'on lui transperce le cœur au moyen d'un pieu.

LE VAMPIRE, UNE CRÉATURE ANCIENNE

Les études sur le vampirisme montrent que l'origine de cette croyance répandue est très ancienne. Stryges, goules,
5 broucolaques et autres esprits ténébreux se nourrissant du sang ou de la chair des vivants représentent à la fois une terreur et une tentation: pouvoir transgres-
10 ser la loi la plus insupportable, celle de la mort. Le vampire, en effet, n'est qu'une variante du motif du mort-vivant. Il apparaît dans la littérature européenne

15 avec un poème de Goethe, «La fiancée de Corinthe» (1797), et une pièce à succès des années 1820, *Le vampire*, écrite par Poli-dori, un secrétaire de Byron, le
20 poète anglais. Puis le thème est repris par Nodier, Gauthier, Paul Féval et Le Fanu.

C'est indéniablement le *Dracula* de Bram Stoker, en 1896, qui
25 consacre à la fois la popularité et la noblesse littéraire du suceur de sang. Le roman de Stoker puise très librement dans la culture transylvanienne: le nom de son
30 vampire provient du roumain *dracul*, «dragon», ou «démon», surnom donné au sanguinaire prince valaque du XVe siècle, Vlad l'empaleur. Au XXe siècle, le
35 cinéma s'empare du thème, d'a-bord avec le classique *Nosferatu* de Murnau (1922), puis avec une quantité d'œuvres inégales, parmi lesquelles méritent d'être
40 cités le *Dracula* de Terence Fisher (1958) et celui de Francis Ford Coppola (1992), ainsi que la plus brillante des parodies, *Le bal des vampires* de Roman Polanski
45 (1967).

Michel Viegnes, *Le fantastique*, Paris, © Éditions Flammarion, coll. «GF Corpus», 2006, p. 157 et 158.

Peintre allemand, *Vlad Dracul Tepes*, seconde moitié du XVIe siècle. Le nom de famille de ce prince, Dracul, et sa brutalité ont inspiré la légende de Dracula.

LA ROBE DE SOIE BLANCHE

Ici pas de bruit. Tout est dans ma tête.

Grand-mère m'a enfermée dans ma chambre et elle veut pas me laisser sortir. Parce que c'est arrivé elle a dit. Je pense que j'ai été méchante. 5 Mais c'est à cause de la robe. La robe de maman je veux dire. Maman elle est partie pour toujours. Grand-mère dit ta maman est au ciel. Je vois pas comment. Est-ce qu'elle peut aller au ciel si elle est morte ?

10 En ce moment j'entends grand-mère. Elle est dans la chambre de maman. Elle remet la robe de maman dans la boîte. Pourquoi elle fait toujours ça ? Et après la boîte elle la ferme à clé. Ça m'embête qu'elle le fasse. Elle est jolie la robe et elle 15 sent bon. Et elle est toute tiède. Ça fait doux de la toucher avec la joue. Mais je pourrai plus. Je pense que c'est pour ça que grand-mère est en colère.

Mais j'en suis pas sûre. Aujourd'hui tout était comme les autres jours. Mary Jane est venue à la 20 maison. Elle habite en face. Elle vient jouer à la maison tous les jours. Aujourd'hui aussi.

J'ai sept poupées et aussi une voiture de pompiers. Aujourd'hui grand-mère a dit joue avec tes poupées et ta voiture. Ne va pas dans la chambre 25 de ta maman elle a dit. Elle dit toujours ça. C'est parce qu'elle a peur que je mette du désordre je pense. Parce que elle le dit tout le temps. Ne va pas dans la chambre de ta maman. Comme ça simplement.

30 Mais c'est joli dans la chambre de maman. J'y vais quand il pleut. Ou bien quand grand-mère fait sa sieste. Je fais pas de bruit. Je m'assieds juste sur le lit et je touche la couverture blanche. Comme quand j'étais petite. Elle sent tout bon 35 comme des bonnes choses.

Je fais semblant que maman soit en train de s'habiller et qu'elle m'ait permis de rester. Je sens l'odeur de sa robe de soie blanche. Sa robe du soir

des grandes occasions. Elle l'a appelée comme ça 40 un jour je ne sais plus quand.

J'entends le bruit de la robe comme si elle marchait si j'écoute fort. Je fais semblant d'être maman assise à la coiffeuse. Comme si elle touchait à ses parfums et ses fards je veux dire. Et 45 puis je vois ses yeux tout noirs. Je me rappelle.

Ça fait drôle quand il pleut et que ça fait comme des yeux à la fenêtre. La pluie fait du bruit comme un gros géant dehors. Elle dit chut chut pour que tout le monde se taise. J'aime bien faire 50 semblant que ce soit comme ça quand je suis dans la chambre de maman.

Ce que j'aime encore mieux c'est quand je m'assieds à la coiffeuse de maman. Elle est grande et toute rose et puis elle sent bon. Le siège a un 55 coussin cousu. Y a plein de bouteilles avec dedans des parfums de toutes les couleurs. Et on peut se voir presque tout entière dans la glace.

Quand je suis ici je fais semblant d'être maman. Alors je dis tais-toi mère je veux sortir et 60 tu ne m'empêcheras pas. C'est quelque chose que je dis je sais pas pourquoi c'est comme si je l'entendais à l'intérieur de moi. Et puis je dis oh arrête-toi de pleurer mère ils ne m'attraperont pas j'ai ma robe magique.

Quand je fais semblant comme ça je brosse mes cheveux en mettant longtemps. Mais je prends seulement ma brosse à moi que j'apporte de ma chambre. J'ai jamais pris la brosse de maman. Je pense pas que c'est pour ça que grand-mère est si en colère puisque je prends jamais la brosse de maman. Jamais je le ferais.

Des fois j'ouvre la boîte. Parce que je sais où grand-mère met la clé. Je l'ai vue faire une fois où elle savait pas que je la voyais. Elle met la clé au crochet dans le placard de maman. Derrière la porte je veux dire.

J'ai ouvert la boîte beaucoup de fois. Parce que j'aime bien regarder la robe de maman. C'est la regarder que j'aime le mieux. Elle est si belle et la soie est si douce. Je resterais un million d'années rien qu'à la toucher.

Je me mets à genoux sur le tapis avec des roses. Je tiens la robe contre moi et je sens son odeur. Je la pose contre ma joue. Je voudrais pouvoir l'emporter pour dormir avec en la tenant serrée. J'aimerais. Mais je peux pas le faire.

Grand-mère l'a dit. Et elle dit je devrais la mettre au feu mais j'aimais tellement ta mère. Et puis elle pleure.

J'ai jamais été méchante pour la robe. Je la remettais bien dans sa boîte comme si personne y touchait. Jamais grand-mère avait su. Ça me faisait rire qu'elle sache pas. Mais maintenant elle sait que je l'ai fait. Et elle va me punir. Pourquoi ça l'a mise si en colère? Est-ce que c'était pas la robe de ma maman?

Ce que j'aime le mieux dans la chambre de maman c'est regarder son portrait. Il a du doré tout autour. Son cadre comme dit grand-mère. Il est sur un mur à côté du bureau.

Maman est belle. Ta maman était belle grand-mère dit. Pourquoi était? Je vois maman là qui me sourit et elle *est* belle. Pour toujours.

Elle a des cheveux noirs. Comme moi. Et puis des beaux yeux noirs. Et puis une bouche toute rouge si rouge. C'est sa robe blanche qu'elle a. Ses épaules sont toutes découvertes. Elle a la peau blanche presque comme la robe. Et aussi les mains. Elle est si belle. Je l'aime même si elle est partie pour toujours je l'aime tellement.

Je pense que c'est pour ça que j'ai été méchante. Je veux dire avec Mary Jane.

Mary Jane est venue après déjeuner comme d'habitude. Grand-mère est allée faire sa sieste. Elle a dit et maintenant n'oublie pas que tu ne dois pas aller dans la chambre de ta maman. Je lui ai dit non grand-mère. Et je le pensais vraiment mais ensuite Mary Jane et moi on jouait avec la voiture de pompiers. Et Mary Jane elle a dit je parie que t'as pas de mère je parie que tout ça tu l'as inventé voilà ce qu'elle a dit.

Je me suis mise en colère contre elle. J'ai une maman je le sais bien. Ça me mettait en colère qu'elle dise que j'avais tout inventé. Elle a dit que j'étais une menteuse. Je veux dire pour le lit et la coiffeuse et le portrait et puis la robe et tout.

J'ai dit attends un peu puisque t'es si maligne je vais te faire voir.

J'ai regardé dans la chambre de grand-mère. Elle dormait et elle ronflait. Je suis redescendue et j'ai dit à Mary Jane qu'on pouvait y aller puisque grand-mère s'en apercevrait pas. Après elle faisait plus tellement la maligne. Elle s'est mise à ricaner comme elle fait. Et puis elle a eu peur et elle a crié en se cognant dans la table qui est dans le vestibule en haut. Je lui ai dit t'es qu'une peureuse. Elle a répondu dans ma maison à moi y fait pas aussi noir que dans la tienne.

On a été dans la chambre de maman. C'était si noir qu'on n'y voyait pas. Alors j'ai ouvert les rideaux. Juste un peu pour que Mary Jane y voie. J'ai dit la voilà la chambre de ma maman et alors c'est moi qui l'ai inventée peut-être ?

Elle restait à la porte et elle faisait toujours pas la maligne. Elle a rien dit. Elle regardait tout autour de la chambre. Elle a sauté quand je lui ai pris le bras. Allez viens je lui ai dit.

Je me suis assise sur le lit et j'ai dit c'est le lit de ma maman regarde comme il est doux. Elle a toujours rien dit. Peureuse je lui ai dit. C'est pas vrai elle a répondu.

Je lui ai dit de s'asseoir parce qu'on pouvait pas savoir si c'était doux si on s'asseyait pas. Alors elle s'est assise à côté de moi. J'ai dit touche comme c'est doux. Sens comme ça sent bon.

J'ai fermé mes yeux mais c'était drôle c'était pas comme d'habitude. Parce que Mary Jane était là. Je lui ai dit d'arrêter de toucher la couverture. C'est toi qui m'as demandé de le faire elle a dit. Ça fait rien arrête-toi j'ai dit.

Viens voir je lui ai dit et je l'ai fait lever. Ça c'est la coiffeuse. Je l'ai emmenée la voir. Elle a dit on s'en va. Dans la chambre y avait pas de bruit comme toujours. Je me suis mise à me sentir mal. Parce que Mary Jane était là. Parce que c'était dans la chambre de maman et que maman voulait pas que Mary Jane soit là.

Mais il fallait que je lui montre les choses parce que. Je lui ai montré la glace. On s'est regardées dedans. Elle avait la figure toute blanche. Mary Jane est une peureuse j'ai dit. C'est pas vrai c'est pas vrai elle a dit et puis d'abord c'est chez personne qu'y fait si noir et qu'y a pas de bruit comme ça. Et puis elle a dit ça sent.

Je me suis mise en colère. Non ça sent pas j'ai dit. Si elle a dit c'est toi qui l'as dit. Je me suis mise encore plus en colère. Ça sent comme des bonnes choses j'ai dit. Non ça sent comme des gens malades dans la chambre de ta maman.

Dis pas que la chambre de ma maman elle est comme des gens malades je lui ai dit.

Et puis d'abord tu m'as pas montré de robe et t'as menti elle a dit y en a pas de robe. Je me suis sentie comme si ça me brûlait à l'intérieur et je lui ai tiré les cheveux. Je vais te faire voir j'ai dit et je te défends de dire encore que je suis une menteuse.

Elle a dit je retourne chez moi et puis je le dirai à ma mère ce que tu m'as fait. Non t'iras pas j'ai dit tu vas venir voir la robe de ma maman et tu feras mieux de pas me traiter de menteuse.

Je l'ai fait rester tranquille et j'ai enlevé la clé du crochet. Je me suis mise à genoux et j'ai ouvert la boîte avec la clé.

Mary Jane elle a dit pouah ça sent pareil que des ordures.

Je l'ai attrapée avec mes ongles. Elle s'est sauvée et elle est devenue furieuse. Je veux pas que tu me pinces elle a dit et elle avait la figure

toute rouge. Je le dirai à ma mère elle a dit. Et puis
200 t'es folle c'est pas une robe blanche elle est toute
sale et moche.

Non elle est pas sale j'ai dit. Je l'ai dit si fort
que je me demande comment grand-mère a pas
entendu. J'ai enlevé la robe de la boîte. Je l'ai levée
205 en l'air pour lui faire voir comme elle était
blanche. Elle s'est dépliée en faisant le même
bruit que quand il pleut dehors et le bas a touché
le tapis.

Elle est blanche j'ai dit toute blanche et puis
210 propre et toute en soie.

Non elle a dit toujours furieuse et toute rouge
y a un gros trou au milieu. J'étais de plus en plus
en colère. Si ma maman était là elle t'apprendrait
j'ai dit. T'as pas de maman elle a dit. En disant ça
215 elle était toute laide. Je la déteste.

J'en ai une. J'ai dit ça très fort. J'ai montré le
portrait de maman avec le doigt. Et alors on y voit
rien dans ton espèce de chambre toute noire elle
a dit. Je l'ai poussée et elle a cogné dans le bureau.
220 Regarde donc j'ai dit en parlant du tableau. C'est
ma maman et c'est la dame la plus belle qui existe.

Elle est moche elle a des drôles de mains
Mary Jane a dit. C'est pas vrai j'ai dit c'est la dame
la plus belle qui existe. Non non elle a dit *elle a des*
225 *dents de lapin.*

Je me rappelle plus alors. Je pense que la robe
a bougé dans mes bras. Mary Jane a crié je me
rappelle plus. C'était tout noir les rideaux devaient être tirés. En tout cas j'y voyais plus rien. Et
230 j'entendais rien d'autre que drôles de mains dents
de lapin drôles de mains dents de lapin sans que
personne soit là pour le dire.

Y a eu autre chose parce que je crois que j'ai
entendu qu'on disait *ne la laisse pas parler comme*
235 *ça !* Je pouvais plus tenir la robe. Et je l'avais sur
moi je peux pas me rappeler comment. Parce que
j'étais tout d'un coup devenue grande. Mais j'étais
quand même encore une petite fille. Je veux dire
de dehors.

240 Je crois que c'est à ce moment-là que j'ai été
horriblement méchante.

Grand-mère m'a emmenée de là je pense. Je
sais pas. Elle criait oh mon Dieu ayez pitié de

RICHARD MATHESON
(né aux États-Unis en 1926)

Un enfant monstrueux enchaîné par ses parents raconte son histoire : c'est le *Journal d'un monstre*, la première nouvelle que publie Richard Matheson en 1950. Quatre ans plus tard, il fait paraître un premier roman qui combine science-fiction et vampirisme, *Je suis une légende*, et qui sera adapté au cinéma à trois reprises. Son second roman, *L'homme qui rétrécit*, sera également porté au grand écran. C'est d'ailleurs vers le cinéma et la télévision que se tourne Matheson : dans les années 1960, il scénarise plusieurs épisodes de la série *Twilight Zone* et signe des adaptations de plusieurs récits de Poe. En 1971, il scénarise *Duel*, le premier film de Steven Spielberg. Une compilation de ses récits d'épouvante est préfacée par Stephen King, un de ses grands admirateurs.

Le film *L'homme qui rétrécit*, États-Unis, 1957.

nous c'est arrivé c'est arrivé. Et elle le répétait
245 tout le temps. Je sais pas pourquoi. Elle m'a
traînée tout le chemin jusqu'à ma chambre et elle
m'a enfermée. Elle me laissera pas sortir. Et puis
ça fait rien j'ai pas peur. Qu'est-ce que ça fait si
elle m'enfermait un million de millions d'an-
250 nées ? C'est même pas la peine qu'elle me donne
à manger. D'abord j'ai pas faim.

Je suis remplie.

Le portrait ovale

L e château dans lequel mon domestique s'était avisé de pénétrer de force, plutôt que de me permettre, déplorablement blessé comme je l'étais, de passer une nuit en plein air, était un de ces bâtiments, mélange de grandeur et de mélancolie, qui ont si longtemps dressé leurs fronts sourcilleux au milieu des Apennins, aussi bien dans la

5 réalité que dans l'imagination de mistress Radcliffe. Selon toute apparence, il avait été temporairement et tout récemment abandonné. Nous nous installâmes dans une des chambres les plus petites et les moins somptueusement meublées. Elle était située dans une tour écartée du bâtiment. Sa décoration était riche, mais antique et délabrée. Les murs étaient tendus de tapisseries et décorés de nombreux trophées héraldiques de toute forme,

10 ainsi que d'une quantité vraiment prodigieuse de peintures modernes, pleines de style, dans de riches cadres d'or d'un goût arabesque. Je pris un profond intérêt, — ce fut peut-être mon délire qui commençait qui en fut cause, — je pris un profond intérêt à ces peintures qui étaient suspendues non-seulement sur les faces principales des murs, mais aussi dans une foule de recoins que la bizarre architecture du château rendait inévitables; si

15 bien que j'ordonnai à Pedro de fermer les lourds volets de la chambre, — puisqu'il faisait déjà nuit, — d'allumer un grand candélabre à plusieurs branches placé près de mon chevet, et d'ouvrir tout grands les rideaux de velours noir garnis de crépines qui entouraient le lit. Je désirais que cela fût ainsi, pour que je pusse au moins, si je ne pouvais pas dormir, me consoler alternativement par la contemplation de ces peintures et par la lecture d'un

20 petit volume que j'avais trouvé sur l'oreiller et qui en contenait l'appréciation et l'analyse.

Je lus longtemps, — longtemps; — je contemplai religieusement, dévotement; les heures s'envolèrent, rapides et glorieuses, et le profond minuit arriva. La position du candélabre me déplaisait, et, étendant la main avec difficulté pour ne pas déranger mon valet assoupi, je plaçai l'objet de manière à jeter les rayons en plein sur le livre.

UNE ALLUSION À UNE ÉCRIVAINE

INTERTEXTUALITÉ La « mistress Radcliffe » mentionnée à la ligne 5 a véritablement existé. Il s'agit d'Ann Radcliffe, une romancière britannique (1764-1823) qui a fait partie des maîtres du roman gothique, un courant considéré par plusieurs comme à l'origine du fantastique littéraire. Dans nombre de ces romans, l'histoire se déroule dans un sinistre château tout en couloirs et en oubliettes.

Mais l'action produisit un effet absolument inattendu. Les rayons des nombreuses bougies (car il y en avait beaucoup) tombèrent alors sur une niche de la chambre que l'une des colonnes du lit avait jusque-là couverte d'une ombre profonde. J'aperçus dans une vive lumière une peinture qui m'avait d'abord échappé. C'était le portrait d'une jeune fille déjà mûrissante et presque femme. Je jetai sur la peinture un coup d'œil rapide, et je fermai les yeux. Pourquoi ? — Je ne le compris pas bien moi-même tout d'abord. Mais pendant que mes paupières restaient closes, j'analysai rapidement la raison qui me les faisait fermer ainsi. C'était un mouvement involontaire pour gagner du temps et pour penser, — pour m'assurer que ma vue ne m'avait pas trompé, — pour calmer et préparer mon esprit à une contemplation plus froide et plus sûre. Au bout de quelques instants, je regardai de nouveau la peinture fixement.

Je ne pouvais pas douter, quand même je l'aurais voulu, que je n'y visse alors très-nettement ; car le premier éclair du flambeau sur cette toile avait dissipé la stupeur rêveuse dont mes sens étaient possédés, et m'avait rappelé tout d'un coup à la vie réelle.

Le portrait, je l'ai déjà dit, était celui d'une jeune fille. C'était une simple tête, avec des épaules, le tout dans ce style, qu'on appelle en langage technique, style *de vignette,* beaucoup de la manière de Sully dans ses têtes de prédilection. Les bras, le sein, et même les bouts de cheveux rayonnants, se fondaient insaisissablement dans l'ombre vague mais profonde qui servait de fond à l'ensemble. Le cadre était ovale, magnifiquement doré et guilloché dans le goût moresque. Comme œuvre d'art, on ne pouvait rien trouver de plus admirable que la peinture elle-même. Mais il se peut bien que ce ne fût ni l'exécution de l'œuvre, ni l'immortelle beauté de la physionomie, qui m'impressionna si soudainement et si fortement. Encore moins devais-je croire que mon imagination, sortant d'un demi-sommeil, eût pris la tête pour celle d'une personne vivante. — Je vis tout d'abord que les détails du dessin, le style de vignette, et l'aspect du cadre auraient immédiatement dissipé un pareil charme, et m'auraient préservé de toute illusion même momentanée. Tout en faisant ces réflexions, et très-vivement, je restai, à demi étendu, à demi assis, une heure entière peut-être, les yeux rivés à ce portrait. À la longue, ayant découvert le vrai secret de son effet, je me laissai retomber sur le lit. J'avais deviné que le *charme* de la peinture était une expression vitale absolument adéquate à la vie elle-même, qui d'abord m'avait fait tressaillir, et

Thomas Sully, *Portrait d'une jeune femme,* 1829.

finalement m'avait confondu, sub-
jugué, épouvanté. Avec une terreur
75 profonde et respectueuse, je replaçai le
candélabre dans sa position première.
Ayant ainsi dérobé à ma vue la cause
de ma profonde agitation, je cherchai
vivement le volume qui contenait
80 l'analyse des tableaux et leur histoire.
Allant droit au numéro qui désignait le
portrait ovale, j'y lus le vague et singulier récit qui suit:

«C'était une jeune fille d'une très-
85 rare beauté, et qui n'était pas moins
aimable que pleine de gaieté. Et maudite fut l'heure où elle vit, et aima, et
épousa le peintre. Lui, passionné,
studieux, austère, et ayant déjà trouvé
90 une épouse dans son Art; elle, une
jeune fille d'une très-rare beauté, et
non moins aimable que pleine de
gaieté: rien que lumières et sourires, et
la folâtrerie d'un jeune faon; aimant et
95 chérissant toutes choses; ne haïssant
que l'Art qui était son rival; ne redou-
tant que la palette et les brosses, et
les autres instruments fâcheux qui la
privaient de la figure de son adoré. Ce
100 fut une terrible chose pour cette dame
que d'entendre le peintre parler du
désir de peindre même sa jeune
épouse. Mais elle était humble et
obéissante, et elle s'assit avec douceur

Illustration de Laurens tirée des *Histoires extraordinaires* d'Edgar Poe (1809-1849), édition de 1884.

105 pendant de longues semaines dans la sombre et haute chambre de la tour, où la lumière
filtrait sur la pâle toile seulement par le plafond. Mais lui, le peintre, mettait sa gloire dans
son œuvre, qui avançait d'heure en heure et de jour en jour. — Et c'était un homme passionné, et étrange, et pensif, qui se perdait en rêveries; si bien qu'il ne *voulait* pas voir que
la lumière qui tombait si lugubrement dans cette tour isolée desséchait la santé et les
110 esprits de sa femme, qui languissait visiblement pour tout le monde, excepté pour lui.
Cependant, elle souriait toujours, et toujours sans se plaindre, parce qu'elle voyait que le
peintre (qui avait un grand renom) prenait un plaisir vif et brûlant dans sa tâche, et travaillait nuit et jour pour peindre celle qui l'aimait si fort, mais qui devenait de jour en jour
plus languissante et plus faible. Et, en vérité, ceux qui contemplaient le portrait parlaient
115 à voix basse de sa ressemblance, comme d'une puissante merveille et comme d'une preuve
non moins grande de la puissance du peintre que de son profond amour pour celle qu'il
peignait si miraculeusement bien. — Mais, à la longue, comme la besogne approchait de
sa fin, personne ne fut plus admis dans la tour; car le peintre était devenu fou par l'ardeur
de son travail, et il détournait rarement ses yeux de la toile, même pour regarder la figure
120 de sa femme. Et il ne *voulait* pas voir que les couleurs qu'il étalait sur la toile étaient *tirées*

L'ŒUVRE D'ART AU CŒUR DU FANTASTIQUE

 **INTERTEXTUALITÉ** Il est souvent question d'œuvres d'art dans les récits fantastiques. La création du tableau dans *Le portrait ovale* est à l'origine de l'événement fantastique. *Le livre de sable* de Borges (voir p. 6) va encore plus loin: c'est de l'œuvre d'art elle-même, le livre, qu'émane le fantastique.

Gustave Courbet,
Autoportrait *Le Désespéré*, 1841.

des joues de celle qui était assise près de lui. Et quand bien des semaines furent passées et qu'il ne restait plus que peu de chose à faire, rien qu'une touche sur la bouche et un glacis sur l'œil, l'esprit de la dame palpita encore comme la flamme dans le bec d'une lampe. Et alors la touche fut donnée, et alors le glacis fut placé; et pendant un moment le peintre se
125 tint en extase devant le travail qu'il avait travaillé; mais une minute après, comme il contemplait encore, il trembla et il devint très-pâle, et il fut frappé d'effroi; et criant d'une voix éclatante: "En vérité, c'est la *Vie* elle-même!" — il se retourna brusquement pour regarder sa bien-aimée: — elle était morte!»

Edgar Allan Poe, «Le portrait ovale»,
dans *Nouvelles histoires extraordinaires*, traduit
de l'américain par Charles Baudelaire, (extrait), 1842.

EDGAR ALLAN POE
 **(1809-1849)**

Poe, l'«écrivain des nerfs», selon l'expression de Baudelaire, a perdu ses parents très tôt. Malgré les succès, toute sa vie sera marquée par la misère et l'inquiétude. Cet Américain se fait d'abord poète puis journaliste, devenant l'un des plus féroces critiques littéraires de son époque. En 1838, il publie *Les aventures d'Arthur Gordon Pym*, un roman d'aventures qui influencera Joseph Conrad et Jules Verne. Ses *Histoires extraordinaires*, qui feront sa renommée posthume, seront publiées l'année suivante. Traduites par Baudelaire, elles feront sensation en France. Avec *Double assassinat dans la rue Morgue*, Poe est aujourd'hui considéré comme un des créateurs du roman policier. Son imposante production de nouvelles fantastiques en fait assurément l'un des maîtres de ce genre; il a été admiré notamment par Borges et Cortázar.

L'emmurée

Mes yeux, dès que j'entrai dans ce qui me parut un petit salon, se portèrent sur le miroir. Au milieu du cadre à moulures de bronze, c'était bien mon image qui m'était renvoyée. Et cependant,
5 j'eus le sentiment étrange de ne pas vraiment la reconnaître. J'attribuai cette impression à un flou dû à l'altération du tain, le miroir étant vétuste comme les tentures qui l'entouraient et tous les meubles du salon.

10 Il en fut de même quand j'y revins, souvent sachant bien au fond de ma conscience que ce n'était que pour ces rendez-vous avec mon image. Elle continuait de m'échapper dans une pénombre profonde, même lorsque la pièce me semblait par-
15 faitement éclairée. Cette pénombre était mouvante, enveloppant ce que je devais bien appeler mes traits d'une sorte de halo opaque, qui perdait parfois toute couleur, virait du gris au noir pour redevenir plus clair. Mon visage prenait alors cet aspect
20 d'une toile que l'on aurait seulement frottée d'un fusain pâle, ou se teintait ensuite comme de pastel. Il se simplifiait aussi, se réduisait à quelques aplats de couleur, voire à quelques zones d'ombre qui signalaient les yeux, le nez, la bouche. Puis à certains
25 moments, un détail s'accusait, comme si l'image se fût brusquement condensée : une lueur animait les pupilles, les dents brillaient dans l'interstice des lèvres, les paupières battaient avant que tout ne se brouille à nouveau, comme si deux ou plusieurs
30 images identiques mais distinctes n'arrivaient pas à coïncider.

Bientôt me vint une nouvelle inquiétude. Comment pouvais-je voir briller l'émail de mes dents alors que je n'ouvrais pas ma bouche, que je ne
35 l'ouvrais pas encore ? Comment était-il possible que je perçoive mon visage aux yeux fermés comme celui d'un dormeur ? Et je remarquai que le miroir renvoyait quelques secondes, et même quelques minutes plus tard le geste de mon bras écartant la
40 tenture. Se pouvait-il que ces tempes ridées, ces cheveux presque blancs qui se raréfiaient sur le front fussent déjà les miens ? Il me semblait que non seulement le miroir ne pouvait fixer l'image à la bonne distance mais que le temps ne réussissait
45 pas à y trouver son foyer. Mais aussi une pensée

vague bougeait en moi et que je répugnais à saisir : peut-être, après tout, le miroir n'était-il pas seul en cause, mais moi-même…

C'est alors que j'aperçus sur le mur, juste au-
50 dessous du cadre de bronze, deux petites taches à l'horizontale, à peine espacées. Je ne me souvenais pas de les avoir vues la première fois que j'entrai dans le salon. Elles fonçaient à un gris bleu à la fois de plus en plus profond et de plus en plus clair. Jour
55 après jour, je les regardai s'arrondir et s'étoiler comme un minéral extraordinairement poli, avec un point noir qui se mit à bouger en leur centre. Je n'en pouvais douter plus longtemps : deux yeux de femme se fixaient maintenant sur moi et accompa-
60 gnaient mes mouvements. J'étais observé mais sans que j'en éprouve d'inquiétude ; il me semblait même que le malaise qui naissait à chacun de mes séjours dans le salon s'affaiblissait, que je gagnais en confiance, en paix. Ces yeux qui me suivaient
65 avec attention, j'apprenais à les lire, et je crois que j'y parvenais sans effort, à mesure que leur langage se nuançait et s'enrichissait. Ils furent enfin complets avec leurs paupières fines, leurs longs cils courbes. Entre ces yeux et les miens passaient
70 toutes sortes d'émotions que je saurais à peine rapporter et qui se modulaient d'une gravité presque triste à une allégresse proche de la joie. C'était une musique du silence, ténue mais intense, et elle me suffisait. En même temps je remarquai les change-
75 ments dans l'image que me donnait le miroir. Elle prit de la netteté, un modelé sans rapport avec la représentation sommaire des premiers temps. Je notai même une sorte de lueur vibrante qui soulignait et libérait l'ensemble de mon visage.

80 Un jour cependant, je lus, à ne pas m'y méprendre, dans les deux beaux yeux sous le miroir, un appel. Dans ces pupilles qui s'élargissaient, dans ces iris qui brillaient plus vivement comme dans les larmes, je reconnaissais du trop familier : la soli-
85 tude. Une vague chaude monta très vite en moi, l'envie d'aider cette femme, de la délivrer, le désir de l'étreindre. Je me penchai alors, et j'approchai mes lèvres de l'endroit où devait être sa bouche.

Roland Bourneuf, «L'emmurée», dans *Reconnaissances : Récits*, Québec, Les Éditions parallèles, 1981, p. 66 à 68.

ANTICYCLONE

Le bois d'épave remontait le courant. Le cargo tirait le remorqueur. Une mouette passa, volant sur le dos. Et le soleil était bleu.

— Hum, dit le vieux loup de mer, il y a quelque chose de détraqué au royaume de Danemark.

Et il remit sa casquette à l'endroit.

Aussitôt le bois d'épave descendit le courant. Le remorqueur tira le cargo et la mouette repassa, volant sur le ventre.

Mais le soleil était toujours bleu.

Roland Bourneuf, «Anticyclone»,
dans *Reconnaissances: Récits*, Québec,
Les Éditions parallèles, 1981, p. 46.

UN CLIN D'ŒIL À SHAKESPEARE

INTERTEXTUALITÉ Le «quelque chose de détraqué au royaume de Danemark» (ligne 3) est une allusion explicite à une réplique de Marcellus, un des personnages du *Hamlet* de William Shakespeare: «Il y a quelque chose de pourri dans le royaume de Danemark» (Acte I, scène 4). On l'emploie pour dénoncer une situation anormale, choquante, scandaleuse.

ROLAND BOURNEUF
(né en France en 1934)

Pendant plusieurs années, Roland Bourneuf a mené de front trois carrières: professeur de littérature, écrivain et… psychothérapeute. Jeune homme, il obtient des baccalauréats en littérature anglaise et en littérature allemande, puis enseigne en Allemagne, en Angleterre et dans son pays natal, avant d'immigrer au Québec en 1962. Professeur à l'université Laval jusqu'en 1994, il dirige la revue *Études littéraires* et publie de nombreux essais (*Saint-Denys-Garneau et ses lectures européennes*, *L'univers du roman*, *Littérature et peinture*) et recueils de nouvelles (*Mémoires du demi-jour*, *Chronique des veilleurs*). Dans son dernier ouvrage, *Pierre de touches* (2007), Roland Bourneuf partage son immense bibliothèque avec les lecteurs et se dévoile au fil des livres qui ont marqué sa vie.

Répertoire +

Lire d'autres nouvelles fantastiques

- Voici d'autres nouvelles fantastiques marquantes que vous pourriez trouver et lire pour le plaisir: «Le chat noir» et «Le cœur révélateur» (Edgar Allan Poe); «Le tableau» (Jean Ray); «Je suis un monstre» (Richard Matheson); «La nuit», «Apparition» et «Qui sait?» (Guy de Maupassant)…

- L'une des plus précieuses ressources pour explorer la nouvelle littéraire fantastique est l'**anthologie**.

  Vous pourriez consulter des anthologies présentant des textes de plusieurs auteurs. En voici quelques exemples:

  - *La grande anthologie du fantastique* établie par Jacques Goimard et Roland Stragliati et publiée aux Presses de la cité dans la collection Omnibus (nouvelles regroupées par thématiques comme «Histoires de cauchemars», «Histoires de monstres», «Histoires de fantômes», etc.).

  - *Anthologie du fantastique* établie par Roger Callois et publiée chez Gallimard (les nouvelles y sont classées par pays ou régions).

  - *Le fantastique même: une anthologie québécoise*, établie par Claude Grégoire et publiée à L'instant même (on y présente deux parties: «Pièges» regroupe des récits plus classiques tandis qu'«Évasions» présente des textes de facture plus moderne).

  Vous pourriez aussi consulter des anthologies présentant une sélection de textes d'un seul auteur. C'est le cas, entre autres, de *Nouvelles inquiètes*, une anthologie de nouvelles de Dino Buzzati publiée chez Robert Laffont.

- Plusieurs nouvelles fantastiques sont d'abord publiées dans des **revues littéraires** comme *Solaris*, une revue québécoise spécialisée dans le fantastique et la science-fiction qu'il est possible de trouver en bibliothèque.

- Pendant plusieurs années, les éditions Alire ont publié le répertoire *L'année de la science-fiction et du fantastique québécois* que vous pourriez consulter dans certaines bibliothèques.

Vivre des expériences culturelles liées au fantastique

- Plusieurs récits fantastiques comme *Le Horla* (Guy de Maupassant) et *Dracula* (Bram Stoker) ont été portés à l'écran. Vous pourriez regarder l'une de ces adaptations et la comparer à l'œuvre originale.

- Dans votre région se déroule peut-être un festival du film fantastique. Si tel était le cas, vous pourriez aller voir des films fantastiques et même, sait-on jamais, en présenter un.

L'acteur Gary Oldman, dans le personnage du comte Dracula.

DES goûts ET DES couleurs

Un proverbe latin du Moyen Âge prétend que

«Des goûts et des couleurs, il ne faut pas discuter.»

Et pourtant...

Des critiques discutent,

des auteurs se critiquent,

d'autres subissent les critiques des critiques,

celles de leur entourage ou du public

qui apprécie, commente, passe au crible...

Des auteurs et des critiques classent les œuvres

en bonnes ou mauvaises,

d'autres leur octroient une cote...

Des auteurs se penchent sur le pouvoir de la critique,

et même, des critiques discutent de la critique...

Sommaire

correspond aux clés de lecture

PAGE PRÉCÉDENTE: Diana Ong, *Femme numéro 2.*

LE PALMARÈS DE LA LITTÉRATURE DU XXᵉ SIÈCLE

En 1999 paraît le palmarès des 50 meilleurs livres du XXᵉ siècle choisis par 6000 Français parmi 200 titres proposés par des libraires et des critiques. Dans *Dernier inventaire avant liquidation*, Frédéric Beigbeder critique les œuvres de ce palmarès. Les numéros associés aux titres de ces critiques correspondent à la place des livres dans le classement.

Le petit prince
d'Antoine de Saint-Exupéry
(1943)

Le petit prince d'Antoine de Saint-Exupéry (1900-1944) est le seul conte de fées du XXᵉ siècle. Au XVIIᵉ, on a eu les contes de Perrault; au XVIIIᵉ, les contes de Grimm;
5 au XIXᵉ, les contes d'Andersen. Au XXᵉ siècle, on a *Le petit prince,* un livre écrit par un aviateur français exilé aux États-Unis entre 1941 et 1943, qui fut d'abord publié là-bas avant de paraître en France en 1945, un an après la
10 mort de son auteur. Depuis sa parution, ce petit livre illustré est un phénomène d'édition qui se vend chaque année à des millions d'exemplaires dans le monde entier.

Pourquoi? Parce que, sans le faire exprès,
15 Antoine de Saint-Exupéry a créé des personnages immédiatement mythiques: ce petit prince tombé de sa planète B 612 qui réclame un dessin de mouton à un aviateur égaré dans le désert; cet allumeur de réverbères qui dit
20 tout le temps bonjour et bonsoir; ce renard philosophe qui veut qu'on l'apprivoise… et qui fait comprendre au petit prince qu'il est «responsable de sa rose».

Ce conte aurait pu s'intituler «À la recherche
25 de l'enfance perdue». Saint-Exupéry y fait sans cesse référence aux «grandes personnes» sérieuses et raisonnables, parce qu'en réalité, son livre ne s'adresse pas aux enfants mais à ceux qui croient qu'ils ont cessé d'en être.
30 C'est un pamphlet contre l'âge adulte et les gens rationnels, rédigé avec une poésie tendre, une sagesse simple (Harry Potter, rentre chez ta mère!) et une feinte naïveté qui cache en réalité un humour décalé et une
35 mélancolie bouleversante. […]

Frédéric Beigbeder, *Dernier inventaire avant liquidation*, Paris, Éditions Grasset & Fasquelle, 2001, p. 203 et 204.

Un extrait du conte *Le petit prince*

« Dessine-moi un mouton... »

J'ai ainsi vécu seul, sans personne avec qui parler véritablement, jusqu'à une panne dans le désert du Sahara, il y a six ans. Quelque chose s'était cassé dans mon moteur. Et comme je
5 n'avais avec moi ni mécanicien, ni passagers, je me préparai à essayer de réussir, tout seul, une réparation difficile. C'était pour moi une question de vie ou de mort. J'avais à peine de l'eau à boire pour huit jours.

10 Le premier soir je me suis donc endormi sur le sable à mille milles de toute terre habitée. J'étais bien plus isolé qu'un naufragé sur un radeau au milieu de l'océan. Alors vous imaginez ma surprise, au lever du jour, quand une drôle de
15 petite voix m'a réveillé. Elle disait :

« S'il vous plaît... dessine-moi un mouton !

— Hein !

— Dessine-moi un mouton...»

J'ai sauté sur mes pieds comme si j'avais été
20 frappé par la foudre. J'ai bien frotté mes yeux. J'ai bien regardé. Et j'ai vu un petit bonhomme tout à fait extraordinaire qui me considérait gravement. Voilà le meilleur portrait que, plus tard, j'ai réussi à faire de lui. Mais mon dessin, bien sûr, est
25 beaucoup moins ravissant que le modèle. Ce n'est pas ma faute. J'avais été découragé dans ma carrière de peintre par les grandes personnes, à l'âge de six ans, et je n'avais rien appris à dessiner, sauf les boas fermés et les boas ouverts.

30 Je regardai donc cette apparition avec des yeux tout ronds d'étonnement. N'oubliez pas que je me trouvais à mille milles de toute région habitée. Or mon petit bonhomme ne me semblait ni égaré, ni mort de fatigue, ni mort de faim,
35 ni mort de soif, ni mort de peur. Il n'avait en rien l'apparence d'un enfant perdu au milieu du

désert, à mille milles de toute région habitée. Quand je réussis enfin à parler, je lui dis :

« Mais... qu'est-ce que tu fais là ? »

40 Et il me répéta alors, tout doucement, comme une chose très sérieuse :

« S'il vous plaît... dessine-moi un mouton... »

Quand le mystère est trop impressionnant, on n'ose pas désobéir. Aussi absurde que cela me
45 semblât à mille milles de tous les endroits habités et en danger de mort, je sortis de ma poche une feuille de papier et un stylographe. Mais je me rappelai alors que j'avais surtout étudié la géographie, l'histoire, le calcul et la grammaire et je
50 dis au petit bonhomme (avec un peu de mauvaise humeur) que je ne savais pas dessiner. Il me répondit :

« Ça ne fait rien. Dessine-moi un mouton. »

Comme je n'avais jamais dessiné un mouton
55 je refis pour lui, l'un des deux seuls dessins dont j'étais capable. Celui du boa fermé. Et je fus

DES GOÛTS ET DES COULEURS   **47**

stupéfait d'entendre le petit bonhomme me répondre :

« Non ! Non ! Je ne veux pas d'un éléphant
60 dans un boa. Un boa c'est très dangereux, et un éléphant c'est très encombrant. Chez moi c'est tout petit. J'ai besoin d'un mouton. Dessine-moi un mouton. »

Alors, j'ai dessiné[1].

65 Il regarda attentivement, puis :

« Non ! Celui-là est déjà très malade. Fais-en un autre. »

Je dessinai :

Mon ami sourit gentiment, avec indulgence :

70 « Tu vois bien… ce n'est pas un mouton, c'est un bélier. Il a des cornes… »

Je refis donc encore mon dessin :

Mais il fut refusé comme les précédents :

« Celui-là est trop vieux. Je veux un mouton
75 qui vive longtemps. »

Alors, faute de patience, comme j'avais hâte de commencer le démontage de mon moteur, je griffonnai ce dessin-ci :

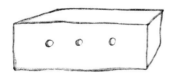

---

1. Les quatre dessins ci-dessus sont les originaux dessinés par Antoine de Saint-Exupéry.

Et je lançai :

80 « Ça c'est la caisse. Le mouton que tu veux est dedans. »

Mais je fus bien surpris de voir s'illuminer le visage de mon jeune juge :

« C'est tout à fait comme ça que je le voulais !
85 Crois-tu qu'il faille beaucoup d'herbe à ce mouton ?

— Pourquoi ?

— Parce que chez moi c'est tout petit…

— Ça suffira sûrement. Je t'ai donné un tout petit mouton. »

90 Il pencha la tête vers le dessin :

« Pas si petit que ça… Tiens ! Il s'est endormi… »

Et c'est ainsi que je fis la connaissance du petit prince.

ANTOINE DE SAINT-EXUPÉRY
(1900-1944)

Avant de devenir le père du *Petit prince*, Antoine de Saint-Exupéry a été un pionnier de l'aviation. Il a ainsi sillonné les ciels d'Europe, d'Afrique et d'Amérique du Sud. Ses premiers livres — *Courrier sud* (1929), *Vol de nuit* (1931), *Terre des hommes* (1939) — racontent sa vie de pilote et sont un hommage à l'amitié et au courage. Aventurier, Antoine de Saint-Exupéry tente le raid Paris-Saïgon en 1935 : il s'écrase dans le désert de Lybie et erre pendant trois jours avant d'être sauvé par des Bédouins. Cet épisode se retrouvera dans son livre le plus célèbre, *Le petit prince* (1943), un conte humaniste aujourd'hui traduit dans plus de 160 langues et dialectes et vendu à plus de 80 millions d'exemplaires. Un véritable astéroïde a même été baptisé B 612 en l'honneur de la planète du petit prince ! Saint-Exupéry n'est jamais rentré de sa dernière mission : il a disparu en vol à la fin de la Seconde Guerre mondiale.

L'écume des jours[1]
de Boris Vian
(1947)

Le *number ten* est un conte de fées innocent et triste : *L'écume des jours*, merveilleuse histoire d'amour que Boris Vian (1920-1959) a écrite en deux mois, à 27 ans, et qu'il résumait
5 ainsi : « Un homme aime une femme, elle tombe malade, elle meurt. » [...]

L'imagination... Ah, l'imagination. On la croyait morte, celle-là. Finie, dépassée, assassinée par le réalisme et le naturalisme, l'auto-
10 biographie et le roman engagé. La poésie tendre et fantastique des amours de Colin et Chloé apporte un cinglant démenti aux ennemis de l'invention. [...]

Frédéric Beigbeder, *Dernier inventaire avant liquidation*, Paris, Éditions Grasset & Fasquelle, 2001, p. 179.

1. Voir la *Clé de lecture*, p. 46.

Un extrait de *L'écume des jours*

Colin rencontre Chloé

— Bonjour, Colin, dit Isis. Vous allez bien ?

Il l'attira vers lui et l'embrassa près des cheveux. Elle sentait bon.

— Mais ce n'est pas mon anniversaire ! pro-
5 testa Isis, c'est celui de Dupont !...

— Où est Dupont ? Que je le congratule !...

— C'est dégoûtant, dit Isis. Ce matin, on l'a mené chez le tondeur, pour qu'il soit beau. On l'a fait baigner et tout, et, à deux heures, trois de ses
10 amis étaient ici avec un ignoble vieux paquet d'os et ils l'ont emmené. Il va sûrement revenir dans un état affreux !...

— C'est son anniversaire, après tout, observa Colin.

15 Il voyait, par l'embrasure de la double porte, les garçons et les filles. Une douzaine dansaient. La plupart, debout les uns à côté des autres, restaient, les mains derrière le dos, par paires du même sexe, et échangeaient des impressions peu convain-
20 cantes d'un air peu convaincu.

— Enlevez votre manteau, dit Isis. Venez, je vais vous conduire au vestiaire des garçons.

Il la suivit, croisant au passage deux autres filles qui revenaient, avec des bruits de sacs et de pou-
25 driers, de la chambre d'Isis métamorphosée en vestiaire pour filles. Au plafond, pendaient des crochets de fer empruntés au boucher, et, pour faire joli, Isis avait emprunté aussi deux têtes de mouton bien écorchées qui souriaient au bout des rangées.

30 Le vestiaire des garçons, établi dans le bureau du père d'Isis, consistait en la suppression des meubles dudit. On jetait sa pelure sur le sol et le tour était joué. Colin n'y faillit point et s'attarda devant une glace.

35 — Allons, venez, s'impatientait Isis. Je vais vous présenter à des filles charmantes.

Il l'attira vers lui par les deux poignets.

— Vous avez une robe ravissante, lui dit-il.

C'était une petite robe toute simple, de lainage
40 vert amande avec de gros boutons de céramique
dorée et une grille en fer forgé formant l'empiècement du dos.

— Vous l'aimez ? dit Isis.

— Elle est très ravissante, dit Colin. Peut-on
45 passer la main à travers les barreaux sans être
mordu ?

— Ne vous y fiez pas trop, dit Isis.

Elle se dégagea, saisit Colin par la main et l'en-
traîna vers le centre de sudation. Ils bousculèrent
50 deux nouveaux arrivants du sexe pointu, glissèrent
au tournant du couloir et rejoignirent le noyau central par la porte de la salle à manger.

— Tiens !... dit Colin, Alise et Chick sont déjà
là ?

55 — Oui, dit Isis. Venez, je vous présente…

La moyenne des filles était présentable. L'une
d'elles portait une robe en lainage vert amande,
avec de gros boutons en céramique dorée, et, dans
le dos, un empiècement de forme particulière.

60 — Présentez-moi surtout à celle-là, dit Colin.

Isis le secoua pour le faire tenir tranquille.

— Voulez-vous être sage, à la fin ?

Il en guettait déjà une autre et tirait sur la main
de sa conductrice.

65 — C'est Colin, dit Isis. Colin, je vous présente
Chloé.

Colin avala sa salive. Sa bouche lui faisait
comme du gratouillis de beignets brûlés.

— Bonjour ! dit Chloé…

70 — Bonj… Êtes-vous arrangée par Duke
Ellington ? demanda Colin… Et puis il s'enfuit,
parce qu'il avait la conviction d'avoir dit une stupidité.

Chick le rattrapa par un pan de sa veste.

75 — Où vas-tu comme ça ? Tu ne vas pas t'en
aller déjà ? Regarde !...

Il tira de sa poche un petit livre relié en maroquin rouge.

— C'est l'originale du *Paradoxe sur le dégueulis*,
80   de Partre…

— Tu l'as trouvée quand même ? dit Colin.

Puis il se rappela qu'il s'enfuyait et s'enfuit.

Alise lui barrait la route.

— Alors, vous vous en allez sans avoir dansé
85   une seule petite fois avec moi ? dit-elle.

— Excusez-moi, dit Colin, mais je viens d'être
idiot et ça me gêne de rester.

— Pourtant, quand on vous regarde comme
ça, on est forcé d'accepter…

90   — Alise… geignit Colin, en l'enlaçant et en
frottant sa joue contre les cheveux d'Alise.

— Quoi, mon vieux Colin ?

— Zut… Zut… et Bran !… Peste diable bouffre.
Vous voyez la fille là ?…

95   — Chloé ?…

— Vous la connaissez ? dit Colin. Je lui ai dit
une stupidité, et c'est pour ça que je m'en allais.

Il n'ajouta pas qu'à l'intérieur du thorax, ça lui
faisait comme une musique militaire allemande, où
100   l'on n'entend que la grosse caisse.

— N'est-ce pas qu'elle est jolie ? demanda
Alise.

Chloé avait les lèvres rouges, les cheveux
bruns, l'air heureux et sa robe n'y était pour rien.

105   — Je n'oserai pas ! dit Colin.

Et puis, il lâcha Alise et alla inviter Chloé. Elle le
regarda. Elle riait et mit la main droite sur son
épaule. Il sentait ses doigts frais sur son cou. Il
réduisit l'écartement de leurs deux corps par le
110   moyen d'un raccourcissement du biceps droit,
transmis, du cerveau, le long d'une paire de nerfs
crâniens choisie judicieusement.

Chloé le regarda encore. Elle avait les yeux
bleus. Elle agita la tête pour repousser en arrière ses
115   cheveux frisés et brillants, et appliqua, d'un geste
ferme et déterminé, sa tempe sur la joue de Colin.

Il se fit un abondant silence à l'entour, et la
majeure partie du reste du monde se mit à compter
pour du beurre.

Boris Vian, *L'écume des jours*, Paris, © Société Nouvelle
des Éditions Pauvert, 1979, 1996 et 1998, © Librairie Arthème
Fayard, 1999 pour l'édition en œuvres complètes.

UN CLIN D'ŒIL LITTÉRAIRE

INTERTEXTUALITÉ *Le paradoxe sur le dégueulis* que Chick est si fier de montrer à Colin rappelle *La nausée*, roman du philosophe français Jean-Paul Sartre paru quelques années plus tôt que *L'écume des jours*, le roman de Boris Vian. Quant à Partre, il s'agit bien entendu de Sartre.

BORIS VIAN
(1920-1959)

C'est en se faisant passer pour le traducteur de Vernon Sullivan, un auteur américain parfaitement imaginaire, que Boris Vian fait une entrée remarquée sur la scène littéraire en 1946. *J'irai cracher sur vos tombes*, récit cru et violent sur la condition des Noirs aux États-Unis, fait scandale et sera condamné pour outrage aux mœurs. Entre-temps, Vian se sera fait l'authentique traducteur de romans policiers et de science-fiction américains. Trompettiste et chroniqueur de jazz, Vian écrira aussi des centaines de chansons dont *Le déserteur*, une des chansons antimilitaristes les plus célèbres au monde. Sous son propre nom, Boris Vian signera une dizaine de romans dont *L'écume des jours* en 1947, le plus fantaisiste et, comme le proclame alors l'écrivain Raymond Queneau, «le plus poignant des romans d'amour contemporains».

UN CŒUR DE COLLECTIONNEUR CRAQUE

Sylvain Cormier

Chlorophylle, merveille de la bande dessinée animalière, œuvre maîtresse
du grand Raymond Macherot, est l'un des douze classiques du catalogue des Éditions du Lombard
à bénéficier d'une réédition anniversaire dans la collection «Millésimés».
Grand bonheur… et petite déception.

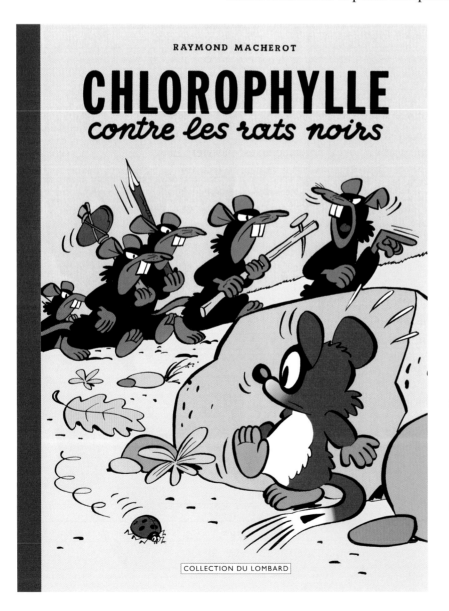

RAYMOND MACHEROT

CHLOROPHYLLE
contre les rats noirs

COLLECTION DU LOMBARD

5 L'objet a fière allure. Le cartonnage de belle épaisseur, les franches couleurs de la couverture qui sautent au visage en même temps que la terrifiante 10 horde de rats noirs menée par le sinistre Anthracite — on frémit: trouveront-ils Chlorophylle le lérot?… —, le dos toilé rouge et la quatrième de couverture 15 annonçant les autres titres disponibles sur fond de damier vert et jaune: la facture est digne des légendaires éditions originales des années 1950 (rarissimes et 20 hors de prix). C'est beau, alléchant, irrésistible. Pensez, le recueil des trois premières aventures de Chlorophylle, le chef-d'œuvre de Raymond Macherot, 25 maître absolu de la bande dessinée animalière: enfin la reconnaissance!

Un cœur de collectionneur craque. Cet album commémoratif, l'un des douze de la collection 30 «Millésimés» proposée par Le Lombard à l'occasion du 60e anniversaire de la maison pour célébrer douze œuvres mythiques de l'âge d'or de la bande dessinée franco-belge, pas de doute, il nous le faut. Mazette! C'est pas donné mais trop bath, il nous faut les douze, le Blake et Mortimer de Jacobs, le Pom et Teddy de Craenhals, le Michel Vaillant de Graton, le Modeste et Pompon de Franquin, le Corentin de Cuvelier (ah! Paul Cuvelier, le plus doué, que Hergé lui-même admirait)… Tous!

Et puis on ouvre ce *Chlorophylle contre les rats noirs*, et on déchante un peu. Autant le papier est de première qualité, autant les couleurs semblent fades et les traits épaissis par une impression qui aurait eu trop soif d'encre. Qu'est-ce à dire? Vengeance d'Anthracite? Dans le forum du site bédéphile Paradisio, connaisseurs et ti-jos-connaissants débattent violemment. C'est de toute évidence la «Collection Verte» de la fin des années 1970, de moindre qualité, qui a servi: qu'est-il advenu des planches de Macherot, des premiers négatifs? Un représentant du Lombard intervient dans la houleuse séance de clavardage: «les films d'origine ont été irrémédiablement abîmés par le temps — ils sont totalement "vinaigrés". La seule base utilisable pour une réédition aujourd'hui était, hélas, la "Collection Verte", avec tous les défauts inhérents.» C'était ça ou rien. Les spécialistes hurlent: une restauration n'aurait-elle pas été envisageable à partir des éditions originales, voire des pages prépubliées dans le *Journal Tintin*? Le débat se poursuit.

On comprend, en feuilletant d'autres «Millésimés», que c'est du cas par cas. Le Pom et Teddy resplendit à l'intérieur comme à l'extérieur, le Chick Bill de Tibet aussi, alors que le Corentin obtient tout juste la note de passage. Cela dit, relativisons: l'important est que ces albums essentiels soient disponibles. Obtenir ainsi trois épisodes, reliés pour durer, plus une section biographique magnifiquement illustrée de couvertures du *Journal Tintin*, ce n'est pas rien. Et découvrir, ou redécouvrir ces premiers Chlorophylle est un enchantement. L'univers créé par Macherot en 1954 vaut les plus grandes fables animalières, vaut le meilleur de Benjamin Rabier: outre le dynamisme du coup de crayon, il y a un art de la péripétie, un sens du suspense, une manière de faire basculer une ambiance bucolique en vision cauchemardesque, qui produisent chez les lecteurs de tout âge le même effet domino de sensations. On est émerveillé, captivé, ravi, on a peur, et on a même un peu honte, parce qu'on se reconnaît. Car droitures et travers de l'homme y sont également transposés: loyauté et duperie, courage et couardise, gentillesse et mesquinerie, tout est là. Chloro et ses amis s'en sortent, mais de bien peu. Et ce satané Anthracite s'en tire toujours. Éternel combat.

Chlorophylle
Chlorophylle contre les rats noirs
Chlorophylle et les conspirateurs
Pas de salami pour Célimène
Raymond Macherot
Le Lombard, coll. «Millésimés»,
Bruxelles, 2006, 135 pages

Sylvain Cormier, «Un cœur de collectionneur craque»,
Le Devoir, [en ligne]. (25 novembre 2006;
page consultée le 11 février 2008)
Texte légèrement modifié à des fins pédagogiques.

COMPLEXE

Fabien Deglise

Difficile de se trouver lorsqu'on vit dans une jungle urbaine, sombre, froide où les gens n'ont pas de visage et où la peinture des immeubles coule quand il pleut. Nenette en sait quelque chose. Au milieu de cet environnement peu propice à la quête de sens, surtout quand on a un esprit lucide et introspectif, la jeune fille essaie par tous les moyens
5 de se situer. En vain.

Sa génitrice, Catherine Genest, n'a visiblement pas l'intention de l'y aider. C'est du moins l'impression qui persiste lorsqu'on referme *Nenette cherche un sens* (Mécanique générale/Les 400 Coups), première incursion de cette illustratrice dans l'univers de la bédé. L'album relate, en une succession de tableaux, la vie d'une jeune fille ténébreuse et
10 impavide qui «est exaspérée par les sports d'hiver» et qui «ne comprend pas la fougue et l'enthousiasme des étudiants en danse contemporaine». Tiens, toi!

Tout en cherchant ses marques dans les courbes de Lino (un autre illustrateur converti à la bédé)
15 comme dans la fantaisie du néo-expressionniste Jean-Michel Basquiat, Genest livre ici un récit interrogatif contrasté sur le thème de la différence et de l'existentialisme qui l'accompagne parfois. Le tout avec un style hautement figuratif très actuel qui, par
20 le coup de crayon et la mise en couleurs, semble vouloir faire un pied de nez au graphisme propre et aseptisé qui prolifère aujourd'hui — et qui, comme les livres sur lesquels tombe Nenette, «en a [peut-être] assez de toujours raconter la même histoire».

25 *Nenette cherche un sens*
Catherine Genest
Mécanique générale/
Les 400 Coups
Montréal, 2006, 104 pages

Fabien Deglise, «Complexe»,
Le Devoir, [en ligne]. (25 novembre 2006;
page consultée le 11 février 2008)

CATHERINE GENEST
(née au Québec en 1974)

Nenette cherche un sens est le premier livre de Catherine Genest, une illustratrice montréalaise. Après des études en arts visuels, Catherine Genest travaille pour une grande chaîne de radio-télévision dans le secteur des nouveaux médias; c'est là qu'elle découvre véritablement l'illustration. Elle a collaboré à divers ouvrages collectifs avant de créer le personnage de Nenette.

NENETTE CHERCHE UN SENS

Nenette aimerait que son médecin soit doté d'une intelligence supérieure,

Elle serait rassurée de savoir qu'il a regardé le reportage dimanche dernier sur cette nouvelle maladie, rare et sans symptômes,

mais elle se contenterait de savoir qu'il a dormi huit heures la nuit dernière.

Catherine Genest, *Nenette cherche un sens*, Montréal, Mécanique générale / Les 400 coups, 2006, p. 48.

POE ILLUSTRÉ, ET BRILLAMMENT

Odile Tremblay

Les admirateurs des fameuses *Histoires extraordinaires* d'Edgar Allan Poe se délecteront en compulsant ce spectaculaire ouvrage.

Au milieu du XIXe siècle, la traduction française de Charles Baudelaire, rare phénomène, s'était montrée supérieure aux nouvelles originales de l'écrivain de Boston, hanté par l'ange du bizarre.

Flammarion vient de publier quatre nouvelles classiques de Poe illustrées de manière exceptionnelle par le génial dessinateur Gris Grimly, au style cousin de celui de Tim Burton. L'ouvrage avec ses textes abrégés s'adresse de toute évidence à un public adolescent, mais les familiers de Poe se réjouiront de voir son univers si brillamment illustré.

Quatre classiques, donc, de ses contes fantastiques: *Le chat noir, Le masque de la mort rouge, Hop-Frog* et *La chute de la maison Usher* (qui avait inspiré en 1929 un chef-d'œuvre cinématographique du muet à Jean Epstein).

Chaque page constitue un véritable poème. Médaillons, vignettes, enluminures, tous les procédés en bouquet sont utilisés pour rendre l'horreur et le mystère qui planent sur ces contes de Poe.

Le chat noir éborgné juché sur l'épouse assassinée du héros est un morceau d'anthologie. La mort rouge, la peste en fait, qui s'immisce dans le bal masqué d'un prince fanfaron, avec son suaire vermillon en haillon, se déchiquette dans une beauté horrifiante.

Tout est merveilleux, dont l'illustration de la vengeance du bouffon du roi, Hop-Frog, ridiculisé par la despote monarque, avec cette chaîne de courtisans menés par le roi, dans leurs costumes d'orangs-outangs, devenus paquet d'os carbonisés.

Le clou de la somptueuse déliquescence, ce sont les dessins de *La chute de la maison Usher*, où livres, crânes, maison biscornue et paysages désolés aux abords d'étangs fétides se fissurent sous nos yeux, avec une maîtrise époustouflante. Un pur bijou!

4 histoires fantastiques illustrées
Edgar Allan Poe
Traduit par Charles Baudelaire
(version abrégée)
Illustrations: Gris Grimly
Flammarion
Paris, 2006, 143 pages

Odile Tremblay,
«Poe illustré, et brillamment»,
Le Devoir, 3 et 4 mars 2007, p. F5.

Un jour, elle m'accompagna pour quelque besogne domestique
dans la cave du vieux bâtiment où notre pauvreté
nous contraignait d'habiter.

Le chat me suivit sur les marches
roides de l'escalier, et m'ayant
presque culbuté la tête la première,
m'exaspéra jusqu'à la folie.

Edgar Allan Poe, «Le chat noir», dans 4 histoires fantastiques illustrées,
traduit de l'américain par Charles Baudelaire, illustrations de Gris Grimly, Paris, Flammarion, 2006, p. 26.

DESSINE-MOI
LA RÉVOLUTION ISLAMISTE

Jean-Christophe Laurence

PERSEPOLIS

Dessin animé de Marjane Satrapi et Vincent Paronnaud, avec les voix de Chiara Mastroianni, Catherine Deneuve, Gabrielle Lopes Benites, Danielle Darrieux. 1 h 35.

La révolution islamiste en Iran, vue par les yeux d'une jeune fille
5 *rebelle et progressiste.*

Adaptation réussie de la BD autobiographique du même nom. Humour, poésie, drame et militantisme sous un même voile.

☆ ☆ ☆ ☆

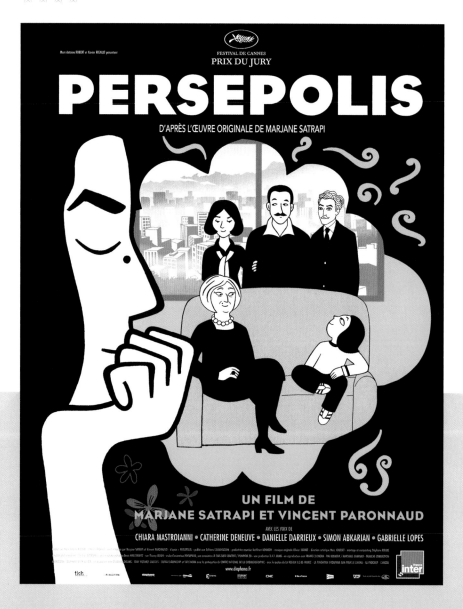

La belle aventure de *Persepolis* ne semble pas avoir de fin.

Après l'immense succès en librairie de sa BD autobiographique, la Franco-Iranienne Marjane Satrapi a décidé de porter son histoire au grand écran. Le succès en salle a été encore plus foudroyant: un million de spectateurs en France et prix du jury à Cannes, ex æquo avec *Lumière silencieuse* du Mexicain Carlos Reygadas. Le film représentera aussi la France à la prochaine soirée des Oscars. Rien pour calmer les autorités iraniennes, qui ont qualifié *Persepolis* d'acte «politique anticulturel» lors de sa sélection à Cannes.

Tout cela pour un simple *cartoon*? Attention. Même si son héroïne est une petite fille (qui grandit), *Persepolis* n'a rien d'un film pour enfants. Son esthétique stylisée, en noir et blanc, parfois impressionniste et toujours extraordinairement poétique, est très loin des formules américaines. Nous sommes ici à l'enseigne du coup de crayon et de l'imagination bouts de ficelle.

Cette petite fille, donc, nous raconte une histoire. La sienne. Mais aussi, par ses yeux, celle de la révolution islamiste en Iran, avec ses conséquences parfois cruelles. Conséquences qui, dans son cas, se manifesteront par la rupture et l'exil.

Fille d'opposants au régime du Shah, Marji grandit à Téhéran, dans une famille progressiste, qui accepte même les disques d'Iron Maiden. Cette famille subit de plein fouet l'arrivée au pouvoir des mollahs et Marji perd progressivement ses illusions d'enfant. Adolescente, elle est envoyée à Vienne, où elle connaît choc culturel et déboires amoureux, avant de revenir étudier en Iran, où elle constate, poings fermés sous son tchador, les absurdités du régime en place.

Tout cela est raconté avec une décapante honnêteté, dans un mélange réussi d'humour et de gravité. Où l'on se surprend, à l'intérieur d'une même scène, à rire et à avoir le «moton» tout à la fois…

Alors que le Québec vibre au rythme des débats sur le voile et des accommodements raisonnables, on ne saurait trop insister sur la pertinence de *Persepolis*. Car la critique vient cette fois de l'intérieur, par une femme qui a connu l'avant, l'après, et même «l'ailleurs».

Mais sa charge contre la dictature iranienne, qu'elle dépeint comme violemment répressive des libertés individuelles (en particulier celles des femmes) nous offre heureusement bien plus que les clichés ordinaires mis de l'avant par la propagande du gouvernement Bush. Entre le portrait

Catherine Deneuve, Marjane Satrapi et Chiara Mastroianni au 60ᵉ Festival de Cannes.

d'une génération avide d'insouciance et l'hommage à un peuple qui n'en finit plus de subir, *Persepolis* se refuse à confondre le régime en place et les Iraniens eux-mêmes.

En témoigne cette truculente galerie de personnages, nombreux et attachants, qui côtoient la petite Marji pendant son parcours, telle cette volontaire et énergique grand-mère (à laquelle Danielle Darrieux donne sa voix, sur un ton argotique), ses copains d'université ou cet oncle aux sympathies communistes, qui mourra, comme bien d'autres, pour ses idées.

Soit dit en passant: c'est Catherine Deneuve qui prête sa voix à la maman, et sa fille Chiara Mastroianni qui donne la sienne au personnage principal. Une grosse touche de France dans un film résolument humaniste et, par là même, universel.

Jean-Christophe Laurence, «Dessine-moi la révolution islamiste», *La Presse*, 12 janvier 2008, cahier Cinéma, p. 9.
Texte légèrement modifié à des fins pédagogiques.

MARJANE SATRAPI
(née en Iran en 1969)

«L'essentiel de mon boulot, c'est de me souvenir comment je ressentais les choses quand j'avais six, dix ou treize ans.» C'est ainsi que Marjane Satrapi décrit le travail de mémoire nécessaire à la création de *Persepolis*, la bande dessinée qui raconte sa vie en Iran. Lorsque s'amorce la révolution islamique en 1979, Marjane Satrapi a dix ans. La guerre Iran-Irak qui se déclenche peu après amène ses parents à l'envoyer en Autriche afin qu'elle poursuive ses études en toute sécurité. Elle revient terminer ses études en Iran, puis s'installe en France en 1994. Marjane Satrapi raconte ce parcours exceptionnel dans les quatre tomes qui composent *Persepolis*. En 2007, elle transpose cette histoire dans un long métrage d'animation en noir et blanc qui fait le tour du monde.

LE PROJET DE YANN MARTEL

Le 28 mars 2007, le jeune auteur canadien Yann Martel participe avec 49 autres artistes à la cérémonie soulignant le cinquantième anniversaire du Conseil des arts du Canada. Or le tout dure à peine
5 cinq minutes. Il n'en faut pas plus à Yann Martel pour concevoir un projet original et audacieux : sensibiliser le premier ministre du gouvernement au pouvoir et à l'importance des arts grâce à un livre. Voici ce qu'il propose : «non pas de l'instruire
10 — ce serait arrogant — mais moins que ça, de faire des suggestions à sa quiétude. Tant que Stephen Harper sera Premier ministre du Canada, je promets de lui envoyer par la poste, un lundi matin tous les quinze jours, un livre réputé faire épanouir
15 la quiétude. Ce livre sera dédicacé et accompagné d'une lettre que j'aurai écrite. Je ferai fidèlement rapport, sur le site *Que lit Stephen Harper ?* de chacun des livres, de chaque dédicace, de chaque lettre, et de toute réponse que je pourrais recevoir du
20 Premier ministre[1]».

Maus est le douzième titre proposé par Yann Martel. À ce jour, le premier ministre n'a répondu à aucune des lettres de l'auteur.

1. Yann Martel, *Que lit Stephen Harper ?*, [en ligne]. (page consultée en février 2008)

Lettre au Premier ministre

Livre 12 : *Maus*, de Art Spiegelman

Dédicace : À Stephen Harper, Premier ministre du Canada,
Ce livre si dérangeant mais nécessaire,
d'un écrivain canadien, avec ses meilleurs vœux,
5 Yann Martel

Le Très honorable Stephen Harper
Premier ministre du Canada
Bureau du Premier ministre
80, rue Wellington
10 Ottawa ON K1A 0A2

Le 17 septembre 2007

Cher Monsieur Harper,

J'en suis navré, mais vous devrez cette fois-ci supporter une lettre manuscrite de ma vilaine écriture[1]. Je n'ai pas réussi à trouver une imprimante à Oswiecim, la petite ville
15 polonaise où je me trouve présentement.

Oswiecim est mieux connue sous son nom allemand : AUSCHWITZ. Y êtes-vous jamais venu ?

Je suis ici, essayant de terminer mon prochain livre. Ce qui se trouve aussi à expliquer le choix de l'œuvre que je vous envoie : le roman illustré intitulé *MAUS*, de ART
20 SPIEGELMAN. Ne vous laissez pas distraire par les apparences. Ce livre de bandes dessinées est de la <u>vraie</u> littérature.

Certaines histoires ont besoin d'être racontées de nombreuses façons afin de pouvoir encore exister de manières diverses pour de nouvelles générations. L'histoire de l'assas-

1. La lettre envoyée au premier ministre le 17 septembre 2007 est une lettre manuscrite, en anglais. Il s'agit ici de la traduction qui figure sur le site.

ART SPIEGELMAN
(né à Stockholm en 1948)

Avant d'être reconnu mondialement pour son roman graphique *Maus*, le bédéiste américain Art Spiegelman a été l'un des principaux acteurs de la scène *underground* de la bande dessinée des années 1960 et 1970. En 1986, Art Spiegelman publie le premier tome de *Maus*. L'album connaît un succès critique sans précédent dans le monde de la BD. Le deuxième tome de *Maus* paraît en 1991. En 1992, Art Spiegelman reçoit pour *Maus* le premier prix Pulitzer accordé à une bande dessinée. En 2004, il publie *À l'ombre des tours mortes*, une BD traitant des événements du 11 septembre 2001.

sinat de près de six millions de membres du peuple juif d'Europe, aux mains des nazis et
25 de leurs complices criminels, est justement le type d'histoire qui a besoin d'être renouvelée si nous ne voulons pas qu'une partie de nous-mêmes s'endorme, comme les petits-enfants qui somnolent en entendant une fois de trop de la bouche de leur grand-père une histoire d'antan.

Je sais que je vous avais dit que je vous enverrais des livres qui feraient croître votre
30 « quiétude ». Mais un sentiment de paix, de concentration calme, de ce que les bouddhistes appellent « le détachement passionné » ne doit pas tomber dans l'autosatisfaction ou la complaisance. Alors être perturbé — et Auschwitz est profondément perturbant — peut offrir une bonne manière de raviver sa quiétude.

MAUS est un chef-d'œuvre. Spiegelman raconte son histoire ou, plus précisément,
35 l'histoire de ses père et mère, d'une manière forte et radicale. Ce n'est pas seulement qu'il sache pousser l'expression graphique, peut-être parfois perçue par certains comme un medium destiné seulement aux enfants, à des sommets artistiques insoupçonnés en attaquant un sujet aussi important que le génocide EXTERMINATEUR. C'est plus que ça. C'est sa manière de raconter l'histoire. Vous verrez. L'agilité narrative et l'aisance de l'écri-
40 ture. Et à quel point le dessin a une voix PUISSANTE. Il y a quelques illustrations qui, même petites, et en noir et blanc, ont un impact qu'on ne croirait possible que dans le cas de grands tableaux ou de grands plans tirés d'un film.

Et je n'ai même pas mentionné le principal outil, qui explique le titre du livre : tous les personnages ont la tête d'un animal ou d'un autre. Les Juifs ont la tête de souris, les
45 Allemands celles de chats, les Polonais, de porcs, les Américains, de chiens, et ainsi de suite.

C'est brillant. Cela vous saisit, cela vous déchire. À partir de là, il nous faut chercher péniblement à retrouver le chemin qui nous ramène à ce que cela veut dire d'être humain.

Cordialement vôtre,
Yann Martel

50 P.J. : un livre dédicacé

Dans « Que lit Stephen Harper » – Livre 12 – Maus –
Art Spiegelman par Yann Martel (17 septembre 2007).
Copyright © 2007 Yann Martel. Avec la permission de l'auteur.

MAUS

83

MAUS Volume 1 © 1973, 1980, 1981, 1982, 1984, 1985, 1986, Art Spiegelman/MAUS Volume 2 © 1986, 1989, 1990, 1991, Art Spiegelman/Art Spiegelman, *Maus*, traduit de l'américain par Judith Ertrel, Paris, Flammarion, 1987, p. 82 et 83.

Un moment de découragement

Kazan l'ayant quitté, Bakin se remit au travail, voulant profiter de l'enthousiasme suscité par cette visite pour continuer la composition du *Hakkenden*. Il avait depuis longtemps l'habitude de relire ce qu'il avait écrit la veille avant d'aller plus loin. Ainsi, ce jour-là encore, il relut lentement et attentivement
5 les feuilles de son manuscrit dont chaque ligne était chargée de corrections à l'encre rouge. Il ne comprenait pas pourquoi les phrases résonnaient mal. Quelques désaccords cachés entre les mots rompaient l'harmonie de l'ensemble. Au début, il l'attribua à sa nervosité à peine calmée, se disant : «C'est qu'aujourd'hui je ne suis pas en bonne forme. Quant à ce que j'ai écrit, je l'ai
10 écrit, je crois, jusqu'à l'épuisement de mes moyens.» Sur ce, il reprit sa lecture. Mais le ton discordant restait inchangé. Il fut affolé malgré son âge.

«Comment trouverai-je ce que j'ai écrit l'avant-veille?» se dit-il.

Il relut. Les feuilles fourmillaient de phrases mal construites. Il remonta à ce qui précédait et ainsi de suite…

15 Au fur et à mesure qu'il lisait, les phrases mal ordonnées et la composition peu sûre se déroulaient sous ses yeux. Il y trouva des descriptions dénuées de toute image, des exclamations étrangères à tout enthousiasme et des raisonnements auxquels manquait toute logique. Tous ces manuscrits auxquels il avait consacré plusieurs jours de labeur ne lui parurent alors qu'un amas de
20 bavardages inutiles. Cela lui causa une grande peine.

— Il ne me reste plus qu'à tout recommencer! s'écria-t-il.

Et, repoussant dédaigneusement les manuscrits, il s'étendit sur le *tatami*, la tête appuyée sur un coude. Mais l'air toujours soucieux, il ne détachait pas ses regards de son bureau, de ce bureau sur lequel il avait écrit le *Yumiharizuki*, le
25 *Nanka no Yume* et où, cette fois, il écrivait le *Hakkenden*. Écritoire de jade de *Tankei*[1], presse-papiers de *Sonri*[2], burette de bronze en forme de crapaud, petit paravent pour l'encrier en émail bleu orné de dessins de lions et de gardénias, vase à pinceau en bambou ciselé de fleurs d'orchidées, tous ces objets étaient des familiers de son labeur de création. Les contemplant, il s'abîma dans une
30 inquiétude néfaste, comme si son échec eût jeté une ombre sinistre sur ses œuvres de l'avenir, comme si sa qualité d'écrivain eût été fondamentalement en cause.

«Je me croyais capable, se dit-il, de donner à mon pays un chef-d'œuvre sans égal. Mais peut-être n'était-ce qu'une prétention bien banale.»

---

1. *Tankei* : l'endroit de la province de Chan-toung, en Chine, où se produisent de bonnes pierres réservées pour la fabrication de l'écritoire, de là l'appellation de cet écritoire même.

2. *Sonri* : forme du dragon enroulé sur soi-même.

³⁵ Cette inquiétude faisait naître en lui un sentiment de solitude âpre, presque insupportable. Il n'oubliait jamais cette règle de précepte de rester modeste devant les génies de son pays et de la Chine qu'il
⁴⁰ adorait. Mais, il en était venu à se montrer d'autant plus orgueilleux et même insolent à l'égard des petits écrivassiers de son temps. Comment donc pourrait-il reconnaître facilement qu'il n'était pas en fin
⁴⁵ de compte plus qualifié qu'eux, qu'il était lui-même ce méprisable «porc de *Liao-toung*[3]»? Et, d'autre part, son robuste «moi» bouillonnait avec trop d'effervescence pour se réfugier dans la sagesse et la
⁵⁰ résignation.

Toujours étendu devant son bureau, il luttait en silence contre l'immensité de son désespoir, regardant ses manuscrits ratés avec l'œil désolé d'un capitaine en
⁵⁵ détresse qui voit son bateau sombrer dans les flots.

Akutagawa Ryûnosuke, «L'illumination créatrice»,
dans *Rashômon et autres contes*,
traduit du japonais par Arimasa Mori,
Paris, © Gallimard, 1965, p. 186 à 188.

---

3. Porc de *Liao-toung*: celui qui se vante de rien. Autrefois à *Liao-toung*, un porc à tête blanche est né. Un homme, émerveillé, voulut l'offrir à l'empereur, mais, allant à *Ho-toung* pour cela, il y rencontra, à sa grande confusion, beaucoup de porcs semblables et, tout penaud, il rentra à la maison.

AKUTAGAWA RYÛNOSUKE
(1892-1927)

L'acteur Masayuki Mori et sa partenaire Machiko Kyo dans le film *Rashômon* inspiré du recueil de contes d'Akutagawa Ryûnosuke et tourné en 1950.

Un mendiant forcé de voler pour ne pas mourir de faim rencontre une vieille femme qui arrache les cheveux des morts pour en faire une perruque: c'est la trame de *Rashômon*, la toute première histoire publiée par l'écrivain japonais Akutagawa Ryûnosuke, en 1915, alors qu'il est encore étudiant. Basée sur une vieille légende, cette nouvelle est représentative du style d'Akutagawa: d'incisifs drames psychologiques inspirés du folklore japonais. Il écrira plus de 140 nouvelles avant de sombrer dans la dépression et de se donner la mort en 1927. Le prix Akutagawa est aujourd'hui remis aux auteurs japonais les plus prometteurs.

L'AUTEUR CRITIQUE
ou un cas de dédoublement

Le dédoublement de la personnalité, ça existe !...

Je vais vous citer un cas... tenez !

Je connais un critique... qui est en même temps auteur... ce qui le met en tant qu'auteur
5 dans une situation critique ! Il a écrit une pièce qu'il a fait jouer, et le soir de la générale c'est lui qui était dans la salle pour faire la critique ! Comme il est sévère mais juste, le lendemain dans la presse, il s'est éreinté... il s'est littéralement traîné dans la
10 boue ! Quand l'auteur a lu sa critique, il s'est envoyé une lettre dans laquelle il disait qu'il n'avait rien compris à sa propre pièce... Depuis... il ne se parlait plus ! Quand il se rencontrait dans une glace, il ne se saluait plus ! Et puis, il n'arrêtait pas
15 de s'envoyer des lettres d'insultes ! «En tant que critique, disait-il à l'auteur, vous écrivez comme un manche !» Et en tant qu'auteur, il répondait au critique : «Critiquer, c'est facile... mais pour écrire, c'est une autre paire de manches !»

20 Après s'être envoyé plusieurs lettres, il s'est envoyé une gifle ! Comme ce n'était pas un lâche, il se l'est rendue. Après s'être envoyé plusieurs gifles, quand il eut compris que d'un côté comme de l'autre, c'était toujours lui qui prenait, il se dit :
25 «C'est trop bête !»

Alors il s'est invité à déjeuner... tout seul ! En tête à tête ! À la fin du repas, il s'entendait avec lui-même comme deux larrons en foire.

À partir de ce moment-là, il s'est appelé
30 «nous».

«Nous allons écrire une pièce, de concert, nous la ferons jouer, et nous la critiquerons de conserve.»

Je l'ai connu à cette époque-là...

Un jour, on sonne à ma porte...

35 Ma bonne qui était allée ouvrir me dit :

— Il y a deux messieurs qui vous demandent.

Je dis :

— Deux messieurs ?

Elle me dit :

40 — Il n'y en a qu'un, mais il me dit qu'ils sont deux.

Je dis :

— Alors, c'est lui !... Faites-les entrer.

Effectivement, c'était eux !

45 Je dis :

— Asseyez-vous !... Qu'est-ce que vous prenez ?

Il me dit :

— Deux whiskies !

Comme j'allais à la cuisine préparer les whis-
50 kies... j'entends des éclats de voix...: «Ce que c'est laid ici ! C'est d'un mauvais goût, mon cher !»

Je reviens... je lui dis :

— Vous me parliez ?

Il me dit :

55 — Non ! Non ! Nous discutions entre nous !

Je lui dis :

— Comment trouvez-vous mon appartement ?

Il me dit :

— Moi, très bien ! Mais il y en a qui ne peuvent
60 pas s'empêcher de critiquer !

Il en vient au but de sa visite.

Il me dit :

— Voilà ! Nous avons écrit une pièce à deux personnages et nous voudrions que vous la jouiez.

65 Je dis :

— Qui ?

Il me dit :

— Vous deux !

Je dis :

70 — Moi et qui ?

Il me dit :

— Vous et vous !... Vous êtes comédien ?

Je dis :

— Oui !

75 Il me dit :

— Alors, vous vous dédoublez !...

Là, j'ai compris qu'il n'était pas simple.

Je dis :

— Oui ! Mais en ce moment, nous ne sommes
80 pas libres.

Il me dit :

— Ah ! Qu'est-ce que vous faites en ce moment ?

Je dis :

— Je joue les deux orphelines !

85 Il me dit :

— Alors, je regrette !

Il s'est levé en se faisant passer devant et en se
disant :

— Après vous !

90 Devant la porte, ça n'en finissait plus, alors j'ai
ouvert la porte à double battant et il est sorti l'un
derrière l'autre !

Quand je repense à cela, quelquefois, je me
dis :

95 — Tu aurais peut-être mieux fait d'accepter de
jouer sa pièce !

— Ah ! je me dis, non !... Elle ne pouvait pas
être bonne !

— Qu'est-ce que tu en sais ?... tu ne l'as pas
100 lue !

— Je ne vais pas lire la pièce d'un fou !

— Qui te dit qu'il est fou ?

— Plutôt deux fois qu'une ! Non ?... Il parlait
tout seul, il n'arrêtait pas de discuter avec lui-
105 même !

— Et toi, en ce moment... que fais-tu d'autre ?

— Tu as raison !... je ne suis qu'un sot... doublé
d'un bel imbécile !... Si on allait prendre l'air ?... ça
nous ferait du bien !

110 (S'avançant :)

— Mesdames-messieurs, excusez-nous... nous
allons prendre l'air !... et quand nous serons cal-
més... je reviendrai ! Vous voyez hein ? Souvent, on
se prend pour quelqu'un, alors qu'au fond on est
115 plusieurs !

(Il remonte vers le fond... en se faisant passer
devant... et en se disant : « Après vous ! », et sort par
la porte à double battant.)

Raymond Devos, « L'auteur critique ou un cas
de dédoublement », dans *Ça n'a pas de sens*,
© Éditions Denoel, 1981.

RAYMOND DEVOS
(1922-2006)

Raymond Devos avait un profond regret : celui de
n'avoir pas pu poursuivre ses études. Celui qui
deviendra un virtuose des mots et un humoriste
de haut vol avait en effet dû quitter l'école à
treize ans à cause des problèmes financiers de sa
famille. C'est en autodidacte que Devos parfait
sa connaissance de la langue et de la musique : il
apprend la clarinette, la harpe, le bandonéon, la
scie musicale... Sur scène, accompagné de son
pianiste, il sera aussi un mime étonnant et un
habile jongleur. Dans ses sketches et monologues, Devos cultive avec un rare bonheur les
jeux de mots, les paradoxes et les détourne-
ments de sens. En 1991, il publie l'intégrale de
ses monologues, *Matière à rire.*

Démolition

EN DIRECT

À minuit, Florence voulut brancher la télévision pour suivre la célèbre émission littéraire qui devait vanter son livre. Balthazar n'aurait pas accepté si ce n'avait pas été l'occasion de jouir d'une trêve réparatrice.

Le visage du critique littéraire redouté, Olaf Pims, apparut sur l'écran, et, par
5   je ne sais quel instinct, Balthazar sentit immédiatement qu'il allait être agressé.

Eric-Emmanuel
Schmitt
Odette Toulemonde
et autres histoires

Albin Michel

Derrière ses lunettes rouges — des lunettes de matador qui s'apprête à jouer du taureau avant de le tuer —, l'homme
10 prit un air ennuyé, voire écœuré.

— On me demande de chroniquer le dernier livre de Balthazar Balsan. D'accord. Si
15 au moins cela pouvait être vrai, si l'on était sûr que c'est le dernier, alors ce serait une bonne nouvelle ! Car je suis atterré. Du point de vue litté-
20 raire, c'est une catastrophe. Tout y est consternant, l'histoire, les personnages, le style… Se montrer aussi mauvais, mauvais avec constance, mauvais avec éga-
25 lité, ça devient même une performance, c'est presque du génie. Si l'on pouvait mourir d'ennui, je serais mort hier soir.

Dans sa chambre d'hôtel,
30 nu, une serviette autour des reins, Balthazar Balsan assistait, bouche bée, à sa démolition en direct. À ses côtés sur le lit, Florence, gênée, gigotait tel un
35 asticot cherchant à remonter à la surface.

Olaf Pims poursuivit paisiblement son massacre.

— Je suis d'autant plus
40 gêné de dire cela qu'il m'est arrivé en société de croiser Balthazar Balsan, un homme aimable, gentil, propre sur lui,

au physique un peu ridicule de prof de
45 gym mais un individu fréquentable, bref le
genre d'homme dont une femme divorce
agréablement.

Avec un petit sourire, Olaf Pims se tourna
vers la caméra et parla comme s'il se trouvait
50 soudain en face de Balthazar Balsan.

— Quand on a autant le sens des clichés,
monsieur Balsan, il ne faut pas appeler ça
roman, mais dictionnaire, oui, dictionnaire des
expressions toutes faites, dictionnaire des pen-
55 sées creuses. En attendant, voilà ce que mérite
votre livre… la poubelle, et vite.

Olaf Pims déchira l'exemplaire qu'il tenait
à la main et le jeta avec mépris derrière lui.
Balthazar reçut ce geste comme un uppercut.

Éric-Emmanuel Schmitt
durant le tournage
d'*Odette Toulemonde*.

60 Sur le plateau, choqué par tant de violence, le présentateur demanda :

— Enfin, comment expliquez-vous son succès ?

— Les pauvres d'esprit ont bien le droit d'avoir, eux aussi, un héros. Les
concierges, caissières et autres coiffeuses qui collectionnent les poupées de foire
ou les photos de crépuscule ont sans doute trouvé l'écrivain idéal.

65 Florence coupa la télévision et se tourna vers Balthazar. Eût-elle été une
attachée de presse plus expérimentée, elle lui aurait servi ce qu'on doit objecter
en ces occasions : c'est un aigri qui ne supporte pas la vogue de tes livres, il les lit
en songeant que tu racoles les lecteurs ; par conséquent il repère le démagogique
dans le naturel, soupçonne l'intérêt commercial sous la virtuosité technique,
70 prend ton désir d'intéresser les gens pour du marketing ; de plus, il se condamne
en traitant le public de sous-humanité indigne, son mépris social se montrant
même ahurissant. Cependant, jeune, Florence restait influençable ; médiocrement
intelligente, elle confondait méchanceté et sens critique : pour elle, la messe était
donc dite.

75 C'est sans doute parce qu'il sentit le regard méprisant et désolé de la jeune
femme sur lui que Balthazar entama, ce soir-là, une phase dépressive. Des commentaires hargneux, il en avait toujours essuyé, des yeux de pitié, jamais. Il commença
à se sentir vieux, fini, ridicule.

Éric-Emmanuel Schmitt, *Odette Toulemonde et autres histoires*,
Paris, © Éditions Albin Michel, 2006, p. 214 à 217.

ÉRIC-EMMANUEL SCHMITT

(né en France en 1960)

Dieu, Freud, Hitler et Mozart sont quelques-uns des personnages que l'on retrouve
dans les œuvres d'Éric-Emmanuel Schmitt, l'un des auteurs francophones les plus
lus dans le monde. Philosophe de formation, Schmitt se fait d'abord connaître au
théâtre en 1991 avec *La nuit de Valognes*, une variation moderne du mythe de Don
Juan. En 1993, il triomphe au théâtre avec *Le visiteur*, un dialogue entre Freud et
Dieu. Plusieurs pièces suivront et seront jouées dans plus de cinquante pays.
Schmitt a aussi composé divers récits et romans qui se déploient autour de l'enfance et de la spiritualité (*Monsieur Ibrahim et les fleurs du Coran*, *Oscar et la
dame rose*). En 2006, il a écrit et réalisé son premier film, *Odette Toulemonde*.

UNE DOUCHE FROIDE

J'ai treize ans et je rentre à la maison. Mon père m'attend dans la cuisine. Il n'a pas sa voix habituelle :

— François, viens ici, je te prie. Où et quand as-tu lu *La nausée* ?

Je suis abasourdi. Ce serait exagéré de dire que j'ai lu, ce qui s'appelle lire, *La nausée*,
5 mais j'avais acheté le livre avec l'argent que mes parents m'avaient confié pour que j'achète mon almanach Pestalozzi, et ce livre se trouvait sous mon matelas. J'étais cuit ! Ma mère l'avait sûrement trouvé en faisant mon lit ! Elle s'était empressée de le remettre à mon père ! D'une seconde à l'autre, il allait brandir le livre doublement délictueux, d'abord écrit par Sartre, ensuite lu par moi.

10 — Réponds ! Oui ou non, as-tu lu *La nausée* ?

— Non !

— Alors, qu'est-ce que c'est que ça ?

«Nous y voilà», me dis-je. «Mon Dieu, je m'accuse d'avoir volé, d'avoir menti, d'avoir…»

Ce n'est pas le livre de Sartre que mon père agite devant moi, c'est — je reconnais mon
15 écriture — une de mes rédactions.

— Voilà ce qu'il a fallu que je trouve dans mon courrier ce matin.

— On t'a envoyé ma rédaction par la poste ?

UNE LECTURE CONDAMNÉE

INTERTEXTUALITÉ Dans cet extrait, le narrateur est accusé par son père d'avoir lu *La nausée* du romancier et philosophe français Jean-Paul Sartre (1905-1980). Si ce roman semble si condamnable
5 au père du héros, un homme très religieux, c'est qu'il repose sur une vision du monde pessimiste. Sartre, comme beaucoup d'intellectuels des années 1940, constate l'absurdité de la condition humaine et ne cherche pas un remède dans la
10 religion. Aux mots *paix, joie, amour* du professeur du héros, il oppose ceux de *dégoût, vide, nausée*.

Jean-Paul Sartre et sa compagne de cœur
et d'esprit, Simone de Beauvoir (1908-1986),
philosophe et romancière française.

Je reprends espoir. Cette rédaction était pleine de trouvailles. Mon père s'est assis. Il relit quelques-unes de mes phrases, sans doute celles qui l'ont le plus bouleversé. Il se tourne vers ma mère, et, d'un air complètement dépassé, il lui montre ma copie :

— François a lu *La nausée*, c'est évident.

J'aurais voulu lui répondre : «Bien sûr que je connais *La nausée* ! Comment l'as-tu deviné ? Papa, tu es le plus fantastique critique littéraire que je connaisse !»

Le Père Houdot, qui m'enseignait cette année-là le français, avait sobrement annoté ma rédaction : «Monsieur, voici les ténèbres dans lesquelles votre fils se complaît. Paix ! Joie ! Amour !» Houdot ! Je le retiens ! Il avait repris la devise des compagnons de saint François : «Paix ! Joie ! Amour !», uniquement pour impressionner mon père et m'enfoncer davantage. Cette histoire de paix, joie, amour, n'avait rien à voir avec mes études. J'aurais pu l'étrangler. Quel hypocrite ! Envoyer ma rédaction en douce par la poste, sans m'en parler, alors que je l'avais croisé le matin même, et qu'il m'avait souri !

Mon père est accablé :

— Cette vision du monde si négative, si laide, n'est pas la tienne.

Et le style ? Pas un mot sur mon style, sur un mélange inventif de phrases nominales et de phrases verbales. Mon père donne raison à mon professeur de français qui, en l'occurrence, se conduisait plutôt comme un professeur de religion :

— Je ne t'en veux pas de mentir, c'est affaire entre toi et Dieu, mais je veux te voir échapper à l'influence d'écrivains qui se vautrent dans la boue. Tu vas me faire le plaisir de déchirer ce torchon et de le faire disparaître dans la cuvette des cabinets.

Je n'avais pas le choix. La demande de mon père, critique littéraire mais aussi docteur en droit, avait force exécutoire, et je me suis exécuté. J'avais dû commettre une erreur, mais je ne voyais pas à quel moment. Acheter *La nausée* au lieu de mon almanach ? Personne n'était au courant. Recopier des phrases de Sartre ? Je n'avais rien recopié du tout, je n'aurais même pas osé mettre le livre dans mon cartable. D'ailleurs, je ne faisais qu'une confiance relative à Sartre : n'avait-il pas écrit que la haine et l'amour descendent sur les gens comme les langues de feu du Vendredi Saint ? Il confondait le Vendredi Saint et la Pentecôte ! Dans ma rédaction, je m'étais inscrit dans un courant résolument moderne de la littérature de mon temps. Où était la faute ? Je n'étais pas influencé par Sartre, j'avais mon esprit critique, je ne me serais pas laissé avoir par cette façon systématique de rabaisser la valeur de l'existence humaine, de dire «ma salive est sucrée, mon corps est tiède, je me sens fade» au lieu de

50 «paix, joie, amour».

Le résultat était pourtant là : mon père accablé dans sa robe de chambre, l'air incrédule, ressassant «il a lu *La nausée*, il a lu *La nausée*» comme s'il venait d'apprendre que j'avais la chtouille.

François Weyergans, *Franz et François*,
Paris, Éditions Grasset & Fasquelle, 1997, p. 100 à 102.

FRANÇOIS WEYERGANS
(né en Belgique en 1941)

Fils d'un écrivain très religieux, également critique littéraire et cinématographique, François Weyergans met son père à l'épreuve en devenant cinéaste dans les années 1960. Il tourne quelques films documentaires sur des artistes sulfureux (Bosch, Baudelaire) et entame une psychanalyse. En 1973, il publie un compte rendu sarcastique de sa thérapie : *Le pitre*. Sa carrière littéraire est lancée. Après son roman *Macaire le Copte* (1981), qui met en scène la vie d'un moine égyptien au IVe siècle, François Weyergans se tourne à nouveau vers l'autobiographie et l'autodé-

rision dans *Je suis écrivain* (1989) et *Franz et François* (1997), où il raconte sa vie avec son père. En 2005, *Trois jours chez ma mère* lui vaudra le prix Goncourt.

PETITE HISTOIRE DE **LA NAUSÉE**

INTERTEXTUALITÉ Commencé en 1931, plusieurs fois réécrit et étoffé, le manuscrit de ce qui allait devenir *La nausée* est pourtant refusé lorsque Jean-Paul Sartre le soumet à un éditeur parisien en 1936. Sartre reprend son roman,

5 qui s'intitule *Melancholia* — une référence à la gravure d'Albrecht Dürer —, et y travaille une autre année. En 1937, à force de ténacité et grâce à des amitiés solides, il parvient à convaincre son éditeur de se lancer dans l'aventure. Le manuscrit est alors amputé de plu-

10 sieurs pages et des passages passibles de poursuites sont supprimés. Le livre, rebaptisé *La nausée* par Gaston Gallimard, paraît en 1938 et devient un classique de la littérature.

En 1971, Jean-Paul Sartre dira de son premier

15 roman : «C'est ce que j'ai fait de meilleur.»

Albrecht Dürer, *Melancholia*, 1514.

À LA SOURCE DE L'ŒUVRE D'ÉMILE ZOLA

Carolus-Duran, *Portrait d'Édouard Manet*, vers 1880.

INTERTEXTUALITÉ Pour calmer la colère des peintres exclus du Salon de Paris par un jury résolument contre toute forme d'art non académique, l'Empereur Napoléon III leur offre
5 une salle. Ainsi naît le Salon des Refusés en 1863. La foule se déplace en grand nombre pour rire des œuvres et se moquer des peintres. Un tableau surtout retient l'attention: le *Déjeuner sur l'herbe* d'Édouard Manet (1832-
10 1883), un jeune peintre inconnu à l'époque. Parcourant l'exposition, Émile Zola voit les gens abreuver d'insultes l'œuvre de celui qui est aujourd'hui reconnu comme l'un des pères de l'impressionnisme. Zola se souviendra de
15 cette scène ahurissante quand il écrira *L'Œuvre*. D'ailleurs, en 1866 dans *L'Événement*, Zola écrira: «Je suis tellement certain que M. Manet sera un des maîtres de demain, que je croirais conclure une bonne affaire, si j'avais de la for-
20 tune, en achetant aujourd'hui toutes ses toiles […] J'ai revu *Le déjeuner sur l'herbe*, ce chef-d'œuvre exposé au Salon des Refusés, et je défie nos peintres en vogue de nous donner un horizon plus large et plus empli d'air et de
25 lumière.»

Au Salon des Refusés

Claude, un jeune peintre, parcourt le Salon des Refusés avec ses amis, cherchant la toile qu'il y expose.

Sandoz s'était enflammé, lui aussi; et Fagerolles continuait à louer très haut les pires peintures, ce qui augmentait la gaieté; tandis que Gagnière, vague au milieu de la bousculade, tirait
5 à sa suite Irma ravie dont les jupes s'enroulaient aux jambes de tous les hommes.

Mais, brusquement, Jory parut devant eux. Son grand nez rose, sa face blonde de beau garçon resplendissait. Il fendait violemment la foule,
10 gesticulait, exultait comme d'un triomphe personnel. Dès qu'il aperçut Claude, il cria:

«Ah! c'est toi, enfin! Il y a une heure que je te cherche… Un succès, mon vieux, oh! un succès…

— Quel succès?

15 — Le succès de ton tableau donc!… Viens, il faut que je te montre ça. Non, tu vas voir, c'est épatant!»

Claude pâlit, une grosse joie l'étranglait, tandis qu'il feignait d'accueillir la nouvelle avec
20 flegme. Le mot de Bongrand lui revint, il se crut du génie.

«Tiens! bonjour!» continuait Jory, en donnant des poignées de main aux autres.

Et, tranquillement, lui, Fagerolles et Gagnière,
25 entouraient Irma qui leur souriait, dans un partage bon enfant, en famille, comme elle disait elle-même.

«Où est-ce à la fin? demanda Sandoz impatient. Conduis-nous.»

30 Jory prit la tête, suivi de la bande. Il fallut faire le coup de poing à la porte de la dernière salle, pour entrer. Mais Claude, resté en arrière, entendait toujours monter les rires, une clameur

Édouard Manet, *Déjeuner sur l'herbe*, 1863. Cette toile dont s'est inspiré Zola pour sa description de *Plein air*, le tableau raillé dans *L'œuvre*, a fait scandale au XIXe siècle.

grandissante, le roulement d'une marée qui allait
35 battre son plein. Et, comme il pénétrait enfin
dans la salle, il vit une masse énorme, grouillante,
confuse, en tas, qui s'écrasait devant son tableau.
Tous les rires s'enflaient, s'épanouissaient, abou-
tissaient là. C'était de son tableau qu'on riait.

40 «Hein? répéta Jory, triomphant, en voilà un
succès!»

Gagnière, intimidé, honteux comme si on
l'eût giflé lui-même, murmura:

«Trop de succès… J'aimerais mieux autre
45 chose.

— Es-tu bête! reprit Jory dans un élan de
conviction exaltée. C'est le succès, ça… Qu'est-ce
que ça fiche qu'ils rient! Nous voilà lancés,
demain tous les journaux parleront de nous.

50 — Crétins!» lâcha seulement Sandoz, la voix
étranglée de douleur.

Fagerolles se taisait, avec la tenue désintéres-
sée et digne d'un ami de la famille qui suit un
convoi. Et, seule, Irma restait souriante, trouvant
55 ça drôle; puis, d'un geste caressant, elle s'appuya
contre l'épaule du peintre hué, elle le tutoya et lui
souffla doucement dans l'oreille:

«Faut pas te faire de la bile, mon petit. C'est
des bêtises, on s'amuse tout de même.»

60 Mais Claude demeurait immobile. Un grand
froid le glaçait. Son cœur s'était arrêté un moment, tant la déception venait d'être cruelle. Et,
les yeux élargis, attirés et fixés par une force invincible, il regardait son tableau, il s'étonnait, le
65 reconnaissait à peine, dans cette salle. Ce n'était
certainement pas la même œuvre que dans son
atelier. Elle avait jauni sous la lumière blafarde de
l'écran de toile; elle semblait également dimi-
nuée, plus brutale et plus laborieuse à la fois; et,
70 soit par l'effet des voisinages, soit à cause du nou-

veau milieu, il en voyait du premier regard tous les défauts, après avoir vécu des mois aveuglé devant elle. En quelques coups, il la refaisait, reculait les plans, redressait un membre, changeait la
75 valeur d'un ton. Décidément, le monsieur au veston de velours ne valait rien, empâté, mal assis; la main seule était belle. Au fond, les deux petites lutteuses, la blonde, la brune, restées trop à l'état d'ébauche, manquaient de solidité, amusantes
80 uniquement pour des yeux d'artiste. Mais il était content des arbres, de la clairière ensoleillée, et la femme nue, la femme couchée sur l'herbe, lui apparaissait supérieure à son talent même, comme si un autre l'avait peinte et qu'il ne l'eût pas connue
85 encore, dans ce resplendissement de vie.

Il se tourna vers Sandoz, il dit simplement:

«Ils ont raison de rire, c'est incomplet… N'importe, la femme est bien! Bongrand ne s'est pas fichu de moi.»

90 Son ami s'efforçait de l'emmener, mais il s'entêtait, il se rapprocha au contraire. Maintenant qu'il avait jugé son œuvre, il écoutait et regardait la foule. L'explosion continuait, s'aggravait dans une gamme ascendante de fous rires.
95 Dès la porte, il voyait se fendre les mâchoires des visiteurs, se rapetisser les yeux, s'élargir le visage;

A L'EXPOSITION DES BEAUX-ARTS

À voir le succès qu'obtient la galerie des *refusés*, il est probable qu'à l'exposition prochaine ne sera pas refusé qui voudra.

Illustration de Grandon pour *Le monde illustré* de 1863.

et c'étaient des souffles tempétueux d'hommes gras, des grincements rouillés d'hommes maigres, dominés par les petites flûtes aiguës des
100 femmes. En face, contre la cimaise, des jeunes gens se renversaient, comme si on leur avait chatouillé les côtes. Une dame venait de se laisser tomber sur une banquette, les genoux serrés, étouffant, tâchant de reprendre haleine dans son
105 mouchoir. Le bruit de ce tableau si drôle devait se répandre, on se ruait des quatre coins du Salon, des bandes arrivaient, se poussaient, voulaient en être. «Où donc? — Là-bas! — Oh! cette farce!» Et les mots d'esprit pleuvaient plus drus qu'ail-
110 leurs, c'était le sujet surtout qui fouettait la gaieté: on ne comprenait pas, on trouvait ça insensé, d'une cocasserie à se rendre malade. «Voilà, la dame a trop chaud, tandis que le monsieur a mis sa veste de velours, de peur d'un rhume. — Mais
115 non, elle est déjà bleue, le monsieur l'a retirée d'une mare, et il se repose à distance, en se bouchant le nez. — Pas poli, l'homme! il pourrait nous montrer son autre figure. — Je vous dis que c'est un pensionnat de jeunes filles en promenade:
120 regardez les deux qui jouent à saute-mouton. — Tiens! un savonnage: les chairs sont bleues, les arbres sont bleus, pour sûr qu'il l'a passé au bleu, son tableau!» Ceux qui ne riaient pas, entraient en fureur: ce bleuissement, cette notation nou-
125 velle de la lumière, semblaient une insulte. Est-ce qu'on laisserait outrager l'art? De vieux messieurs brandissaient des cannes. Un personnage grave s'en allait, vexé, en déclarant à sa femme qu'il n'aimait pas les mauvaises plaisanteries. Mais un
130 autre, un petit homme méticuleux, ayant cherché dans le catalogue l'explication du tableau, pour l'instruction de sa demoiselle, et lisant à voix haute le titre: *Plein air,* ce fut autour de lui une reprise formidable, des cris, des huées. Le mot
135 courait, on le répétait, on le commentait: plein air, oh! oui, plein air, le ventre à l'air, tout en l'air, tra la la laire! Cela tournait au scandale, la foule grossissait encore, les faces se congestionnaient dans la chaleur croissante, chacune avec la bouche
140 ronde et bête des ignorants qui jugent de la peinture, exprimant à elles toutes la somme d'âneries, de réflexions saugrenues, de ricanements stupides et mauvais, que la vue d'une œuvre originale peut tirer à l'imbécillité bourgeoise.

Émile Zola, *L'œuvre* (extrait), 1886.

Au **Salon** de **Paris**

L'année suivante, Claude se rend au Salon de Paris. Une foule nombreuse se pâme devant le tableau d'un autre.

Henri Gervex, *Une séance du jury de peinture au Salon des Artistes français*, 1885.

Il finit par déboucher dans une salle, où la foule s'étouffait, en tas devant un grand tableau qui occupait le panneau d'honneur, au milieu. D'abord, il ne put le voir, tant le flot des épaules moutonnait, une muraille épaissie de têtes, un rempart de chapeaux. On se ruait, dans une admiration béante. Enfin, à force de se hausser sur la pointe des pieds,
5 il aperçut la merveille, il reconnut le sujet, d'après ce qu'on lui en avait dit.

C'était le tableau de Fagerolles. Et il retrouvait son *Plein air*, dans ce *Déjeuner*, la même note blonde, la même formule d'art, mais combien adoucie, truquée, gâtée, d'une élégance d'épiderme, arrangée avec une adresse infinie pour les satisfactions basses du public. Fagerolles n'avait pas commis la faute de mettre ses trois femmes nues; seulement,
10 dans leurs toilettes osées de mondaines, il les avait déshabillées, l'une montrant sa gorge sous la dentelle transparente du corsage, l'autre découvrant sa jambe droite jusqu'au genou, en se renversant pour prendre une assiette, la troisième qui ne livrait pas un coin de sa peau, vêtue d'une robe si étroitement ajustée, qu'elle en était troublante d'indécence, avec sa croupe tendue de cavale. Quant aux deux messieurs, galants, en vestons de cam-
15 pagne, ils réalisaient le rêve du distingué; tandis qu'un valet, au loin, tirait encore un panier du landau, arrêté derrière les arbres. Tout cela, les figures, les étoffes, la nature morte du déjeuner, s'enlevait gaiement en plein soleil, sur les verdures assombries du

fond; et l'habileté suprême était dans cette forfanterie d'audace, dans cette force menteuse qui bousculait juste assez la foule, pour la faire se pâmer. Une tempête dans un pot de
20 crème.

Claude, ne pouvant s'approcher, écoutait des mots, autour de lui. Enfin, en voilà un qui faisait de la vraie vérité! Il n'appuyait pas comme ces goujats de l'école nouvelle, il savait tout mettre sans rien mettre. Ah! les nuances, l'art des sous-entendus, le respect du
25 public, les suffrages de la bonne compagnie! Et avec ça une finesse, un charme, un esprit! Ce n'était pas lui qui se lâchait incongrûment en morceaux passionnés, d'une création débordante; non, quand il avait pris trois notes sur nature, il
30 donnait les trois notes, pas une de plus. Un chroniqueur qui arrivait, s'extasia, trouva le mot: une peinture bien parisienne. On le répéta, on ne passa plus sans déclarer ça bien parisien.

Ces dos enflés, ces admirations montant en
35 une marée d'échines, finissaient par exaspérer Claude; et, pris du besoin de voir les têtes dont se composait un succès, il tourna le tas, il manœuvra de façon à s'adosser contre la cimaise. Là, il avait le public de face, dans le jour gris que filtrait la
40 toile du plafond, éteignant le milieu de la salle; tandis que la lumière vive, glissée des bords de l'écran, éclairait les tableaux des murs, d'une nappe blanche, où l'or des cadres prenait le ton chaud du soleil. Tout de suite, il reconnut les gens
45 qui l'avaient hué, autrefois: si ce n'étaient ceux-là, c'étaient leurs frères; mais sérieux, extasiés, embellis de respectueuse attention. L'air mauvais des figures, cette fatigue de la lutte, cette bile de l'envie tirant et jaunissant la peau, qu'il avait
50 remarquées d'abord, s'attendrissaient ici, dans l'unanime régal d'un mensonge aimable. Deux grosses dames, la bouche ouverte, bâillaient d'aise. De vieux messieurs arrondissaient les yeux, d'un air entendu. Un mari expliquait tout bas le sujet à
55 sa jeune femme, qui hochait le menton, dans un joli mouvement du col. Il y avait des émerveillements béats, étonnés, profonds, gais, austères, des sourires inconscients, des airs mourants de tête. Les chapeaux noirs se renversaient à demi, les
60 fleurs des femmes coulaient sur leurs nuques. Et tous ces visages s'immobilisaient une minute, étaient poussés, remplacés par d'autres qui leur ressemblaient, continuellement.

Émile Zola, *L'œuvre* (extrait),1886.

ÉMILE ZOLA
(1840-1902)

Émile Zola est sans doute l'un des auteurs français les plus prolifiques: de 1871 à 1893, le chef de file du naturalisme publiera en vingt romans et plusieurs milliers de pages *Les Rougon-Macquart: Histoire naturelle et sociale d'une famille sous le Second Empire*. *L'assommoir* (1877) et *Germinal* (1885) sont les points d'orgue de cette fresque romanesque dans laquelle l'auteur cherche à mettre en lumière tous les milieux sociaux de son époque à travers le destin d'une famille. *L'œuvre* (1886) décrit l'univers des peintres, un univers que Zola connaît bien, ayant été à ses débuts un critique d'art avisé qui fréquentait les ateliers de Manet, de Pissaro et de Monet. Son amitié avec Paul Cézanne ne survivra pas à *L'œuvre*. Croyant se reconnaître dans le peintre déchu du roman, Cézanne se brouille avec Zola.

Édouard Manet, *Portrait d'Émile Zola*, 1868.

Le droit de lire

Jacob Lawrence,
La bibliothèque,
1960.

À propos du «goût», certains de mes élèves souffrent beaucoup quand ils se trouvent devant l'archi classique sujet de dissertation: «*Peut-on parler de bons et de mauvais romans ?*» Comme sous leurs dehors «moi je ne fais pas de concession» ils sont plutôt gentils, au lieu d'aborder l'aspect littéraire du problème, ils l'envisagent d'un point de vue
5 éthique et ne traitent la question que sous l'angle des libertés. Du coup, l'ensemble de leurs devoirs pourrait se résumer par cette formule: «Mais non, mais non, on a le droit d'écrire ce qu'on veut et tous les goûts de lecteurs sont dans la nature, non mais sans blague!» Oui… oui, oui… position tout à fait honorable…

N'empêche qu'il y a de bons et de mauvais romans. On peut citer des noms, on peut
10 donner des preuves.

Pour être bref, taillons très large: disons qu'il existe ce que j'appellerai une «littérature industrielle» qui se contente de reproduire à l'infini les mêmes types de récits, débite du stéréotype à la chaîne, fait commerce de bons sentiments et de sensations fortes, saute sur tous les prétextes offerts par l'actualité pour pondre une fiction de circonstance, se livre à des
15 «études de marché» pour fourguer, selon la «conjoncture» tel type de «produit» censé enflammer telle catégorie de lecteurs.

Voilà, à coup sûr, de *mauvais* romans.

Pourquoi? Parce qu'ils ne relèvent pas de la création mais de la reproduction de «formes» préétablies, parce qu'ils sont une entreprise de simplification (c'est-à-dire de men-

20 songe), quand le roman est art de vérité (c'est-à-dire de complexité), parce qu'à flatter nos automatismes ils endorment notre curiosité, enfin et surtout parce que l'auteur *ne s'y trouve pas*, ni la réalité qu'il prétend nous décrire.

Bref, une littérature du «prêt à jouir», faite au moule et qui aimerait nous ficeler dans le moule.

25 Ne pas croire que ces idioties sont un phénomène récent, lié à l'industrialisation du livre. Pas du tout. L'exploitation du sensationnel, de la bluette, du frisson facile dans une phrase sans auteur ne date pas d'hier. Pour ne citer que deux exemples, le roman de chevalerie s'y est embourbé, et le romantisme longtemps après lui. À quelque chose malheur étant bon, la réaction à cette littérature dévoyée nous a donné deux des plus beaux romans qui soient au 30 monde : *Don Quichotte* et *Madame Bovary*.

Il y a donc de «bons» et de «mauvais» romans.

Le plus souvent, ce sont les seconds que nous trouvons d'abord sur notre route.

Et ma foi, quand ce fut mon tour d'y passer, j'ai le souvenir d'avoir trouvé ça «vachement bien». J'ai eu beaucoup de chance : on ne s'est pas moqué de moi, on n'a pas levé les yeux 35 au ciel, on ne m'a pas traité de crétin. On a juste laissé traîner sur mon passage quelques «bons» romans en se gardant bien de m'interdire les autres.

C'était la sagesse.

Les bons et les mauvais, pendant un certain temps, nous lisons tout ensemble. De même que nous ne renonçons pas du jour au lendemain à nos lectures d'enfant. Tout se mélange. 40 On sort de *Guerre et paix* pour replonger dans la *Bibliothèque verte*. On passe de la collection Harlequin (des histoires de beaux toubibs et d'infirmières méritantes) à Boris Pasternak et à son *Docteur Jivago*, — un beau toubib, lui aussi, et Lara une infirmière ô combien méritante !

Et puis, un jour, c'est Pasternak
qui l'emporte. Insensiblement, nos
45 désirs nous poussent à la fréquenta-
tion des «bons». Nous cherchons
des écrivains, nous cherchons des
écritures ; finis les seuls camarades
de jeu, nous réclamons des *com-*
50 *pagnons d'être*. L'anecdote seule ne
nous suffit plus. Le moment est
venu où nous demandons au roman
autre chose que la satisfaction
immédiate et exclusive de nos *sen-*
55 *sations*.

Une des grandes joies du «péda-
gogue», c'est — toute lecture
étant autorisée — de voir un élève
claquer tout seul la porte de l'usine
60 Best-seller pour monter respirer
chez l'ami Balzac.

Daniel Pennac, *Comme un roman*,
Paris, © Gallimard, 1992, p. 160 à 162.

DANIEL PENNAC
(né au Maroc en 1944)

La légende de la famille Pennac veut que le jeune Daniel, mauvais élève, ait mis un an pour apprendre la lettre A. Son père, ironique ou indulgent, pré-voyait donc vingt-six années d'appren-tissage pour l'alphabet complet. Le cancre a fait mentir son entourage : Daniel Pennac est devenu... professeur de français et l'un des écrivains contem-porains les plus lus dans le monde. Il est surtout connu pour sa série de romans mettant en scène l'extravagante famille Malaussène (*Au bonheur des ogres*, *La fée carabine*, *La petite marchande de prose*, etc.), mais il est aussi l'auteur de plusieurs livres pour enfants et d'essais (*Comme un roman*, *Chagrin d'école*, etc.).

LES COTES, C'EST QUOI ?

HISTOIRE

Les cotes de Mediafilm (1 à 7) ont été créées en 1968 par Robert-Claude Bérubé. Soulignant la valeur artistique des films, elles remplaçaient les cotes morales (Tous, Adolescents et Adultes, À déconseiller, etc.) proposées depuis
5 1957 [...].

Érudit et esthète avant toute chose, Robert-Claude Bérubé voulait que l'appréciation artistique de l'œuvre ait préséance sur son appréciation morale. À cet égard, et à beaucoup d'autres, il était un visionnaire.

Dans notre monde où le box-office et les étoiles ont la cote, l'échelle
10 d'appréciation de Mediafilm, unique en son genre, a fait ses preuves et reste burinée dans l'esprit des cinéphiles et spectateurs québécois.

1 CHEF-D'ŒUVRE

C'est le sommet de l'Everest du septième art. Des quelque soixante mille films évalués par Mediafilm, seuls 134 l'ont touché. Et parce que l'épreuve du temps est un critère essentiel pour juger de la place d'un film dans l'histoire du cinéma (le consensus des spécialistes en attestant), Mediafilm n'attribue jamais la cote (1) aux films âgés de moins de quinze ans. Un chef-d'œuvre, c'est donc:

– Une œuvre pionnière dans l'histoire du cinéma sur le plan philosophique, narratif, esthétique et technique (ex.: *La naissance d'une nation*, *Citizen Kane*, etc.);

– Une œuvre-phare dans un genre cinématographique ou un mouvement artistique (ex.: *Nosferatu* pour l'expressionnisme allemand, *Rome, ville ouverte* pour le néoréalisme, *Chantons sous la pluie* pour la comédie musicale, *À bout de souffle* pour la Nouvelle Vague, etc.);

– Une œuvre marquante d'un maître incontesté du cinéma (*Sueurs froides* d'Alfred Hitchcock, *La ruée vers l'or* de Charlie Chaplin, *La grande illusion* de Jean Renoir, etc.).

2 REMARQUABLE

C'est la plus haute distinction qu'un film puisse obtenir à chaud. Elle signifie que le film présente des qualités artistiques exceptionnelles, fait preuve d'innovation ou d'une grande maîtrise du langage cinématographique et possède un supplément d'âme qui le rend universel et intemporel. En outre, ces films ont marqué les cinématographies de leurs pays respectifs, où ils servent de modèles et de repères. […]

Plus de 200 longs métrages ont obtenu la cote (2). En voici quatre: *Les ordres* de Michel Brault; *La leçon de piano* de Jane Campion; *Pluie noire* de Shohei Imamura; *Le bébé de Rosemary* de Roman Polanski.

3 TRÈS BON

L'originalité, la pertinence et la qualité de l'écriture, de la mise en scène et de l'interprétation sont les principaux attributs d'un très bon film, soit d'un film coté (3). La place que ces films occupent dans les cinématographies de leurs pays d'origine, la chaleur de l'accueil critique qu'ils reçoivent dans les festivals internationaux, l'universalité de leur propos sont également des critères précieux. De par leur nombre (50 à 80 par an, en incluant les téléfilms et les films inédits parus en DVD), les films cotés (3) sont ceux par lesquels on mesure la qualité d'un millésime cinématographique. Et comme le bon vin, certains se bonifient avec le temps.

4 BON

On a habituellement peu de reproches importants à adresser à un film coté (4). S'il n'est pas toujours transcendant ou original, son pari est réussi et son exécution, solide. Il peut également s'agir d'une œuvre ambitieuse, parfois réalisée par un cinéaste majeur (ex.: *Le dahlia noir* de Brian De Palma), qui s'avère plutôt décevante, en dépit d'indéniables qualités.

5 MOYEN

La note moyenne signifie qu'un film possède autant de défauts que de qualités, bien que les premiers soient, la plupart du temps, plus visibles que les secondes. Un film surmonté de la cote (5) est habituellement cohérent et professionnel, mais peu inspiré ou inabouti sur le plan artistique.

6 MAUVAIS

Quelques timides éléments rédempteurs peuvent encore sauver du naufrage complet les films cotés (6). S'ils sont ratés, sans équivoque possible, ces films sont néanmoins le fruit d'une intention artistique plus ou moins perceptible, et d'une exécution technique passable.

7 NUL

Depuis l'avènement de la vague «psychotronique» et le culte du kitsch et du *trash*, les films ayant obtenu cette note infâme connaissent un regain de popularité auprès des cinéphages. Rappelons que les scénarios sont la plupart du temps d'une profonde débilité, que la réalisation est, au mieux, bâclée, et l'interprétation, au pire, catatonique.

«Les cotes, c'est quoi?»,
© Mediafilm.ca, [en ligne].
(page consultée en février 2008)

Texte légèrement modifié
à des fins pédagogiques.

L'opinion de deux artistes

Forte de son expérience de journaliste culturelle et de critique de théâtre, Anne-Marie Cloutier s'est interrogée sur les rapports, pas toujours harmonieux, entre le milieu théâtral
5 et la critique. Pour mieux comprendre les attentes des créateurs et des critiques, elle en a interviewé quelques-uns.

Sylvie Moreau

Comédienne, auteure,
10 membre de la troupe Momentum

D'après ce que j'ai compris de votre coup de gueule aux *Francs-tireurs*, vos différends avec la critique remontent à loin...

Le premier show que j'ai fait, il y a une quin-
15 zaine d'années, a reçu un accueil enthousiaste. Je me suis immédiatement méfiée. Il y avait quelque chose dans cet exercice que je trouvais faux. D'abord, parce que, au contraire des artistes, le critique n'a pas un regard engagé. Au sens où on ne
20 sent chez vous aucune passion pour l'objet dont vous parlez. En partie par souci d'«objectivité», ce qui est un leurre. Au départ, vous n'êtes pas des spectateurs comme les autres. Vous avez des billets gratuits, vous êtes assis aux meilleures places et
25 vous voyez quatre shows par semaine. Vous ne représentez pas le public.

Les comédiens non plus. Ils ont un regard de l'intérieur. Et la plupart du temps leurs places sont gratuites...

30 Je ne dis pas le contraire. Je suis une fausse spectatrice moi aussi, mais, comme j'adore le théâtre, je reste intéressée, j'interroge le processus, je veux savoir ce qui a amené les artistes à choisir

telle piste plutôt que telle autre. Il y a tellement
35 d'éléments d'un spectacle sur lesquels on peut
réfléchir, sa construction, sa structure, son propos.

On ne s'y intéresse pas ?

Non, pas avec ferveur. Vous vous posez en critique, mais vous êtes en fait des éditorialistes
40 déguisés. Vous émettez des opinions que vous ten-
tez d'imposer. Ou des impressions : «J'ai aimé ça,
j'ai pas aimé ça.» C'est de l'humeur que vous
faites ! Des chroniques d'humeur sur un projet
artistique. Sans aucune passion, en plus !

45 [...]

Lorsque vous vous trouvez devant une création, un texte jamais vu, jamais entendu, vous
n'avez plus de point de repère, plus de références.
Vous ne savez pas quoi dire. Alors, la façon la plus
50 simple de vous en sortir, c'est d'écrire des phrases
creuses, du genre : «le spectacle a des longueurs»,
sans vous compromettre. Des longueurs par rapport à quoi ?

D'ailleurs, vous recourez souvent à des for-
55 mules, à des phrases toutes faites. Comme : «C'est
l'acteur le plus viril de sa génération.» Qu'est-ce
que ça veut dire ? Et ces jeux de mots dans les
titres ! On dirait que vous pensez au titre avant
d'aller voir le show.

60 Pour qu'on puisse parler d'engagement de
votre part, il faudrait que vous réfléchissiez sur
l'objet devant vous et sur ce qu'il apporte, en vous
intéressant d'abord au projet artistique dont il est
issu.

65 **Wajdi Mouawad**

Romancier, dramaturge, metteur en scène,
directeur artistique du Théâtre de Quat'Sous
(2000-2004), réalisateur

**Si je vous demandais de choisir un mot, entre
70 «primordial», «néfaste» ou «inutile», pour définir
le rôle de la critique, lequel prendriez-vous ?**

Primordial. La critique est la réponse publique
nécessaire au geste public de l'artiste. Faire ce
métier sans être soumis au regard de la critique
75 équivaut, pour un capitaine de bateau, à naviguer
sans vigie, sans radar. Cela manquerait.

Vraiment ?

Absolument. Tout acte public a besoin d'une
réponse publique pour pouvoir exister entière-
80 ment. Sinon, il ne serait pas entièrement né... C'est
essentiel à son existence.

Quelle que soit la réaction ?

Quelle que soit la réaction. On ramène toujours la critique à ce rôle-là, d'être «bonne» ou
85 «mauvaise». Avant d'être bonne ou mauvaise, elle
est là. Il y a un témoignage public, dans un espace
(journal écrit ou autre) autour duquel les spectateurs se rassemblent et lisent la même chose. Je n'ai
rien contre l'exercice critique, tout comme je n'ai
90 rien contre ceux qui sont tentés par la création. J'en
ai davantage contre l'incompétence, ou, si vous
voulez, la perversion du rôle du critique.

**Quelle serait votre définition de l'incompétence
en critique théâtrale ?**

95 Il existe une grande confusion entre «critiquer»
et «donner son opinion». Critiquer nécessite d'ap-
puyer son regard sur un point de vue du monde,
un point de vue sur la liberté d'être et de penser.
Critiquer signifie participer à l'élaboration d'une
100 culture générale qui, peu à peu, formera le tissu de
notre inconscient et celui des générations futures.

«Donner son opinion», ce n'est rien d'autre que
de donner son opinion... C'est assez peu intéressant. Dans les médias québécois, on malaxe énor-
105 mément ces deux notions, sous prétexte de vouloir
rester proche du lecteur, devenu ici un client à satis-
faire. Si le critique dialogue avec l'artiste, celui qui
donne son opinion cherche à séduire un lecteur aux
dépens des œuvres qui sont l'objet de son papier.
110 C'est cette déviation que j'appelle incompétence.

Cela se traduit finalement par un effritement
de l'engagement que nécessite le métier de critique. Cet effritement, on peut lui donner le nom de
manque : manque de sérieux, d'intérêt, de culture,
115 de passion, de colère, d'amour. Certains critiques
ne comprennent pas l'importance de leur métier et
le pratiquent avec légèreté parce qu'on leur a fait
croire qu'il suffit de donner simplement son opinion pour être critique. Alors, dans leur for inté-
120 rieur, ils se disent : «Finalement, ce n'est pas bien
compliqué !»

[...]

La chronique culturelle est également très dangereuse. Les arts sont abordés dans des émissions
125 qui ratissent large, on passe du théâtre à la danse,
aux livres et au cinéma. Et c'est souvent une seule
personne qui doit couvrir tout ça. Ce n'est pas la
façon d'en parler qui compte, mais d'en avoir
parlé. Comme dans : «Bon, voilà, c'est fait, passons
130 à autre chose.»

On dirait une fruiterie en janvier. Dans une fruiterie, on trouve de tout. Des mangues, des kiwis,
des noix de coco. Vous en voulez, des mangues ?
Mais bien sûr qu'on en a ! Seulement, en janvier,
135 elles n'ont aucune saveur. Peu importe la saveur, ce
qui compte, c'est qu'elles soient là… À la longue,
toute une culture finit par être convaincue qu'une
mangue est un fruit qui n'a pas de goût.

[…]

140 **Si vous accordez une telle importance à la critique
véritable, j'imagine qu'elle peut vous démolir ?**

Ni plus ni moins qu'un autre. Bien sûr, j'ai de la
peine quand je suis épinglé pour un de mes spectacles. La question que vous devriez plutôt poser
145 est : pourquoi avez-vous de la peine ?

Strictement parce que la critique est publique.
Si un spectateur, après une représentation, me dit
qu'il a détesté mon spectacle et que je suis un
imposteur, je suis moins blessé que par un texte
150 dont je sais qu'il va être lu par tout le monde. Ce
qu'il me dit, je suis le seul à l'entendre. Au
contraire, si j'ai une critique flatteuse, c'est formidable. Vraiment formidable !

Vous ne tenez pas les mêmes propos que les autres.
155 **C'est un rapport très simple, au fond, que vous
décrivez. On le trouve rarement ici.**

Peut-être parce que je viens d'une culture où la
confrontation est un art de vivre, l'expression d'une
forme d'amitié. Là d'où je viens, on ne peut pas se
160 prétendre l'ami de quelqu'un si on est constamment en accord avec lui.

Sur un plan plus personnel, j'ai eu un critique
terrorisant, dans ma vie. Mon frère. J'étais adolescent, il était plus vieux que moi et c'était mon
165 héros. Le nombre de manuscrits que j'ai jetés après
les lui avoir fait lire ! Je crois que si j'avais eu à craquer, je l'aurais fait à ce moment-là. Il provoquait
chez moi des réactions terrifiantes. Violentes. Mais
quand votre héros vous détruit et que vous conti-
170 nuez quand même à écrire, c'est un signe…

D'ailleurs, je ne veux pas faire de psychanalyse
de salon, mais c'est peut-être pour ça que je n'ai
aucune animosité vis-à-vis des critiques ou de l'exercice critique. Je suis à la recherche de mon frère…

Anne-Marie Cloutier, *Le dépit amoureux :
Créateurs et critiques au théâtre*, Montréal,
Éditions Fides, 2005, p. 34 à 36 ; p. 108 à 113.

L'AMOUR DU MÉTIER

C'est la question qu'on ne se pose jamais, mais qui nous est souvent lancée: comment faites-vous pour voir deux cents pièces par saison? J'ai le goût de répondre, comme Montaigne expliquant son amitié pour La Boétie: «Parce que c'est lui, parce que c'est moi…» Car pour le fréquenter autant, on ne peut qu'aimer le théâtre, se sentir de tactique 5 amoureuse avec lui, et l'assiduité est notre politique intérieure, c'est une seconde nature. N'écoutez pas les deux ou trois choses qu'on vous raconte sur nous, les blasés, les auteurs frustrés, les ratés sympathiques, car cela vient de ceux ou celles qui ne se les tapent pas, les deux cents soirs, qui ne savent pas ce que c'est que d'aimer et éventuellement de souffrir au théâtre…

10 Si on fait sérieusement et dans la longévité ce métier si décrié de critique dramatique (de mauvais coucheur, dit-on), c'est qu'on aime forcenément, passionnément le théâtre, qu'on a une idée de sa perfection faite de tous les chefs-d'œuvre, de toutes les envies, et dès lors on ne compte plus, ni les heures ni les soirs. Au contraire, dès minuit sonné on se prend déjà à se demander quel sera le prochain rideau levé, et comme les amoureux on a 15 ses rendez-vous plus ou moins pressants, ses attentes inquiètes, ses désirs et ses décep-tions, et ses dépits, et parfois aussi ses surprises, inespérées et inattendues elles sont nos vins de dessert…

Robert Lévesque, *La liberté de blâmer: Carnets et dialogues sur le théâtre*,
Montréal, Les Éditions du Boréal, coll. «Papiers collés», p. 141 et 142.

Félix Valloton, *Félix Fénéon critique d'art* à La revue blanche, 1896.

Entretien avec une critique de théâtre

ÈVE DUMAS, CRITIQUE À *LA PRESSE*

par Anne-Marie CLOUTIER

En lisant ton curriculum vitæ, j'ai appris que tu avais été rédactrice de mode et critique gastronomique à tes débuts. Ce n'est pas le plus court chemin vers la critique théâtrale...

Non, mais tu ne trouveras personne dont c'était l'ambition première. La connotation négative, les préjugés entourant ce métier sont trop forts. Cela dit, la cuisine est une autre de mes passions...

Celle que tu portes au théâtre remonte à loin.

En effet. Ma mère travaillait aux relations publiques du Centre national des Arts, à Ottawa. J'ai donc traîné dans les coulisses du CNA pendant toute mon enfance et j'ai commencé à aller au théâtre dès l'âge de quatre ans. Première émotion : *Le nez*, une pièce jeune public écrite par Robert Bellefeuille et Isabelle Cauchy. Je m'en souviens encore...

Je suis donc arrivée au journalisme plus ou moins par hasard, sans que ça m'intéresse particulièrement au départ — ce qui a beaucoup évolué avec les années ! Mais, dès ma première critique théâtrale, j'ai senti que j'étais à ma place.

Il y a un plaisir intellectuel très grand — et égoïste — à essayer d'analyser un spectacle, à réfléchir sur son propos, à cerner ce qui fait qu'il «marche» ou ne «marche pas». Évidemment, dans les quotidiens, on doit composer avec les *deadlines* serrés et le manque d'espace. On ne peut pas pousser sa réflexion autant qu'on le voudrait. Il reste qu'à l'occasion, on a l'impression d'avoir craché une analyse pertinente en trois heures et c'est très satisfaisant.

Sais-tu toujours comment aborder une critique ?

Je ne sais même pas ce que je m'apprête à écrire avant de m'installer devant mon ordinateur !

Les premières années, je redoutais constamment de ne pas saisir tous les enjeux et intentions d'un spectacle. Le temps aidant, j'ai lâché prise. Certaines œuvres, effectivement, déroutent et nous sommes forcés d'en parler avant d'avoir pu les décoder. Auquel cas je le précise dans mon texte, je décris l'objet en expliquant en quoi il m'a désarçonnée. On ne peut pas tout percevoir ni rendre compte de tous les éléments d'un spectacle. Il faut l'accepter. Pour ma part, j'essaie de compenser par une approche plus instinctive.

Instinctive ? Je t'aurais plutôt rangée parmi les critiques analytiques...

J'entends par là que je n'utilise pas de grille d'analyse. Pavis, par exemple, propose, pour chaque spectacle, une grille d'analyse complète. À son sens, une critique digne de ce nom pèse, évalue, jauge méticuleusement toutes les composantes d'un spectacle à fond et dans leurs moindres détails. Dans un quotidien, c'est impossible. Nos conditions de travail, la quantité de pratiques théâtrales aux-

ÈVE DUMAS, critique à *La Presse*

quelles nous sommes exposés par saison, tout nous pousse à nous limiter à l'essentiel.

Il en résulte que, pour chaque spectacle, on bâtit son texte à partir de l'élément qui nous a frappé le plus. Ce choix-là est instinctif. Pour *Hippocampe*, d'Éric Jean, c'était la scénographie. Pour *Hedda Gabler*, les éclairages. Pour *La cloche de verre*, la vision de la metteure en scène. Ce qui ne veut pas dire que l'on ne tient pas compte des autres dimensions du spectacle ou qu'on n'en parle pas. Mais, faute de temps et d'espace, on en privilégie certains.

Quelle que soit notre approche, analytique ou instinctive, les artistes nous reprochent toujours l'assurance avec laquelle nous nous prononçons. C'est un grand classique...

Michel Tremblay m'a déjà lancé : «Vous, les critiques, vous ne doutez jamais !» Cette remarque m'a jetée par terre. Je me suis dit qu'il était vraiment dans son monde et qu'il ne connaissait rien de ce que notre travail impliquait. Bien sûr qu'on doute ! Constamment. Enfin, dans mon cas…

125 Seulement, le doute est personnel. Il ne concerne que moi. Dès lors qu'on écrit, on assume. C'est de notre parole qu'il s'agit. Elle peut être affirmative 130 sans pour autant se prétendre la voix de la vérité.

C'est un commentaire d'autant plus ironique qu'avec l'expérience, je pèse davantage 135 mes mots. Et c'est précisément aux acteurs que je le dois…

Dans quel sens ?

J'ai appris à leur contact que le travail ne devient pas plus 140 facile avec le temps. C'est particulièrement vrai en ce qui les concerne. L'expérience ne leur enlève pas le trac, au contraire. Ils sont de plus en plus exi- 145 geants envers eux-mêmes et la qualité de ce qu'ils font, évaluent de mieux en mieux les dangers qui les attendent et les risques encourus.

150 Je ne compare pas leur métier au mien, mais je constate que je critiquais avec une certaine légèreté, quand j'ai commencé. Mes textes étaient 155 trop souvent constitués d'opinions, d'impressions. D'une année à l'autre, je m'en demande toujours davantage.

Comment ça se manifeste ? Par 160 **une préparation intensive ? Lis-tu la pièce avant le spectacle ? Ou préserves-tu ta virginité ?**

Ah ! lire ou ne pas lire… À *La Presse*, je suis sans cesse pla- 165 cée devant ce dilemme, ne serait-ce que par mon double rôle de critique et d'intervieweuse. Il arrive que je fasse l'entrevue et la critique d'une 170 même pièce de théâtre. Dans ces cas-là, je lis le texte avant l'entrevue, au complet ou en partie seulement, pour con-

naître le ton, les personnages, 175 l'intrigue, etc. Si je n'ai pas à faire de prépapier, comme on dit dans le jargon, je ne lis pas la pièce avant d'assister au spectacle, mais après. J'aime bien 180 arriver vierge devant une représentation, pour capter mes réactions de spectatrice, par opposition à celles de la critique qui se pointe au théâtre armée 185 de toute une préconnaissance de la pièce.

Mais que ce soit avant ou après, je dirais qu'il est essentiel de lire le texte de théâtre afin de 190 pouvoir mesurer, décoder le travail du metteur en scène, le travail de l'acteur dans la composition du personnage, etc. Surtout dans le cas des pièces 195 du répertoire, qui font pour la plupart l'objet de relectures s'éloignant parfois énormément de l'œuvre d'origine.

[…]

200 **Que considères-tu comme une critique réussie ?**

De ma part ? Je suis rarement satisfaite de ce que j'écris. J'ai l'impression de ne pas avoir 205 été assez précise, rigoureuse, d'avoir mal cerné le propos. Je

ménage la chèvre et le chou. Je ne vais pas assez au bout de ma pensée. Je pense trop aux 210 artistes. Je ne fais pas complètement abstraction de l'impact que pourraient avoir sur eux certains propos négatifs. […] J'ai déjà entendu des artistes 215 exprimer le souhait que la critique soit plus substantive et moins qualificative. En d'autres termes, nous devrions nommer davantage — décrire l'objet — 220 et moins le qualifier. C'est une approche qui m'intéresse. Je me méfie des adjectifs… Et je ne laisse passer de superlatifs que très consciemment, au compte- 225 gouttes.

Fais-tu partie des critiques qui trouvent plus facile, comme le dirait Hervé Guay, «d'écrire un bon article au sujet d'une mau- 230 **vaise pièce qu'un bon article sur une pièce moyenne»?**

Non, mais pas nécessairement par bonté d'âme… Intellectuellement, j'identifie plus 235 rapidement les forces d'un spectacle. Dans le cas contraire, je dois m'employer à trouver le «mot objectif». À être juste, précise. Il est plus facile de s'en- 240 thousiasmer, je crois, que de nuancer…

Edgar Degas, *Scène de théâtre*, vers 1867.

La comédienne Céline Bonnier dans
La cloche de verre.

Ce sens des nuances, que tu ex-
primes, est parfois perçu chez les
artistes comme un refus de notre
245 part de nous «engager», de
prendre position. Ils nous reprochent aussi de ne pas suffisamment
nous impliquer, d'être des juges
plutôt que des alliés. Comment
250 «t'engages-tu» dans ton métier?

C'est une question lourde
de sens... Pour ce qui est de la
distance par rapport aux artistes
ou à l'œuvre, je répondrai qu'il
255 y a plusieurs styles de critiques
et plusieurs approches et que
nous choisissons tous celle qui
nous correspond le plus.

Par rapport à notre manque
260 d'implication, je ferai d'abord
une réponse très concrète: nous
écrivons trois ou quatre articles
par semaine et allons voir quatre
spectacles en moyenne. Où
265 trouverions-nous le temps de
nous impliquer davantage?
Nous sommes soumis à une

logique marchande, il faut
répondre à une certaine de-
270 mande de nos lecteurs. Leur
transmettre rapidement, parce
qu'ils sont pressés, ce qu'il nous
a semblé de tel ou tel spectacle.
On peut regretter cet état de
275 faits, mais nous ne l'avons pas
créé.

Cela étant, je me considère
comme profondément engagée
dans mon métier. Mon engage-
280 ment, c'est aussi tout ce que je
fais à l'extérieur de *La Presse*.
J'assiste à des congrès, à des
colloques, je fais des stages, je
donne des communications, je
285 lis, j'essaie constamment d'aller
chercher des outils pour devenir
une meilleure critique. Et je ne
cesse pas de me remettre en
question, de réfléchir sur mon
290 travail!

Mais la question du rap-
prochement avec les artistes
n'est pas simple. On est tous un
peu ambivalents quand on
295 l'évoque...

C'est vrai. Pour ma part, mon premier élan serait de tout faire pour
abolir les distances. Mais, quand
on y réfléchit, les artistes le sou-
300 haitent-ils vraiment? Et est-ce
que mes textes y gagneraient? Je
n'arrive pas à trancher.

De mon côté, j'aimerais être
davantage en contact avec eux.
305 Comme au Mexique où, après
les premières, les critiques se
mélangent aux artistes et discutent avec eux de la pièce. Cependant, il y a une certaine
310 peur de notre part. Légitime, je
crois. Les artistes réclament du
respect, mais, honnêtement, il
faudrait que ce soit mutuel. On
est loin de se sentir accueillis...

315   [...]

Nous avons par contre à subir les
pressions de quelques attachés
de presse qui nous poussent
à parler d'un spectacle à tout
320 prix...

Ou qui nous demandent de
ne pas en parler! Ça m'est
arrivé cet été. Un relationniste
m'a téléphoné pour me deman-
325 der de ne pas écrire sur un spectacle en particulier, présenté
dans le cadre d'un festival.
C'était assez pour me pousser
au contraire, surtout que je
330 l'avais aimé... Il y a aussi ceux
qui nous supplient de préciser
que la réaction du public était
favorable, pour atténuer nos
réserves. «J'ai trouvé le temps
335 long, mais les gens riaient.»

Je ne pense pas que l'appréciation du public soit forcément
un critère de qualité du spectacle. Même si je trouve difficile
340 de voir trois rappels frénétiques,
alors que je me suis ennuyée. Je
n'intègre la réaction de la salle
que si elle ressort de l'expérience que j'ai eue ce soir-là.

345 Tu es journaliste permanente à
La Presse. Donc, j'imagine que tu
pourrais envisager de couvrir le
théâtre toute ta vie. Comment
comptes-tu entretenir la flamme?
350 [...]

Le danger d'indolence
guette également la critique,
c'est sûr. Surtout lorsqu'on travaille dans un médium où il est
355 facile de produire des critiques
formatées. Pour ce qui est de la
mise en danger, la question
m'amuse plutôt parce que,
honnêtement, je cherche moins
360 à me mettre en danger qu'à
me mettre en sécurité! J'essaie
continuellement d'approfondir
ma culture du théâtre, de faire
plus confiance à mon instinct,
365 de me renouveler sur le plan de
l'écriture. Je crois que l'assurance que je prendrai, au fil des
ans, dans ce métier, sera en
grande partie garante de mon
370 enthousiasme.

Anne-Marie Cloutier, *Le dépit
amoureux: Créateurs et critiques
au théâtre*, Montréal, Éditions Fides,
2005, p. 164 à 173.

Répertoire ✚

Lire des critiques

- Vous trouverez des critiques de livres, de films, de spectacles, de disques et d'expositions dans les journaux, plus précisément dans les pages culturelles ou les cahiers *cinéma*, *arts et spectacles*, *livres*, *culture*, etc., qui paraissent chaque semaine. Vous pourrez également lire de telles critiques dans les magazines d'actualité.

- Certaines revues se consacrent à la littérature et au cinéma. Consultez-les pour guider vos choix ou même pour comparer vos opinions avec celles de critiques chevronnés.

- Lorsque vous lisez des articles critiques, prenez l'habitude de regarder qui les a rédigés. Choisissez un ou une critique et lisez ses articles pendant quelque temps. Vous vous familiariserez avec son style, vous verrez ce qui l'enthousiasme et ce qui lui plaît moins. En procédant ainsi, vous avez de bonnes chances de découvrir les critiques avec lesquels vous aurez des affinités et que vous prendrez plaisir à lire.

- Dans Internet, des sites de passionnés de littérature ou de cinéma offrent des critiques qui s'enrichissent au fil des découvertes de leurs auteurs. Tapez *critiques de romans*, *critiques de bandes dessinées* ou *critiques de films* dans la fenêtre de votre moteur de recherche pour accéder à ces sites. Choisissez quelques sites dans un genre, faites un rapide tour d'horizon pour éliminer ceux qui ne vous conviennent pas et gardez-en deux ou trois que vous consulterez régulièrement.

Écouter des critiques

- Bien que la radio et la télévision n'allouent pas une grande place à la critique, il est possible d'écouter ou de regarder des émissions qui s'y intéressent.

Vivre des expériences culturelles liées à la critique

- Écrivez des critiques et proposez-les au journal ou journal Web de votre école ou encore à la bibliothèque de votre quartier. Devenez cybercritique en envoyant vos articles à des sites spécialisés.

- Discutez de vos récentes lectures ou des films que vous avez vus dernièrement. Inscrivez-vous pour cela à un cercle de lecture ou à un cercle de cinéphiles. S'il n'y en a pas dans votre quartier, parlez-en à votre bibliothécaire ou à un professeur qui pourrait vous aider à en créer un. Vous pouvez aussi organiser des discussions thématiques, par exemple : *Le meilleur roman d'amour que j'ai lu* (pour la Saint-Valentin), *Le pire film d'horreur que j'ai vu* (pour Halloween), *Les plus beaux films de Noël* (pour le temps des fêtes), *Quel livre recommanderiez-vous pour l'été ?* (en prévision des vacances), *Les plus beaux romans d'aventures*, etc.

Affiche du film
Joyeux Noël, 2005.

Paroles
éclatées

DOSSIER **3**

... des murmures...
... ces petits objets du désir...
Il fait bleu...
... tu es ma neige et mon amour...
... la vie ressemble enfin à la vie...
Il pleut des voix...
... sous les feux du désir...
Je danse sur le lac...
... la ligne orange d'un autre jour...
... je t'attends...
... sans janvier, février, ni mars...
... d'un bleu d'outremer...
... nous demandons l'oubli...
... pour aller ailleurs...

Sommaire

▦ correspond aux clés de lecture

PAGE PRÉCÉDENTE : Gustave Moreau, *Sappho*, deuxième moitié du XIXᵉ siècle.

DANS LE SILLAGE DE RILKE

FRAGMENTS DE

INTERTEXTUALITÉ En 1903, Rainer Maria Rilke (1875-1926) répond à Franz Xaver Kappus, un jeune admirateur qui sollicite les conseils du grand poète autrichien âgé alors de vingt-

5 huit ans seulement. Cette correspondance entre l'écrivain et l'apprenti poète s'échelonnera sur six ans, durant lesquels Rilke guide, conseille, critique. Éditées trois ans après la mort de Rilke, les *Lettres à un jeune poète*

10 constituent une plongée au cœur de la création. En 2007, une revue littéraire québécoise a l'idée de refaire l'exercice et d'interroger des écrivains contemporains: quels conseils donneraient-ils à un jeune poète qui s'adresserait

15 à eux dans l'espoir d'entrer en poésie?

Tu veux écrire. Écris. Comme si ta vie en dépendait. Et dis-toi que seulement si tu ne peux pas faire autre chose qu'écrire, écris. Écris. Même si tu n'as pas la foi dans les mots.

5 Surtout si tu la perds. Ce sera mieux ainsi. [...] Mais là n'est pas ton problème. Il est ailleurs. Dans ta volonté d'écrire. De la poésie, en plus! Je meurs de rire. [...] Tu veux toujours écrire des poèmes? O.K.

D'abord, si tu veux la gloire et *tutti quanti*, tu
10 t'es trompé de métier. La poésie ne donne aucun diplôme, et les prix sont des farces dont elle se passerait volontiers. [...]

Oublie les histoires d'inspiration. D'abord, faut lire. TOUT! Ah! Ça, c'est de l'ouvrage! Mais tu n'as
15 pas le choix. [...]

Poésie. Il n'y a aucune recette, donc aucun conseil. Si ce n'est celui de persévérer quand tout le monde se moque de toi. Chaque vie de poète, vue de près, est un échec lamentable. Certains sont
20 monumentaux. D'une tristesse verlainienne. Nelliganienne. Rimbaldienne. Mironnienne. Hébertienne. Je laisse mes contemporains aller à leur perte. Mais, ah! oui, j'oubliais presque, il y a du plaisir à écrire de la poésie. Personne ne la lit. Per-
25 sonne ne la commente, ou à peine. Alors tu es libre comme le vent dans le pommier d'Ève et d'Adam. Donc, ose être le serpent. Ta voix de soie sauvage. Et tends au monde ton poème. [...]

Ne joue pas avec les mots. Sinon, ils vont te
30 tuer plus vite que prévu. Mais t'amuser avec eux, ils peuvent aimer. Tout cela va dépendre de ta sincérité. L'amour et la poésie n'ont rien mais rien à voir ensemble. C'est le combat de Jacob avec l'Ange. Prépare-toi au pire. Ah! fais du rap du slam
35 des vers libres des alexandrins, la poésie s'en fout complètement. Mais si tu crois que tu peux l'installer par tes mots, ton rythme dans ton cœur, ton corps, alors vas-y.

Jean-Paul Daoust
40 «Conseils à un jeune poète».

LETTRES À DE JEUNES POÈTES

Embusque-toi sur ton territoire — un mètre carré suffit — et creuse. Creuse à en avoir des courbatures aux reins, de la terre plein la gueule. C'est là-dessous que ça se trouve. Là-dessous, il fera
45 souvent seul en chien, et noir à en pleurer, mais tôt ou tard ça ne pourra pas ne pas être là: un éclaboussement de lumière et d'eau vive, un filon d'or, ton or à toi, que tu ramèneras précautionneusement à la surface pour le montrer aux autres. Plus tu
50 n'écriras que pour la partie dure de toi, l'implacable, plus fort tu rejoindras les autres. Rejoindre les autres, c'est-à-dire avoir des lecteurs, est une lourde responsabilité. Prends garde de ne jamais leur donner ce qu'ils s'attendent à recevoir. N'ajoute surtout pas
55 à leurs divertissements, sous le poids desquels ils crèvent déjà. Reste un mineur de fonds, un résistant.

Il faudra manger. Écrire donne faim, et bien manger est propice à l'écriture, quoi qu'en disent les esprits tristes. Débarrasse-toi du souci d'argent,
60 pour garder ta liberté, la liberté d'écrire l'œuvre qui ne paie pas. […] N'importe quel boulot, à vrai dire, fera l'affaire, pourvu qu'il te laisse le temps d'écrire. Sois intransigeant à ce sujet: le temps. Chéris le temps comme ton seul luxe essentiel. Les autres
65 auront du *cash* et des vacances à Cuba, toi, tu auras du temps. […]

Même quand tu n'écriras pas, tu seras écrivain. Cultive partout ta curiosité, vois ce qui est caché, observe bien ce qui t'arrive et ce qui arrive aux
70 autres, surtout le douloureux et l'innommable — mais aussi le joyeux et l'insignifiant. Emmagasine tout pour l'apprêter plus tard, ne jette aucun reste.

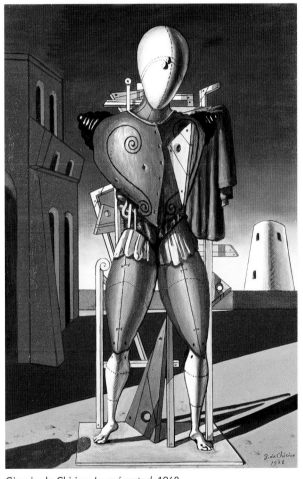

Giorgio de Chirico, *Le ménestrel*, 1968.

Monique Proulx
«Ainsi donc, tu choisis le maquis».

Lis. Fais au moins l'effort d'ouvrir le livre. Oui. Tu peux même te taper des ouvrages écrits
75 avant 1960, tu sais. Et pendant qu'on y est, arrête de dissimuler ta paresse sous les traits de la crainte que t'inspirent les bons auteurs, arrête de faire semblant de croire que Louis-Ferdinand Céline, plutôt que de t'inspirer, va te réduire à l'impuissance, arrête de te dégonfler, de prendre l'ombre des grands pour cette niche où tu ne demandes qu'à retourner te blottir en geignant. Arrête, je te dis. […]

80 Accepte le fait que tu es le représentant d'une espèce en voie de disparition. Répète après moi: Je suis le représentant d'une espèce en voie de disparition. Ça rend les choses plus faciles.

Louis Hamelin
«Lettre à un jeune baveux».

85 Vous voulez devenir poète, écrivain, vous voulez que le tissu social, en plus de vos parents et amis, vous reconnaisse, vous octroie cette place, cette non-place en vérité, tant écrire est une non-activité et tout écrivain un hors-
90 la-place, un hors-la-loi. [...]

Je m'inquiète pour vous. Vous allez vous faire tellement mal, vous allez connaître tant de désagrément, traverser tant de difficultés pour si peu de satisfactions. On veut devenir écrivain comme on
95 part sauver l'humanité, on se croit assez fort pour terrasser les Lestrygons, Charybde et Scylla, on a plus de forces intérieures que Samson de cheveux sur la tête, l'idéalisme en poupe et le cœur sur la main. C'est ainsi que l'on écrit, comment écrire
100 autrement, pourquoi écrire sinon alors qu'il y a tant et tant de choses intéressantes à faire, tant de pays à découvrir, de personnes à rencontrer, d'aventures à tenter avec vaillance et activisme. Quoi, sinon une foi obscure et assurément irraisonnable, peut
105 donc faire renoncer à vivre, à vivre avec et dans le monde, à se frotter à la vie comme on peut le faire de son vivant seulement, alors que les livres n'appartiennent qu'à l'éternité, et ne nous apportent d'autre réelle grandeur que celle de nous rendre un
110 peu immortels ? Vivez, Vincent, bordel !, vivez, ici et maintenant ! La poésie est la voie royale, mais ici-bas elle contraint trop souvent à arpenter le sentier des gueux. Voulez-vous vivre cela ? Voulez-vous renoncer à la vie de votre vivant ? [...]

115 Regardez cette société, si fragile, si petite que l'on imagine mal qu'un livre de poésie, aussi beau soit-il, puisse s'y vendre à plus de cinq cents exemplaires, une goutte d'eau qui jamais n'abreuvera aucun de vos besoins matériels et jamais ne
120 couronnera votre talent à sa juste mesure. Et cela à répétition, d'année en année, Vincent, jusqu'à vous éreinter, vous aigrir, vous accabler. [...]

Si de plus vous vous rêvez riche et célèbre, avez pour modèle les romanciers dont les livres se ven-
125 dent par camions dans les aérogares du monde, et même dans un Canadian Tire près de chez vous, changez tout de suite de métier, tant qu'il en est encore temps. Devenez publicitaire, courtier en Bourse, marchand d'armes, ingénieur pétrolier, ou
130 au moins changez de genre littéraire, lancez-vous dans le polar, le thriller médiéval ou d'anticipation, que sais-je, mais cessez là la poésie que vous réserverez pour vos soirées d'hiver comme jadis les dames avaient des travaux d'aiguille. La poésie est
135 fulgurance, foudroiement, éclair dans l'esprit qui terrasse l'âme et doit se délivrer dans l'instant, avec cette même force de foudroiement. Elle ne peut être d'aucun commerce utile, encore moins utilitaire.

Aline Apostolska
«Cher Vincent...».

Tu veux écrire, eh bien range ton stylo et vis un peu. Pas ta vie, celle des autres. Lis, non pas tes notes et tes rimes maladroites, mais les livres des autres. Les anciens, ceux d'avant 1990, les classiques, ceux que tu ne comprends pas, car ils écrivent en alexandrins. [...] Tu veux écrire, écoute. La rumeur
145 de la ville, la musique que tu n'aimes pas, les pas d'un homme pressé. Tu veux écrire, regarde un globe terrestre, pose ton doigt au hasard, oublie ton iPod et prends l'avion pour rejoindre ce doigt du hasard. Ce peut être La Sarre ou Tombouctou, cela n'a pas d'importance. Mais n'écris jamais durant ce temps. Laisse le lieu s'écrire lui-même, les gens se dire et se dévoiler. Ne prends pas de
150 notes pendant qu'ils parlent, cela les gêne, écoute, regarde, sens, agonise un peu et si trop de vie te tue, bois, mange, oublie. Un jour, cela fera peut-être un livre qui ne sera pas ta petite personne, mais un livre. Tu veux écrire ? Vis un peu.

Pour le reste, il y a Grevisse et Bescherelle, les dictionnaires et les bibliothèques. Au fait, connais-tu Nelligan et Mallarmé ? Tu ne connais pas ? N'écris pas.
155 La littérature n'a pas besoin de trop de livres.

Gil Courtemanche
«Tu veux écrire, mon fils ?».

Extraits de Zinc: revue de la relève, Spécial Lettres à un jeune poète, n° 10, hiver 2007, p. 11 à 69.

Apprendre à voir

Je crois que je devrais commencer à travailler un peu, à présent que j'apprends à voir. J'ai vingt-huit ans et il n'est pour ainsi dire rien arrivé. Reprenons: j'ai écrit une étude sur Carpaccio qui est mauvaise, un drame intitulé *Mariage* qui veut démontrer une thèse fausse par des moyens équivoques, et des vers. Oui, mais des vers signifient si peu de
5   choses quand on les a écrits jeune ! On devrait attendre et butiner toute une vie durant, si possible une longue vie durant; et puis enfin, très tard, peut-être saurait-on écrire les dix lignes qui seraient bonnes. Car les vers ne sont pas, comme certains croient, des sentiments (on les a toujours
10   assez tôt), ce sont des expériences. Pour écrire un seul vers, il faut avoir vu beaucoup de villes, d'hommes et de choses, il faut connaître les animaux, il faut sentir comment volent les oiseaux et savoir quel mouvement font les petites fleurs en
15   s'ouvrant le matin. Il faut pouvoir repenser à des chemins dans des régions inconnues, à des rencontres inattendues, à des départs que l'on voyait longtemps approcher, à des jours d'enfance dont le mystère ne s'est pas encore éclairci […], à des
20   maladies d'enfance qui commençaient si singulièrement, par tant de profondes et graves transformations, à des jours passés dans des chambres calmes et contenues, à des matins au bord de la mer, à la mer elle-même, à des mers, à des nuits de
25   voyage qui frémissaient très haut et volaient avec toutes les étoiles, — et il ne suffit même pas de savoir penser à tout cela. Il faut avoir des souvenirs de beaucoup de nuits d'amour dont aucune ne ressemblait à l'autre […] Il faut encore avoir été
30   auprès de mourants, être resté assis auprès de morts, dans la chambre, avec la fenêtre ouverte et les bruits qui venaient par à-coups. Et il ne suffit même pas d'avoir des souvenirs. Il faut savoir les oublier quand ils sont nombreux, et il faut avoir la
35   grande patience d'attendre qu'ils reviennent. Car les souvenirs eux-mêmes ne sont pas encore cela. Ce n'est que lorsqu'ils deviennent en nous sang, regard, geste, lorsqu'ils n'ont plus de nom et ne se distinguent plus de nous, ce n'est qu'alors qu'il
40   peut arriver qu'en une heure très rare, du milieu d'eux, se lève le premier mot d'un vers.

Rainer Maria Rilke, *Les cahiers de Malte Laurids Brigge*,
Paris, © Les Éditions Point, coll. «Points Roman»,
1980 pour la traduction française.

RAINER MARIA RILKE
(1875-1926)

C'est à une carrière militaire qu'était d'abord destiné Rainer Maria Rilke, écrivain autrichien dont l'œuvre connaîtra une remarquable postérité. Après un passage misérable à l'école militaire, Rilke décide de se consacrer à la littérature: il n'a que dix-neuf ans lorsque paraît son premier recueil de poésie, *Vie et chanson*. Il voyage à travers l'Europe et, au début du siècle dernier, il séjourne à Paris, où il sera quelque temps le secrétaire du sculpteur Auguste Rodin. Rilke publie dans les années qui suivent certains de ses meilleurs ouvrages, dont *Le livre des heures* (1906) et *Les cahiers de Malte Laurids Brigge* (1910). Sa poésie lyrique connaît son apogée avec les *Sonnets à Orphée* et *Les élégies de Duino*, tous deux publiés en 1923. Rilke doit une grande partie de sa renommée à ses *Lettres à un jeune poète*, recueil de lettres lumineuses qu'il a écrites entre 1903 et 1908.

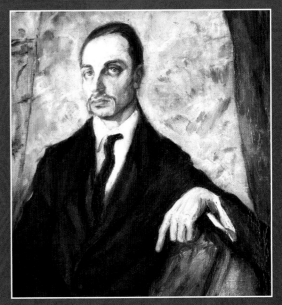

Loulou Albert-Lazard, *Portrait de Rainer Maria Rilke*, 1916.

Wassily Kandinsky, *Le cavalier bleu*, 1903.

Bien que le latin soit toujours considéré comme la langue des savants dans la France du XIIᵉ siècle, bon nombre de troubadours écri
5 vent en roman, la langue du peuple et l'ancêtre du français. Le poème de Guillaume de Poitiers écrit, en roman, peut se lire comme suit.

Je ferai un poème sur rien :
10 Ne sera ni sur moi ni sur d'autres,
Ne sera ni sur amour ni sur jeunesse,
Ni sur rien d'autre ;
Je l'ai composé en dormant
Sur mon cheval.

(Traduction proposée par Alain Frontier,
dans *La poésie*, Paris, Belin, 1992, p. 258.)

F arai un vers de dreyt nien :
Non er de mi ni d'autra gen,
Non er d'amor ni de joven,
 Ni de ren au,
Qu'enans fo trobatz en durmen
 Sobre chevau.

Guillaume de Poitiers.

GUILLAUME DE POITIERS
(1071-1127)

Il est plutôt amusant de penser que Guillaume IX, duc d'Aquitaine et Comte de Poitiers, l'ancêtre des romantiques et le poète des belles amours platoniques, ait été en son temps un «grand trompeur de dames, riche en aventures galantes». Considéré comme le précurseur de l'amour courtois, qui fixait les règles de la séduction au Moyen Âge, Guillaume IX est le plus ancien troubadour connu dont les écrits nous soient parvenus. Si certaines de ses compositions sont franchement polissonnes, ses chansons courtoises ont célébré l'amour pur avec une rare délicatesse et ont inspiré des générations de troubadours.

Pensées
fugaces
une image
plusieurs
5 rien ne se passe tout arrive
échos sonores aucun sens
une musique des voix se perdent se gonflent
un chaos s'organise
des murmures
10 sortent
de l'oubli

Madeleine Gagnon, *L'infante immémoriale*,
Trois-Rivières, Les Écrits des Forges, 1986, p. 11.

MADELEINE GAGNON
(née au Québec en 1938)

Après des études en littérature, en philosophie et en psychanalyse, Madeleine Gagnon publie un premier recueil de nouvelles en 1969, *Les morts-vivants*, et devient professeure de littérature à l'Université du Québec à Montréal. Dans les années 1970, elle s'engage dans le mouvement féministe sans délaisser pour autant la poésie comme en témoignent *Antre* (1978), *Les fleurs du Catalpa* (1986), *Chant pour un Québec lointain* (1991). Elle signe aussi des romans et des essais, dont *Les femmes et la guerre* (2000), basé sur les témoignages de femmes ayant subi les horreurs de la guerre. Madeleine Gagnon, qui a publié une trentaine de titres à ce jour, est une auteure «dont la frontière entre vie intérieure et vie extérieure est la plus perméable: sa parole est poésie», comme le dit si bien l'écrivaine Nancy Huston.

Joan Miro, *Constellation:
vers l'arc-en-ciel*, 1941.

Pas d'imagination c'est achalant
Pas d'imagination c'est fatigant
Pas d'imagination c'est écœurant
Pas d'imagination c'est pas possible
Et quand on en a de l'imagination?
Vous voyez bien que vous en avez...

Claude Péloquin, *Inoxydables*,
Montréal, Beauchemin, 1977, p. 113.

CLAUDE PÉLOQUIN
(né au Québec en 1942)

C'est à Claude Péloquin que l'on doit la fameuse invective gravée sur la murale du Grand Théâtre de Québec en 1970: «Vous êtes pas écœurés de mourir, bande de caves? C'est assez!» Mais Claude Péloquin est avant tout l'auteur de vingt-cinq recueils de poésie, de *Jéricho*, son premier ouvrage lancé en 1963, à *Cœur Everest*, un bilan de son œuvre, publié en 2007. Il a également composé les paroles de plusieurs chansons, dont *Lindbergh*, qui a contribué à la renommée de Robert Charlebois. Personnage souvent controversé, Claude Péloquin a fait de l'audace un mode de vie: «Je préfère passer pour fou que de passer tout droit».

j e m'envole
pour que les lettres se forment
ce sont les idées
qui traversent l'espace
5 et le texte se retourne
déployé et strident
c'est la rue enchantée
des miroirs et des suites
c'est le regard des jeux
10 sous la passion des heures
c'est aussi le silence
parfois traqué en tous
c'est souvent l'effritement
encore soudain le délire
15 mais c'est toujours cette voix
toujours ces accents
toujours ces signes
ces petits objets du désir

Claude Beausoleil, *Dans la matière
rêvant comme d'une émeute*,
Trois-Rivières, Les Écrits
des Forges, 1982, p. 29.

CLAUDE BEAUSOLEIL
(né au Québec en 1948)

Lèvres urbaines, la revue littéraire que dirige
Claude Beausoleil, porte un nom tout à fait en
accord avec la sensibilité de son directeur, dont la
poésie sensuelle marie dans un même souffle le
texte, le corps et la ville. *Au milieu du corps l'at-
traction s'insinue* (1980), *Dans la matière rêvant
comme d'une émeute* (1982), *Une certaine fin de
siècle* (1983), *S'inscrit sous le ciel gris en gra-
phiques de feu* (1985), *Fureur de Mexico* (1992)
et *Le déchiffrement du monde* (1993) sont
quelques-uns des ouvrages les plus importants
de ce boulimique de l'écriture, auteur de plus de
soixante recueils! Lauréat du Grand Prix du Festival international de la poésie en 2004, Claude
Beausoleil a également préparé une anthologie de
la poésie mexicaine contemporaine et traduit de
nombreux poèmes d'Émile Nelligan en espagnol.

i I attend
il est très loin encore
très loin
derrière une forêt chante
5 un jour va naître
il y a du ciel qui commence
le meilleur est dans le chant
de cette aurore
la ligne orange d'un autre jour
10 où coule sous les choses
la vraie vie la vraie

Pierre Morency, «il attend/il est très loin encore»,
dans *Poèmes 1966-1986*, Montréal,
Éditions du Boréal, 2004, p. 246.

PIERRE MORENCY

(né au Québec en 1942)

Pierre Morency est l'homme qui parle aux oiseaux. Poète et ornithologue, il laisse d'abord son empreinte sur les ondes radio : il écrit, à la fin des années 1960, plus de deux cents textes radiophoniques de même qu'une série de soixante émissions sur la nature et les oiseaux. Cette fascination pour les messagers du ciel et pour la nature est le cœur même de ses *Histoires naturelles du Nouveau-Monde*, une trilogie qui comprend *L'œil américain* (1989), *Lumière des oiseaux* (1992) et *La vie entière* (1996). Pierre Morency a publié un premier recueil de poésie en 1967, *Poèmes de la froide merveille de vivre*; depuis, son œuvre a été récompensée par une impressionnante pléiade de prix. Le poète a fait paraître *Amouraska* en 2008 et continue, avec une rare sensibilité, de contempler la vie à vol d'oiseau.

Les jardins blancs

Sainte-Adèle en fleurs de givre
Sur une rocaille de diamants
Troncs de marbre et feuilles de cristal
Des marches opalines mènent au chalet de sucre
5 Le vent poudré laiteux caresse et frise
Les cimes des sapins
Vêtue de mon poil d'ours blanc
Je danse sur le lac

Quelque part dans ma vie ancienne
10 Une pharaonne se grille sous des soleils orange
Étendue sur une felouque
Qui danse sur le Nil

Mona Latif-Ghattas, *Poèmes faxés*,
Trois-Rivières, Les Écrits des Forges, 1994, p. 78.

MONA LATIF-GHATTAS

(née en Égypte en 1946)

Née au bord du Nil mais vivant tout près du Saint-Laurent depuis 1966, Mona Latif-Ghattas porte en elle «le double conte de l'exil». Dans ses œuvres poétiques (*Les chants du Karawane*, 1985; *Ambre et lumière*, 2006) comme dans ses récits et ses romans (*Les lunes de miel*, 1996; *Les filles de Sophie Barat*, 1999), elle se penche sur ceux dont la vie a dû continuer ailleurs. Mona Latif-Ghattas a traduit plusieurs livres de l'arabe au français.

I l fait bleu dans nos caresses de ce soir
il fait bleu bleu
il fait tout fou dans nous
il fait beau jeu dans la peau
5 il fait digital
il fait corbeille d'étoiles
il fait collier de fruits célestes
il fait jusqu'au matin laser de baisers
il fait neige tendre de nuances
10   dans la chambre
il fait neige tendre de nuances
              au nid de nos membres
il fait bleu
il fait tout bleu
15 il fait crazy crazy doux
il fait bleu partout

Gilbert Langevin, *Le dernier nom de la terre*,
Montréal, Éditions de l'Hexagone, 1992,
© Éditions de l'Hexagone et succession
Gilbert Langevin, 1992, p. 35.

GILBERT LANGEVIN
(1938-1995)

Pour parler de son art, le poète et parolier Gilbert Langevin disait la «poévie». L'écriture vive et rebelle de Langevin se décline en trente-quatre recueils et des centaines de chansons. Né dans la région du Saguenay–Lac Saint-Jean, il s'installe à Montréal à vingt ans. Il commence alors à publier une série de plaquettes qu'il rassemblera dans *Origines* en 1971. En 1978, il remporte le prix du Gouverneur général pour *Mon refuge est un volcan*, mais remet la bourse à un organisme québécois pour la défense des prisonniers politiques. Il donne de nombreux récitals de poésie et se fait connaître par la voix de Pauline Julien, Offenbach, Marjo, Dan Bigras et autres, qui chantent ses textes. Comme l'a bien senti le poète Pierre Nepveu, Gilbert Langevin était un «pur énergique, fidèle à sa propre détresse, comme au dur espoir d'une lumière au bout du tunnel.»

LA NEIGE

Simone, la neige est blanche, comme ton cou,
Simone, la neige est blanche, comme tes genoux.

Simone, ta main est froide comme la neige,
Simone, ton cœur est froid comme la neige.

5 La neige ne fond qu'à un baiser de feu,
Ton cœur ne fond qu'à un baiser d'adieu.

La neige est triste sur les branches des pins,
Ton front est triste sous tes cheveux châtains.

Simone, ta sœur la neige dort dans la cour,
10 Simone, tu es ma neige et mon amour.

Rémy de Gourmont,
Simone, 1901.

RÉMY DE GOURMONT
(1858-1915)

Rémy de Gourmont est l'un de ces cas étranges dans l'histoire littéraire, l'un de ces auteurs qui a donné une œuvre vaste et abondante, qui en son temps a été authentiquement admiré, mais qui une fois mort a aussitôt sombré dans l'oubli. En trente ans d'écriture, cet écrivain français aura signé pas moins de quinze mille pages de prose brillante, composée de romans, de poèmes, de pièces de théâtre, d'essais linguistiques, littéraires et philosophiques. Un de ses contemporains a pu dire de lui qu'il était «le représentant le plus intransigeant et le plus entier de la pensée libre, de l'élégance et de l'écriture raffinée». Proche des symbolistes, Rémy de Gourmont a publié ce qui est considéré comme le grand roman de ce mouvement, *Sixtine*, en 1890. Il est un des cofondateurs, en 1889, de la prestigieuse revue le *Mercure de France*; il en sera l'âme jusqu'à sa mort.

Amedeo Modigliani, *Portrait de Jeanne Hébuterne*, 1918.

COMME UNE ÉVIDENCE

En fait, ça fait un moment que se croisent dans ma tête
Des mots et des douceurs qui pourraient faire un texte
Un truc un peu différent, je crois que ça parlerait d'elle
Faut avouer que dans mon quotidien, elle a mis un beau bordel

5   Mais j'ai un gros souci, j'ai peur que mes potes se marrent
Qu'ils me disent que je m'affiche, qu'ils me traitent de canard
C'est cette pudeur misogyne, croire que la fierté part en fumée
Quand t'ouvres un peu ton cœur, mais moi cette fois je veux assumer

J'ai un autre problème, il est peut-être encore plus lourd
10 C'est que t'as pas droit à l'erreur quand t'écris un texte d'amour
Moi, les trois prochains couplets, je voudrais que ça soit des bombes
Si j'écris un texte sur elle, je voudrais que ça soit le plus beau du monde

Elle mérite pas un texte moyen, j'ai la pression, ça craint
Fini de faire l'intéressant, avec mes voyages en train
15 Là c'est loin d'être évident, moi je sais pas comment on fait
Pour décrire ses sentiments, quand on vit avec une fée

Il faut avouer qu'elle a des yeux, ils sont même pas homologués
Des fois ils sont verts, des fois jaunes, je crois même que la nuit ils sont violets
Quand je m'enfonce dans son regard, je perds le la je n'touche plus le sol
20 Je me perds profondément, et j'oublie exprès ma boussole

Depuis que je la connais, je ressens des trucs hallucinants
Je me dis souvent que j'ai eu de la chance de lui avoir plu, sinon
J'aurais jamais su qu'un rire pouvait arrêter la Terre de tourner
J'aurais jamais su qu'un regard pouvait habiller mes journées

25 Je comprends pas tout ce qui se passe, y a plein de trucs incohérents
Depuis qu'elle est là rien n'a changé, mais tout est différent
Elle m'apporte trop de désordre, et tellement de stabilité
Ce que je préfère c'est sa force, mais le mieux c'est sa fragilité

Ce n'est pas un texte de plus, ce n'est pas juste un poème
30 Parfois elle aime mes mots, mais cette fois c'est elle que mes mots aiment
Je l'ai dans la tête comme une mélodie, alors mes envies dansent
Dans notre histoire rien n'est écrit, mais tout sonne comme une évidence

J'ai redécouvert comme ça réchauffe d'avoir des sentiments
Mais si tu me dis que c'est beaucoup mieux de vivre sans, tu mens
35 Alors je les mets en mots et tant pis si mes potes me chambrent
Moi je m'en fous, chez moi y a une sirène qui dort dans ma chambre

J'avais une vie de chat sauvage, elle l'a réduite en cendres
J'ai découvert un bonheur tout simple, c'est juste qu'on aime être ensemble
On ne calcule pas les démons du passé, on n'a pas peur d'eux
40 Moi si un jour j'suis un couple, je voudrais être nous deux

Y a des sourires et des soupirs, y a des fous rires à en mourir
On peut s'ouvrir et sans rougir, déjà se nourrir de nos souvenirs
Les pièges de l'avenir nous attendent, mais on n'a pas peur d'eux
Moi si un jour j'suis un couple, je voudrais être nous deux

45 Et si c'est vrai que les mots sont la voix de l'émotion
Les miens prennent la parole pour nous montrer sa direction
J'ai quitté le quai pour un train spécial, un TGV palace
On roule à 1000 km/h, au-dessus de la mer, en première classe

Et si c'est vrai que les mots sont la voix de l'émotion
50 Les miens prennent la parole pour nous montrer sa direction
J'ai quitté le quai pour un train spécial, un TGV palace
On roule à 1000 km/h, au-dessus de la mer, en première classe

Comme une évidence, texte de
Grand Corps Malade (Fabien Marsaud, dit),
© Anouche Productions.

Sans bout du monde

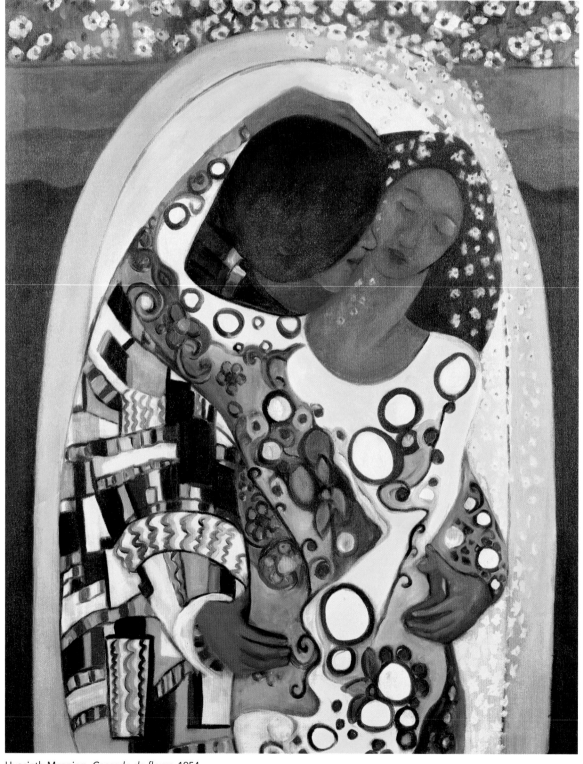

Hyacinth Manning, *Cascade de fleurs*, 1954.

Vient le jour où il n'y a pas de plus grand jour.

Le jour où nous pouvons aller de l'autre côté
de la faille, avancer
dans le noir
5 trouver une éclaircie.

Vient le jour où l'on entend
le chant du monde, où l'amour
arrive à quai.

Vient le jour où un visage nous ramène
10 aux autres visages.

                    *

Vient le jour où la vie ressemble enfin à la vie.
Où l'ombre et la lumière jaillissent
du même instant d'éternité
15 que délivre l'éphémère.

Vient le jour où la joie et le tourment
la grâce et la détresse, l'amour et l'absence
font un.

Vient le jour qui arrête l'attente.

                    *
20

Vient le jour où la beauté borde notre chemin.
On se penche sur la vie, et aussitôt
on se relève, le cœur tremblant, plus fort,
d'une vérité ainsi effleurée.

25 Vient le jour où l'on pose la main
sur un visage, et tout devient la clarté
de ce visage. Tout se nourrit
du même amour, d'un même rayon de bleu
et boit au même fleuve. Tout va
30 et vient dans un unique balancement des choses.

                              *

Vient le jour où l'on quitte la gare.
Enfermé depuis toujours, on cesse soudain
de chercher des abris.
35 On lâche les amarres.
Tout s'allège et le ciel s'entrouvre.

Alors, plus nue de n'avoir jamais été nue
notre âme écoute pour la première fois
son silence intérieur.

Hélène Dorion, dans *Les cent plus beaux poèmes québécois*, anthologie présentée par Pierre Graveline, Montréal, Éditions Fides, 2007, p. 64 et 65.

HÉLÈNE DORION
(née au Québec en 1958)

Le souffle et la justesse de l'écriture d'Hélène Dorion, voilà ce qui émane de *Mondes fragiles, choses frêles*, la rétrospective de son œuvre poétique (1983-2000). Sa poésie exprime la précarité de l'existence humaine, avec ce monde qui vit et vacille en soi: «L'écriture m'apparaît comme une démarche de lucidité avec laquelle j'interroge notre présence, l'énigme d'être là», explique-t-elle. Figure phare de la poésie québécoise, Hélène Dorion a publié depuis 1983 une vingtaine de livres et reçu plusieurs distinctions importantes. En 2005, elle remportait le prestigieux prix de poésie de l'Académie Mallarmé pour l'ensemble de son œuvre; c'était la première fois que ce prix, créé en 1937, était décerné à une auteure ou un auteur québécois.

LES BOUCLIERS
mégalomanes

Paul Klee, *Figurine allégorique*, sans date.

Mon Olivine
Ma Ragamuche
je te stoptatalère sur la bouillette mirkifolchette
J'aracramuze ton épaulette
5 Je crudimalmie ta ripanape
Je te cruscuze
Je te goldèple
Ouvre tout grand ton armomacabre
et laisse le jour entrer dans tes migmags
10 Ô Lunèthophyne
je me penche et te cramuille
Ortie déplépojdèthe
j'agrimanche ta rusplète
Et dans le désert des marquemacons tes seins
obèrent le silence

Claude Gauvreau, *Œuvres créatrices complètes*,
Montréal, © Éditions Parti pris et succession
Claude Gauvreau, 1971, p. 1259.

CLAUDE GAUVREAU
(1925-1971)

Quand «garagognialululululululululululululululullullu»... est l'essentiel d'un de vos poèmes, la controverse et l'incompréhension, inévitablement, vous attendent: c'est ce qu'a connu Claude Gauvreau, auteur de ces *Jappements à la lune*. Son parcours artistique débute au début des années 1940, alors qu'il rencontre le peintre Paul-Émile Borduas et le groupe des automatistes. Ensemble ils signeront, en 1948, le manifeste *Refus global*. Dans ses écrits, Gauvreau pousse à ses extrêmes l'approche automatiste: il déconstruit le vocabulaire usuel et crée un langage «exploréen», formé de mots inventés et d'onomatopées. Malgré de multiples séjours en institut psychiatrique au cours des années 1950-60, Gauvreau livre une somme considérable de poèmes et de textes dramatiques majeurs, dont *L'asile de la pureté* (1953) et *La charge de l'orignal épormyable* (1970). Il met fin à ses jours en 1971, l'année même où sa pièce *Les oranges sont vertes* triomphe au Théâtre du Nouveau Monde. Ses *Œuvres créatrices complètes* ont été publiées en 1977.

IL PLEUT

GUILLAUME APOLLINAIRE
(1880-1918)

Giorgio de Chirico, *Portrait prémonitoire de Guillaume Apollinaire*, 1914.

Guillaume Apollinaire est tout à la fois poète visionnaire, critique d'art éclairé et amoureux mal aimé. En 1913, à Paris, il publie *Alcools*, un recueil de poèmes qui aura une influence majeure sur la poésie moderne. Quelques-uns des plus beaux poèmes de ce recueil sont inspirés de ses amours déçues. Passionné de peinture et critique d'art avant-gardiste, Apollinaire est l'un des premiers à célébrer Picasso et les cubistes. En 1918, il unit ses deux passions dans son recueil *Calligrammes*, mot qu'il invente pour qualifier ses poèmes-dessins. L'un de ses calligrammes se trouve encore aujourd'hui sur sa tombe, où la forme d'un cœur est tracée par ces mots: *mon cœur pareil à une flamme renversée.*

Il pleut des voix de femmes comme si elles étaient mortes même dans le souvenir

c'est vous aussi qu'il pleut merveilleuses rencontres de ma vie ô gouttelettes

et ces nuages cabrés se prennent à hennir tout un univers de villes auriculaires

écoute s'il pleut tandis que le regret et le dédain pleurent une ancienne musique

écoute tomber les liens qui te retiennent en haut et en bas

Guillaume Apollinaire, *Calligrammes*, 1918.

Je me souviens

Je me souviens
D'ombres plus denses que le plomb
De regards impassibles
De rivières fourbues
5 De maisons rongées
De cœurs blanchis
D'hirondelles torpillées

Et de cette femme hagarde
        sous l'explosion des armes.

10 Je me souviens
Du tumulte des sèves
De l'envolée des mots
De plaines sans discorde
Des chemins de clémence
15 Des regards qui s'éprennent

Et de ces beaux amants
        sous les feux du désir

        De tout ceci
        De tout cela
20 Je me souviens
Et je me souviens.

Andrée Chedid, Par-delà les mots,
«Je me souviens», © Éditions Flammarion.

ANDRÉE CHEDID
(née en Égypte en 1920)

Andrée Chedid a des racines en Égypte et au Liban: elle est née au Caire de parents libanais. Elle parle l'arabe, l'anglais et le français, a étudié et vécu au Moyen-Orient et en Occident. Son œuvre est tout entière imprégnée de ce mélange de cultures. Andrée Chedid choisit souvent des sujets tragiques, mais elle sait aussi communiquer son espoir dans la nature humaine, que ce soit dans ses poèmes, ses pièces de théâtre, ses romans ou ses nouvelles.

Andrée Chedid est la mère de l'auteur-compositeur-interprète Louis Chedid et la grand-mère de Mathieu Chedid, alias M, pour qui elle a écrit la chanson *Je dis aime*.

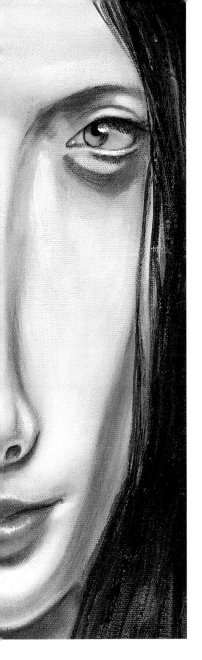
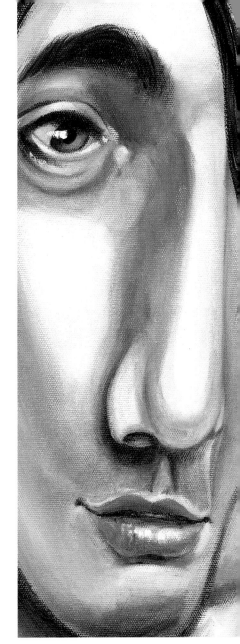

AU GRAND JAMAIS

Ne se sont jamais vus
    Ne se connaissent pas,
        S'aiment depuis toujours.

Se croisent un matin,
5   Se regardent sans voir,
        S'éloignent sans adieu.

Pas un frémissement
    De leur sang, de leurs os.
        S'aiment depuis toujours.

10 Ne se connaissent pas.
    Seul un oiseau de nuit
        Pousse un cri déchirant.

Seuls leurs anges gardiens
    Sont tordus de douleur.
15   Et leur disent en vain…

Ne se connaissent pas.
    Sont faits pour s'adorer.
        Ne s'aimeront jamais.

Géo Norge, *Les coq-à-l'âne*, Paris,
© Éditions Gallimard, 1985, p. 105 et 106.

GÉO NORGE
(1898-1990)

Les poètes qui ne se prennent pas au sérieux sont des oiseaux rares: Géo Norge est de ceux-là. Dans une «langue verte» — pour reprendre le titre d'un de ses recueils —, joueuse et joyeuse, le poète belge a créé une panoplie de «poèmes à sourire». Sous ses airs légers et moqueurs, sa poésie révèle toutefois une réelle sensibilité et une profonde humanité. C'est en 1923 que Georges Mogin, vendeur de laine, trouve son pseudonyme et commence sa vie littéraire en publiant son premier recueil, *Vingt-sept poèmes incertains*. Sa longue carrière et son œuvre abondante se sont terminées avec *Le stupéfait*, paru en 1988. L'album *Jeanne Moreau chante Norge* (1981) nous permet d'entendre la grande actrice française interpréter les poèmes de Géo Norge.

Ma bohème

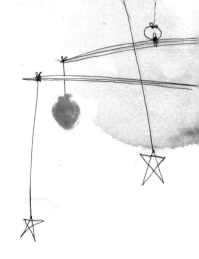

Je m'en allais, les poings dans mes poches crevées ;
Mon paletot aussi devenait idéal ;
J'allais sous le ciel, Muse ! et j'étais ton féal ;
Oh ! là ! là ! que d'amours splendides j'ai rêvées !

5   Mon unique culotte avait un large trou.
— Petit-Poucet rêveur, j'égrenais dans ma course
Des rimes. Mon auberge était à la Grande-Ourse.
— Mes étoiles au ciel avaient un doux frou-frou.

Et je les écoutais, assis au bord des routes,
10 Ces bons soirs de septembre où je sentais des gouttes
De rosée à mon front, comme un vin de vigueur ;

Où, rimant au milieu des ombres fantastiques,
Comme des lyres, je tirais les élastiques
De mes souliers blessés, un pied près de mon cœur !

Arthur Rimbaud, *Poésies*, 1870.

ARTHUR RIMBAUD
(1854-1891)

Arthur Rimbaud, l'enfant terrible de la poésie française, a connu une vocation météorique : son œuvre poétique, révolutionnaire, il la compose entre seize et dix-neuf ans, pour ensuite abandonner la plume à jamais. Élève surdoué, fantasque et rebelle, Rimbaud est révolté par l'hypocrisie de son entourage et cherche, à plusieurs reprises, à fuir ce milieu qui l'étouffe. Avec l'aide de Paul Verlaine, à qui il a envoyé ses poèmes, il réussit à gagner Paris en 1871. Les deux poètes amorcent alors une tumultueuse relation, s'enivrent, écrivent, vagabondent. Par un « dérèglement de tous les sens », Rimbaud cherche à se faire *voyant* pour créer une poésie « résumant tout, parfums, sons, couleurs, de la pensée accrochant la pensée et tirant ». C'est en Éthiopie, où il se fait tour à tour commerçant de café et trafiquant d'armes, que l'auteur du *Bateau ivre* achève seul son voyage. À Paris paraissent *Une saison en enfer* et *Illuminations* : Rimbaud l'exilé est déjà un mythe. L'éclat de son passage illuminera toute la poésie moderne.

En marchant
vers le mont Tremblant

Lawren S. Harris, *Barrage de castors*, 1920.

À Gaston Miron

Je suis lac, je mélèze,
je raquette, je harfange,
je portage, j'épinette,
je boucane, je castore,
5   je saumone, je traîneaude,
j'omble, je truite, j'ourse,
j'orignale, je mirone,
je hurone, je rondine,
j'érablise, je québèque,

10 le cœur en fête, je marche :
là est le sud aussi.

Frédéric Jacques Temple,
dans *Le Québec des poètes*, Montréal,
Trait d'union, coll. «Vis-à-vis», 2000, p. 82.

FRÉDÉRIC JACQUES TEMPLE
(né en France en 1921)

Les Indiens pueblos que Frédéric Jacques Temple a côtoyés lors de voyages au Nouveau-Mexique l'avaient surnommé «celui qui marche avec le soleil». Ils avaient vu juste : l'écrivain français est l'auteur d'une œuvre éminemment lumineuse, vitale et voyageuse. Au sortir de la guerre, il publie un premier recueil, *Sur mon cheval*, et se lie d'amitié avec Blaise Cendrars, l'écrivain globe-trotter. À son image, Frédéric Jacques Temple va parcourir le monde avec un «émoi sans frontières» et écrire poèmes, récits, essais et romans. Il traduit également d'importants auteurs anglais et américains (D.H. Lawrence, Henry Miller, Lawrence Durrell). Proche ami de Gaston Miron et du Québec, Jacques Frédéric Temple a publié *Boréales/Atlantique Nord* (1994) et *Un émoi sans frontières* (2006) au Québec.

La marche à l'amour

je marche à toi
je titube à toi
je meurs de toi jusqu'à la complète anémie
lentement je m'affale tout au long de ma hampe
5 je marche à toi, je titube à toi, je bois
à la gourde vide du sens de la vie
à ces pas semés dans les rues sans nord ni sud
à ces taloches de vent sans queue et sans tête
je n'ai plus de visage pour l'amour
10 je n'ai plus de visage pour rien de rien
parfois je m'assois par pitié de moi
j'ouvre mes bras à la croix des sommeils
mon corps est un dernier réseau de tics amoureux
avec à mes doigts les ficelles des souvenirs perdus
15 je n'attends pas à demain je t'attends
je n'attends pas la fin du monde je t'attends
dégagé de la fausse auréole de ma vie

Gaston Miron, *L'homme rapaillé*, Montréal,
Éditions Typo, 1998 © 1998 Éditions Typo et succession
Gaston Miron (Marie-Andrée Beaudet et Emmanuelle Miron).

GASTON MIRON
(1928-1996)

«Miron le magnifique», par la puissance et la portée de sa parole, embrasse et domine tout le territoire de la poésie québécoise. Après des études en sciences sociales, Gaston Miron fonde avec des amis les Éditions de l'Hexagone (1953), qui auront une influence déterminante sur la vie poétique québécoise. Candidat aux élections fédérales (1957-1958), Miron milite ardemment pour l'indépendance du Québec et la survie de la langue française, tout en ébauchant, travaillant et retravaillant, «avec les mots noueux de nos endurances», ses grands morceaux poétiques: *La vie agonique*, *La marche à l'amour*, *La batèche*. Ce n'est qu'en 1970 qu'il consent enfin à rassembler son travail et à offrir *L'homme rapaillé*. L'impact du livre est sans précédent: Gaston Miron récolte tous les prix imaginables et ses poèmes épiques, militants, amoureux, où s'entend cette formidable «angoisse cernée de courage», trouvent — et trouvent encore — des échos partout dans la francophonie.

Caspar David Friedrich, *Le voyageur contemplant une mer de nuages*, 1818.

D emain, dès l'aube, à l'heure où blanchit la campagne,
Je partirai. Vois-tu, je sais que tu m'attends.
J'irai par la forêt, j'irai par la montagne.
Je ne puis demeurer loin de toi plus longtemps.

5   Je marcherai les yeux fixés sur mes pensées,
Sans rien voir au dehors, sans entendre aucun bruit,
Seul, inconnu, le dos courbé, les mains croisées,
Triste, et le jour pour moi sera comme la nuit.

Je ne regarderai ni l'or du soir qui tombe,
10 Ni les voiles au loin descendant vers Harfleur,
Et quand j'arriverai, je mettrai sur ta tombe
Un bouquet de houx vert et de bruyère en fleur.

Victor Hugo,
Les contemplations, 1856.

L'ALBATROS

Souvent, pour s'amuser, les hommes d'équipage
Prennent des albatros, vastes oiseaux des mers,
Qui suivent, indolents compagnons de voyage,
Le navire glissant sur les gouffres amers.

5 À peine les ont-ils déposés sur les planches,
Que ces rois de l'azur, maladroits et honteux,
Laissent piteusement leurs grandes ailes blanches
Comme des avirons traîner à côté d'eux.

Ce voyageur ailé, comme il est gauche et veule !
10 Lui, naguère si beau, qu'il est comique et laid !
L'un agace son bec avec un brûle-gueule,
L'autre mime, en boitant, l'infirme qui volait !

Le Poète est semblable au prince des nuées
Qui hante la tempête et se rit de l'archer ;
15 Exilé sur le sol au milieu des huées,
Ses ailes de géant l'empêchent de marcher.

Charles Baudelaire, *Les fleurs du mal*, 1857.

CHARLES BAUDELAIRE
(1821-1867)

Horst Janssen, *Charles Baudelaire*, 1994.

Tour à tour endetté, conspué, malade, flamboyant, visionnaire et vénéré, Baudelaire aura connu dans sa chair le *Spleen* et l'*Idéal* au cœur de son projet poétique: «extraire la beauté du Mal». Le livre de sa vie, *Les fleurs du mal* (1857), est aujourd'hui considéré comme l'ouvrage de poésie le plus important de son siècle. Ce livre capital sera pourtant jugé obscène lors de sa publication et vaudra à Baudelaire un procès pour «outrage à la morale publique et aux bonnes mœurs». De jeunes poètes admiratifs — de Rimbaud et Mallarmé jusqu'aux surréalistes du siècle suivant — reconnaîtront cependant son génie et sa fascinante modernité. Critique d'art et journaliste, Baudelaire a également publié de magnifiques *Petits poèmes en prose* (1862), un essai, *Les paradis artificiels* (1860), et traduit de nombreuses nouvelles d'Edgar Allan Poe, cet écrivain maudit en qui il voyait un esprit jumeau.

J'PARL' POUR PARLER

J'parl' pour parler…, ça je l'sais bien.
Mêm' si j'vous cassais les oreilles,
La vie rest'ra toujours pareille
Pour tous ceux que c'est un' vie d'chien.

5 J'parl' pour parler pas rien qu'pour moi,
Mais pour tous les gars d'la misère;
C'est la majorité su' terre.
J'prends pour eux autr's, c'est ben mon droit.

J'parl' pour parler…, j'parl' comm' les gueux,
10 Dans l'espoir que l'bruit d'mes paroles
Nous engourdisse et nous r'console…
Quand on souffre, on s'soign' comme on peut.

J'parl' pour parler…, ça chang'ra rien !
Vu qu'on est pauvre, on est des crasses
15 Aux saints yeux des Champions d'la Race:
Faut d'l'argent pour être «homm' de bien».

J'parl' pour parler…, j'parl' franc et cru,
Parc' que moi, j'parl' pas pour rien dire
Comm' ceux qui parl'nt pour s'faire élire…
20 S'ils parlaient franc, ils s'raient battus !

J'parl' pour parler… Si j'me permets
De dir' tout haut c'que ben d'autr's pensent,
C'est ma manièr' d'prendr' leur défense:
J'parl' pour tous ceux qui parl'nt jamais !

25 J'parl' pour parler… Si, à la fin,
On m'fourre en prison pour libelle,
Ça, mes vieux, ça s'ra un' nouvelle !
L'pays f'rait vivre un écrivain !

Jean Narrache, *Quand j'parl' pour parler*,
Montréal, Éditions de l'Hexagone,
1993, © Éditions de l'Hexagone
et succession Jean Narrache.

James Reynolds Draper, *La faim*, 1995.

JEAN NARRACHE, ÉMILE CODERRE, DIT
(1893-1970)

Pharmacien le jour et poète la nuit, Émile Coderre se fait la voix des petites gens sous le pseudonyme de Jean Narrache. À coups de rimes, dans une langue populaire, il critique les inégalités sociales de son temps. En 1922, le jeune pharmacien, déjà auteur d'un premier recueil de poésie romantique, devient gérant d'une pharmacie dans le quartier Saint-Henri, à Montréal. Pendant deux ans, il sera le confident des chômeurs, des mères de familles, des malades, des laissés-pour-compte. Toute son œuvre poétique puisera ensuite dans cette expérience: *Quand j'parl' tout seul* (1932); *J'parl' pour parler* (1939); *Bonjour, les gars! Vers ramanchés et pièces nouvelles* (1948); *Jean Narrache chez le diable* (1963).

SONNET

Janvier passa aux vitres des prisons
et j'entendis le chant des détenus
par la flopée bétonnée des cellules:
«Un de nos frères est en liberté.»
5 Tu réentends le chant des détenus
et le pas lourd des geôliers sans paroles,
sans dire un mot tu rechantes toi-même:
«Adieu, janvier.»
Tournant ton visage à la vitre,
10 tu rebois l'air tiède à pleines gorgées.
Moi, de nouveau, j'erre dans un couloir,
je vais, pensif, d'un interrogatoire
à l'autre vers cette contrée lointaine
sans janvier, février, ni mars non plus.

Joseph Brodsky, *Poèmes 1961-1987*,
traduit du russe par Ève Malleret et autres,
Paris, © Éditions Gallimard, 1987, p. 22.

JOSEPH BRODSKY OU JOSEPH BRODSKI
(1940-1996)

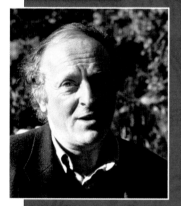

L'absurde interrogatoire du poète que met en scène Claude Simon dans son roman *Le jardin des plantes* (voir page ci-contre) est tout ce qu'il y a de plus réel. En 1964, Joseph Brodsky, écrivain russe dont la liberté d'esprit et l'ironie irritent les autorités soviétiques, est arrêté. Il est accusé de « parasitisme social » et condamné à cinq ans de travaux forcés. Les protestations de nombreux intellectuels de renom — dont Jean-Paul Sartre — lui permettront d'être libéré après dix-huit mois de détention. En 1972, forcé à l'exil, il s'installe aux États-Unis. Professeur, poète et essayiste hautement estimé, il reçoit le prix Nobel de littérature en 1987.

Vincent Van Gogh, *La cour de prison*, 1890.

L'interrogatoire d'un poète

Quartier Dzerjinsky — Ville de Leningrad, rue Vosstania, 36. Juge: Savelieva; le 18 février 1964.

Le juge :   Quelle est votre profession ?

Brodski :   J'écris des poèmes. Je fais des traduc-
5   tions. Je suppose…

Le juge :   Gardez vos suppositions pour vous !
            […] Vous avez un travail régulier ?

Brodski :   Je pensais qu'il s'agissait d'un travail
            régulier.

10 Le juge :   Répondez à la question !

Brodski :   J'écris des poèmes, je pensais qu'ils
            seraient publiés. Je suppose…

Le juge :   Nous n'avons que faire de vos suppo-
            sitions. Répondez à la question : pour-
15   quoi ne travaillez-vous pas ?

Brodski :   Je travaillais. J'écrivais des poèmes.

Le juge :   Cela ne nous intéresse pas.

[…]

Le juge :   D'une façon générale, quelle est votre
20   spécialité ?

Brodski :   Je suis poète. Poète-traducteur.

Le juge :   Qui a décidé que vous étiez poète ? Qui
            vous a classé parmi les poètes ?

Brodski :   Personne…

25 […]

Le juge :   Et vous avez étudié à cette fin ?

Brodski :   À quelle fin ?

Le juge :   Pour devenir poète. Vous n'avez pas
            essayé de faire des études supérieures
30   pour vous préparer… pour appren-
            dre…

Brodski :   Je ne pensais pas que cela pouvait
            s'apprendre.

Le juge :   Comment devenir poète, alors ?

35 […]

«Comme le prouvent ses fréquents change-
ments de travail, Brodski s'est systématiquement
dérobé à son devoir de citoyen soviétique, lequel
doit produire des biens matériels et assurer person-
40 nellement sa subsistance. (…) Des rapports des
commissions de travail avec les jeunes auteurs, il
ressort que Brodski n'est pas un poète. (…) En
conséquence, en application du décret du 4 mai
1961, le tribunal stipule que Brodski sera envoyé
45 pour cinq ans aux travaux forcés, dans une région
lointaine.»

Claude Simon, *Le jardin des plantes*,
Paris, © Éditions de Minuit,
1997, p. 101 à 136.

CLAUDE SIMON
(1913-2005)

Mobilisé au début de la Seconde Guerre mondiale, Claude Simon voit en huit jours son régiment
de cavalerie anéanti par les blindés allemands; il
survit aux combats mais est fait prisonnier. Il réus-
sira à s'évader six mois plus tard et à rejoindre la
Résistance à Paris, où il terminera l'écriture de
son premier roman, *Le tricheur*, qui sera publié à
la Libération. Ainsi s'amorce l'œuvre d'un écrivain
majeur mais encore aujourd'hui méconnu malgré
une importante production romanesque. Ses
thèmes de prédilection, le passage du temps
et la mémoire de l'Histoire, se retrouvent dans
La route des Flandres (1960), roman dans lequel
il conjugue les souvenirs intimes d'une famille et
la débâcle de la France face aux Nazis en 1940.
Histoire (1967), *Les géorgiques* (1981), *L'acacia*
(1989) et *Le jardin des plantes* (1997) constituent
quelques-unes de ses grandes réussites romanesques. Claude Simon a obtenu le prix Nobel de
littérature en 1985 pour l'ensemble de son œuvre.

Sous la voûte céleste

Haines et saisons
Tourne la planète
Dans l'air troué de balles

À chaque seconde
5 Une étoile de feu
Éclate dans la chair humaine

Tendre pâture
Du bout du monde rassemblée
Livrée aux maîtres de la terre

10 Sous la voûte céleste
D'un bleu d'outremer.

Anne Hébert, *Le jour
n'a d'égal que la nuit*, Montréal,
Éditions du Boréal, 1992, p. 71.

ANNE HÉBERT
(1916-2000)

Auteure de l'une des œuvres les plus puissantes de la littérature québécoise, Anne Hébert publie un premier recueil de poèmes en 1942, *Les songes en équilibre*. En 1950, *Le torrent* inaugure son œuvre en prose mais c'est le symbolisme étrange et fascinant des poèmes du *Tombeau des rois* (1953) qui impose sa vision unique. L'écrivaine s'installe en France en 1967 et poursuit son travail romanesque avec *Kamouraska* (1970), suspense autour d'un amour meurtrier qui sera adapté au cinéma par Claude Jutra. En 1982, Anne Hébert explore plus avant les pulsions de vie et de mort dans *Les fous de Bassan* : en France, ce roman lui vaudra le très convoité prix Femina. Elle revient à la poésie — *Le jour n'a d'égal que la nuit* — en 1992 et au Québec en 1998. Son œuvre est étudiée et admirée dans le monde entier.

Pablo Picasso, *Guernica*, 1937.

Oradour, Haïti: nous sommes tous coupables.
Haïti, Bangladesh: nous sommes tous absous.
Bangladesh, Biafra: nous sommes innocents.
Biafra, Coventry: nous sommes solidaires.

5   Coventry, Ravensbrück: à quoi bon nous blâmer?
Ravensbrück, Waterloo: à quoi bon nous punir?
Waterloo, Diên Biên Phu: ce n'est pas notre faute.
Diên Biên Phu, Bikini: ce n'est pas notre crime.

Bikini, Port-Arthur: où va notre mémoire?
10 Port-Arthur, Stalingrad: où va notre espérance?
Stalingrad, Austerlitz: nous ne savons plus rien.

Austerlitz, Trafalgar: nous nous moquons de tout.
Sarajevo, Bosnie: nous recommencerons.
Bosnie, Sarajevo: nous demandons l'oubli.

Alain Bosquet, dans *La révolte des poètes pour changer la vie*,
poèmes choisis par Jacques Charpentreau,
Hachette Jeunesse, 1998, p. 73.

ALAIN BOSQUET
(1919-1998)

On dit de certains hommes qu'ils sont «de leur temps»: Alain Bosquet, écrivain-caméléon, a été «de ses lieux». Né Anatole Bisk en Ukraine, il passe son enfance et son adolescence en Belgique. À vingt ans, il publie une *Anthologie de poèmes inédits de Belgique*. En 1942, devenu Alain Bosquet, il est à New York, où il travaille pour le magazine *La voix de la France*. La même année, il fait paraître un premier recueil de poèmes. Après la guerre, Alain Bosquet est à Berlin, où il dirige la revue littéraire *Das Lot*, organe majeur dans l'histoire des lettres allemandes. Il s'installe à Paris en 1951 et publie un premier roman, *La grande éclipse* (1952). Professeur de littérature américaine et française, critique littéraire et traducteur, il signera un grand nombre de romans, d'essais et de recueils de poésie dans lesquels son pessimisme et son ironie sont tempérés par l'amour du monde.

LA GRANDE HUMANITÉ

NÂZIM HIKMET
(1902-1963)

«La poésie est le plus sanglant des arts», a affirmé le poète turc Nâzim Hikmet en toute connaissance de cause: ses écrits lui ont valu de passer plus de treize ans en prison. En 1938, Nâzim Hikmet, l'une des plus importantes figures de la littérature turque du XXe siècle, est en effet condamné à vingt-huit ans d'emprisonnement pour avoir publié un éloge de la révolte, *L'épopée de Sheik Bedrettin*. Après sa libération, il vit en exil, milite pour la paix et signe plusieurs recueils de poèmes dans lesquels il évoque le «dur métier» de l'exil, la nostalgie du pays et le poids de l'humanité. En 1950, il partage avec le poète chilien Pablo Neruda le prix international de la paix décerné par le Conseil mondial de la paix.

La grande humanité voyage sur le pont des navires
    Dans les trains en troisième classe
    Sur les routes à pied
    La grande humanité

5 La grande humanité va au travail à huit ans
    Elle se marie à vingt
    Meurt à quarante
    La grande humanité

Le pain suffit à tous sauf à la grande humanité
10   Le riz aussi
    Le sucre aussi
    Le tissu aussi
    Le livre aussi
Cela suffit à tous sauf à la grande humanité.

15 Il n'y a pas d'ombre sur la terre de la grande humanité.
    Pas de lanterne dans ses rues
    Pas de vitres à ses fenêtres
Mais elle a son espoir la grande humanité
    On ne peut pas vivre sans espoir.

Nâzim Hikmet, dans *Il neige dans la nuit et autres poèmes*, traduit du turc par Munever Andac et Guzine Dino, Paris, © Éditions Gallimard.

Frida Kahlo, *Ma robe est suspendue là-bas*, 1933.

I l me faudrait des bras
assez vastes pour accueillir
la terre entière
les fauves à fourrure rousse des savanes
5 emprisonnés dans des cages
sans lumière, les enfants
des pays qui éclatent
sous les bombes
les forêts que les hommes
10 rasent comme une vieille barbe
depuis qu'ils ont perdu
le nord
Je voudrais des bras
ronds
15 pour bercer la terre
et des devises aussi simples
que *justice* et *liberté*
écrites en majuscules
sur les drapeaux

Louise Dupré, *Les mots secrets*,
Montréal, © La courte échelle, 2002, p. 24.

LOUISE DUPRÉ
(née au Québec en 1949)

De *Si Cendrillon pouvait mourir!* (1975) à *Tout pour elle* (2006), la poète et romancière québécoise Louise Dupré a publié une quinzaine d'œuvres et proposé autant de nouvelles lumières sur l'identité féminine. D'abord poète, Louise Dupré a reçu plusieurs prix pour ses recueils: *La peau familière* (1983), *Chambres* (1986) et *Noir déjà* (1993). Son premier roman, *La memoria* (1996), lui vaudra également un important succès critique. En 2006, Louise Dupré se fait dramaturge: *Tout pour elle* explore les relations mère-fille et réunit pas moins de cinquante femmes sur scène. En plus de son activité créatrice, Louise Dupré enseigne la littérature et la création littéraire à l'Université du Québec à Montréal.

i Is nous couperont les mains
nous n'écrirons pas
ils nous couperont les pieds
nous ne marcherons pas
5 ils nous couperont les bras
nous n'étreindrons pas
ils nous casseront les dents
nous ne mâcherons pas

mais il n'empêche
10 qu'un chat soit un chat
qu'un oiseau soit l'oiseau
qu'un soleil soit soleil
et qu'une pêche soit une pêche
il n'empêche qu'un sourire d'enfant
15 soit un sourire d'enfant

pas besoin pour cela
ni de pieds ni de bras
ni de mains ni de dents

Alexis Lefrançois, *L'œuf à la noix:
Poèmes et petites choses*, Québec,
Éditions Nota Bene, 2006, p. 310.

ALEXIS LEFRANÇOIS
(né en 1943)

Poète prolifique au cours des années 1970 (*Calcaire*; *36 petites choses pour la 51*; *La belle été*), l'écrivain québécois Alexis Lefrançois s'est surtout consacré à la traduction littéraire et à l'élevage de chèvres angoras au cours des deux dernières décennies. Sous son nom de baptême Ivan Steenhout — Alexis Lefrançois est d'origine luxembourgeoise —, il a traduit plus d'une quarantaine d'ouvrages et s'est vu attribuer plusieurs récompenses pour la qualité de son travail de traduction, dont le prix du Gouverneur général en 1987 et en 2004. Il fait un retour à l'écriture avec *L'abécédaire des robots* en 2000. *L'œuf à la noix*, paru en 2006, rassemble toute son œuvre poétique.

La main du **bourreau** finit **toujours** par **pourrir**

Grande main qui pèse sur nous
grande main qui nous aplatit contre terre
grande main qui nous brise les ailes
      grande main de plomb chaud
5   grande main de fer rouge

grands ongles qui nous scient les os
grands ongles qui nous ouvrent les yeux
      comme des huîtres
grands ongles qui nous cousent les lèvres
10   grands ongles d'étain rouillé
      grands ongles d'émail brûlé

mais viendront les panaris
panaris
panaris

15 la grande main qui nous cloue au sol
finira par pourrir
les jointures éclateront comme des verres de cristal
les ongles tomberont

      la grande main pourrira
20 et nous pourrons nous lever pour aller ailleurs.

Roland Giguère, *L'âge de la parole*,
Montréal, Édition Typo, 1991,
© 1991 Éditions Typo et succession Roland Giguère.

ROLAND GIGUÈRE

(1929-2003)

Roland Giguère situe sa vraie naissance à l'âge de dix-sept ans : c'est à ce moment qu'il découvre la poésie de Paul Éluard. Né dans un milieu humble au cœur de la Grande Noirceur, c'est alors un jeune homme qui a soif de lumière et de beauté. Il étudie la gravure et la typographie et n'a que vingt ans lorsqu'il fonde, en 1949, les Éditions Erta qui, dans les pages de beaux livres, uniront poésie et gravure. Il publie dans les années 1950 plusieurs recueils de poèmes qui appellent un nouveau monde : «Le rôle du poète, c'est crier, se révolter, écrire», affirme-t-il. De 1954 à 1963, il séjourne à Paris, peaufine son art et participe au mouvement surréaliste. Le titre d'une rétrospective de ses poèmes, *L'âge de la parole* (1965), parue en pleine Révolution tranquille, en vient à symboliser cette période d'affirmation au Québec. Roland Giguère a également signé *Forêt vierge folle* (1978), *La main au feu* (1987) et *Illuminures* (1997).

Prose ou poésie ?

Maître de philosophie — Je vous expliquerai à fond toutes ces curiosités.

Monsieur Jourdain — Je vous en prie. Au reste, il faut que je vous fasse une confidence. Je suis amou-
5 reux d'une personne de grande qualité, et je souhaiterais que vous m'aidassiez à lui écrire quelque chose dans un petit billet que je veux laisser tomber à ses pieds.

Maître de philosophie — Fort bien.

10 **Monsieur Jourdain** — Cela sera galant, oui.

Maître de philosophie — Sans doute. Sont-ce des vers que vous lui voulez écrire ?

Monsieur Jourdain — Non, non, point de vers.

Maître de philosophie — Vous ne voulez que de
15 la prose ?

Monsieur Jourdain — Non, je ne veux ni prose ni vers.

Maître de philosophie — Il faut bien que ce soit l'un ou l'autre.

20 **Monsieur Jourdain** — Pourquoi ?

Maître de philosophie — Par la raison, monsieur, qu'il n'y a pour s'exprimer que la prose ou les vers.

Monsieur Jourdain — Il n'y a que la prose ou les vers ?

25 **Maître de philosophie** — Non, monsieur : tout ce qui n'est point prose est vers ; et tout ce qui n'est point vers est prose.

Monsieur Jourdain — Et comme l'on parle, qu'est-ce que c'est donc que cela ?

30 **Maître de philosophie** — De la prose.

Monsieur Jourdain — Quoi ! quand je dis : «Nicole, apportez-moi mes pantoufles, et me donnez mon bonnet de nuit», c'est de la prose ?

Maître de philosophie — Oui, monsieur.

35 **Monsieur Jourdain** — Par ma foi ! il y a plus de quarante ans que je dis de la prose sans que j'en susse rien ; et je vous suis le plus obligé du monde de m'avoir appris cela. Je voudrais donc lui mettre dans un billet : «Belle marquise, vos beaux yeux
40 me font mourir d'amour», mais je voudrais que cela fût mis d'une manière galante, que ce fût tourné gentiment.

Maître de philosophie — Mettre que les feux de ses yeux réduisent votre cœur en cendres ; que vous
45 souffrez nuit et jour pour elle les violences d'un…

Monsieur Jourdain — Non, non, non, je ne veux point tout cela ; je ne veux que ce que je vous ai dit : «Belle marquise, vos beaux yeux me font mourir d'amour.»

50 **Maître de philosophie** — Il faut bien étendre un peu la chose.

Monsieur Jourdain — Non, vous dis-je, je ne veux que ces seules paroles-là dans le billet, mais tournées à la mode, bien arrangées comme il faut. Je
55 vous prie de me dire un peu, pour voir, les diverses manières dont on les peut mettre.

Maître de philosophie — On les peut mettre premièrement comme vous avez dit : «Belle marquise, vos beaux yeux me font mourir d'amour.» Ou
60 bien : «D'amour mourir me font, belle marquise, vos beaux yeux.» Ou bien : «Vos yeux beaux d'amour me font, belle marquise, mourir.» Ou bien : «Mourir vos beaux yeux, belle marquise, d'amour me font.» Ou bien : «Me font vos yeux beaux mourir,
65 belle marquise, d'amour.»

Monsieur Jourdain — Mais, de toutes ces façons-là, laquelle est la meilleure ?

Maître de philosophie — Celle que vous avez dite : «Belle marquise, vos beaux yeux me font
70 mourir d'amour.»

Monsieur Jourdain — Cependant je n'ai point étudié, et j'ai fait cela tout du premier coup.

Molière, *Le bourgeois gentilhomme*,
acte II, scène IV (extrait), 1670.

LE DISCOURS D'UNE POÈTE

En octobre 1996, la poète polonaise Wislawa Szymborska se voit décerner le prix Nobel de littérature pour l'ensemble de son œuvre. Dans le discours de réception qu'elle prononce le 7 décembre 1996 lors de la remise de son prix, l'écrivaine trace un portrait de la situation des poètes et de la poésie.

LE TRAVAIL DU POÈTE

Par Wislawa Szymborska

Le poète contemporain est un être sceptique et méfiant, même, sinon surtout, à l'égard de lui-même. Il hésite à se déclarer poète, comme s'il en avait honte. À notre époque si tonitruante, il est beaucoup plus facile d'avouer ses défauts, s'ils sont spectaculaires et pittoresques, que ses qualités, plus profondé-
5 ment cachées celles-ci, et auxquelles, en outre, on ne croit guère soi-même… Dans les enquêtes officielles, lors des conversations avec des gens rencontrés par hasard, le poète qui ne peut plus taire sa profession préfère recourir au terme général «homme de lettres», ou avouer une autre occupation qu'il exerce parallèlement.

10 Lorsqu'on leur annonce qu'ils ont affaire à un poète, les fonctionnaires ou les passagers d'un autobus accueillent la nouvelle avec une légère défiance teintée d'inquiétude. Je suppose que la qualité de philosophe provoque une perplexité semblable. Ce dernier se trouve cependant dans une posture plus confortable, car il peut agrémenter son métier d'un titre scientifique. Docteur
15 en philosophie: voilà qui fait plus sérieux.

Les docteurs en poésie n'existent pas. Car enfin, cela ne voudrait-il pas dire qu'on ne peut exercer ce métier qu'après avoir fait des études approfondies, régulièrement passé ses examens, produit bon nombre de dissertations enrichies de bibliographies et d'annotations, et enfin, obtenu quelques diplômes
20 solennels? Ce qui signifierait, ensuite, que pour devenir poète il n'est pas assez d'une feuille de papier recouverte de poèmes, aussi illustres soient-ils; il

faudrait se prévaloir, en plus, d'un bout de papier affublé d'un tampon officiel. Rappelons-nous que c'est faute d'un tel bout de papier que la gloire de la poésie russe, le futur lauréat du prix Nobel, Joseph Brodsky, a été condamné à l'exil.
25 On l'a taxé de parasite, car il ne pouvait se targuer d'une attestation officielle l'autorisant à être poète…

Il y a quelques années, j'ai eu l'honneur et la joie de faire sa connaissance. J'avais noté alors que, seul parmi tous les poètes qui me sont connus, il aimait bien se présenter en tant que poète ; il prononçait ce mot sans aucune inhibi-
30 tion, avec une liberté un rien téméraire. Je suppose que s'y reflétaient toutes les humiliations qu'il avait eu à subir dans sa jeunesse.

Dans des pays plus heureux, où l'on ne foule pas aux pieds la dignité humaine avec une pareille aisance, les poètes aiment toujours à être publiés, lus, compris, mais ne font plus rien, ou alors si peu, pour se distinguer des autres
35 au quotidien. Et pourtant, il n'y a pas si longtemps encore, dans les premières décennies de notre siècle, ils se plaisaient à effaroucher leurs contemporains par leurs costumes prétentieux et leur comportement excentrique.

Cela n'était cependant qu'un spectacle à l'usage des foules.

Car l'instant venait où le poète refermait la porte derrière lui, jetait par terre
40 toutes ces capes noires et autres accessoires «poétiques» de pacotille, et s'installait dans le silence, dans l'attente de soi, au-dessus d'une feuille blanche. Car en vérité, il n'y a que cela qui compte. […]

Wislawa Szymborska, traduit du polonais
par Piotr Kaminski, *Le Monde*, 20 décembre 1996,
© The Nobel Foundation 1996.

Jean-Paul Riopelle, *Espagne*, 1951.

Le souci du détail

Grand Corps Malade. Ce nom dissonant, arc-bouté, a filé sur toutes les tribunes depuis la sortie de *Midi 20*, l'album qui a su toucher même les plus réfractaires aux versets de rap français. À la frontière de la chanson française, de la poésie, du hip-hop et du slam, Fabien Marsaud enjambe les clichés une deuxième fois sur *Enfant de la ville*.

Evelyne Côté

Profondément aimé du public, confiant, même dans sa démarche étriquée par un accident de plongeon il y a dix ans, Grand Corps Malade rassure par sa voix grave, calme du regard. Et comme
5 il parle de lui dans ses chansons, on lui a demandé de nous parler d'elles. Entretien croisé.

MENTAL

« Le destin est un farceur, faut l'esquiver à chaque instant / Pour l'affronter faut du cœur…
10 *et un mental de résistant. »*

Les gens vous perçoivent souvent comme un sage, un pilier. C'est vrai ?

J'ai une nature très optimiste, je l'ai toujours eue. Ceci dit, je suis très conscient de toutes les diffi-
15 cultés qu'on doit traverser dans une vie, de toutes les mauvaises nouvelles qu'on doit assumer au quotidien. J'y vois cependant l'espoir et je crois être capable de trouver le truc positif qui peut nous faire avancer.

20 **Davantage un grand sensible qu'un grand sage, Grand Corps Malade ?**

Oui forcément, je pense être un grand sensible, même s'il y a plusieurs manières d'exprimer sa sensibilité… Je disais dans le premier album qu'on ne
25 voyait pas souvent mes larmes, mais ça ne veut pas dire que je suis insensible, loin de là. Essayer d'entrevoir l'espoir dans les choses et les événements, c'est une preuve de sensibilité. Je ne sais pas si je suis plus sensible que sage, mais les deux me
30 conviennent à leur juste mesure.

ENFANT DE LA VILLE

« Je dis pas que le béton c'est beau, je dis que le béton c'est brut / Ça sent le vrai, l'authentique, peut-être que c'est ça,
35 *le truc. »*

Vous vous exprimez surtout par les détails du quotidien.

Je ne fais que raconter des choses que je vois (et à la fois, je les vis, ces choses) et dans lesquelles plein
40 de gens peuvent se retrouver ; ces petits détails qui nous touchent. On a tous un certain nombre d'années, et donc d'étés, d'hivers, d'automnes et de printemps derrière et devant nous. Et ces détails poétiques sont rassembleurs. Même si on n'a pas
45 forcément les mêmes hivers à Montréal qu'à Paris !

On sent votre regard davantage tourné vers l'extérieur sur *Enfant de la ville*. Votre écriture a-t-elle changé depuis *Midi 20* ?

J'ai un peu moins écrit depuis la sortie de *Midi 20*.
50 Mais j'ai mes habitudes. D'abord, il y a un thème qui me passe par la tête, puis je trouve l'angle d'attaque du texte. Et à partir de ce moment-là, je me penche sur ma feuille, le plus vite possible. Je n'ai pas eu d'angoisse de la page blanche, alors là non.
55 J'écris de manière régulière, et à la réalisation de l'album, je pioche dans mes textes. Le premier album était très autobiographique. Peut-être de manière inconsciente, j'ai eu envie de parler de trucs plus universels.

LE BLUES DE L'INSTITUTEUR

« L'adulte est un grand enfant qui croit qu'il sait / L'enfant est un petit adulte qui sait qu'il croit. »

Vous abordez, d'ailleurs, vos craintes politiques
65 **dans ce morceau. Avez-vous peur de l'avenir ?**

Je suis comme tout le monde, je regarde la télé, et certains jours, l'actualité va glisser sur moi ; d'autres fois, elle va me toucher, me percuter, m'arrêter et me désespérer. Évidemment, tout le monde est
70 d'accord pour dire que la guerre, c'est pas bien, et qu'il faut faire attention à la Terre. Alors, c'est diffi-

cile d'aborder ces sujets importants de façon originale. Je l'ai donc fait avec cet axe, la voix d'un insti-
tuteur qui a vu les infos la veille et qui est tellement
75 désespéré qu'il a pas envie de faire cours à ses
élèves, et qui préfère dire tout ce qu'il a sur le cœur.
Pour moi, ces problèmes-là prennent tout leur sens
quand on en parle à des enfants, car on compte sur
eux pour améliorer les choses… Mais, évidem-
80 ment, on n'a pas de réponse sur leur capacité à ne
pas répéter les mêmes erreurs.

J'AI PAS LES MOTS

«*Je n'ai pas les phrases miracles qui pourraient
soulager ta peine / Aucune formule magique
85 parmi ces mots qui saignent.*»

Sans les mots, vous sentiriez-vous impuissant?

J'ai toujours été très bavard, très loquace, avant
même d'écrire. Sans les mots, ne pas pouvoir s'exprimer, ne pas pouvoir raconter des histoires ou,
90 précisément, avoir le goût du petit détail et de
synthétiser, je me sentirais impuissant. J'ai besoin
de ça.

**Est-il plus difficile d'écrire quand on est
malheureux ou heureux?**

95 Je pense qu'il est plus facile d'écrire quand on est
malheureux. Mes premiers textes que vous ne
connaissez pas forcément, composés pour de petites
scènes slam, ils n'étaient pas très gais… C'était
plutôt sur des épreuves traversées. Mais je me suis
100 rendu compte qu'ils ne reflétaient pas tout à fait ce
que j'étais, puisque je suis quelqu'un de joyeux, de
drôle, ou en tout cas d'optimiste. Je trouve pas que
c'est le plus facile, mais il est aussi important de
faire sourire que de faire pleurer.

105 J'ÉCRIS À L'ORAL

«*Des êtres humains dans un café sont
regroupés pour s'écouter / Ils prennent la parole
un par un et les oreilles sont envoûtées […]
La poésie dans les bars a rendez-vous avec
110 la vie.*»

**Le plus grand cliché sur Grand Corps Malade,
c'est encore le slam?**

Je me bats contre le cliché d'être le grand représentant du slam. Le slam, ce n'est pas juste un disque;
115 ce n'est pas qu'un personnage. Le slam, c'est large,
c'est mouvant; c'est des gens qui se rencontrent et
plein de styles divers.

**Alors auriez-vous tenté d'aller davantage du côté
chanson que slammeur sur ce disque?**

120 Je ne me suis ni éloigné ni rapproché par rapport
au slam. Et je me sens tout à fait légitime d'en parler: je suis un slammeur. J'existe en tant qu'artiste
grâce au slam. Mais pour moi, le slam, c'est dans
les bars. C'est de l'a capella. C'est le moment où
125 y'a un échange avec le public, où y'a un auditoire,
forcément. Je distingue vraiment le slam de mon
projet musical. Un disque de slam, pour moi, ça ne
veut pas dire grand-chose, en fait. Les journalistes
qui ne connaissent pas bien le slam l'ont catalogué
130 comme genre musical, mais pour moi, le slam,
c'est un moment, une rencontre, un échange. Un
moment de partage de la scène. Enregistrer, ça ne
peut pas être du slam.

Evelyne Côté, «Le souci du détail»,
Ici Montréal, vol. 11, n° 26,
3 au 9 avril 2008, p. 9.

Entrevue Rémy Girard

QUI A PEUR DE GAUVREAU ?

**Rémy Girard veut que ce soit clair : il ne se lance pas dans la chanson.
Avec le spectacle *Rémy Girard enchansonne Claude Gauvreau*, le comédien chouchou des Québécois
se permet une « parenthèse » dans sa carrière. Une histoire de passion, de défi et de liberté.**

Alain de Repentigny

« C'est vraiment très particulier, c'est la première fois que je fais quelque chose comme ça », me dit le batteur Paul
5   Brochu. Nous sommes dans les locaux du Théâtre Sans Fil, qui occupe une ancienne caserne de pompiers du quartier Hochelaga-Maisonneuve. L'ex-
10 membre du groupe jazz fusion UZEB, qui joue aussi bien avec Michel Legrand qu'avec Gregory Charles, répète une demi-douzaine de chansons que
15 Rémy Girard va interpréter à l'Usine C à compter du 16 avril.

Brochu n'est pas le seul à trouver l'expérience originale. Les textes de jeunesse de Claude
20 Gauvreau, qu'ils soient automatistes, exploréens — un langage tout en onomatopées qu'a inventé le poète disparu en 1971 — ou plus convention-
25 nels, ne se prêtent pas à un enrobage musical standard. Les cinq musiciens des Quêteux disloqués, dont le claviériste, compositeur et arrangeur Jean
30 Fernand Girard, passent allègrement d'une samba à un rock de guitares ou à un rhythm and blues teinté de hip-hop. L'instant d'après, on
35 leur demandera de jouer du

Rémy Girard

jazz ou une musique impressionniste à la Érik Satie.

[…]

LA BÉNÉDICTION DE PIERRE GAUVREAU

40 Le lendemain matin, je retrouve Rémy Girard dans un restaurant où il a ses habitudes. Il me raconte qu'avant de plonger tête première dans
45 cette aventure, il y a un an et demi, il en a parlé à Pierre Gauvreau, frère du poète, et à sa femme Janine Carreau. « Pierre a tout de suite adhéré
50 d'emblée au projet : "quelle

merveilleuse idée de mettre mon frère en musique !" se souvient Girard. Il appréciait aussi que ça se fasse dans des
55 styles différents, du rock, au blues au hip-hop. Même que, quand on a fait des demandes de subventions, qu'on n'a pas eues, Pierre a envoyé des lettres
60 d'appui. En plus, il nous a donné accès aux dessins de son frère, nous a ouvert les portes de sa correspondance, nous a dit comment il était, qu'il écri-
65 vait debout sur une tablette en se frappant la poitrine comme pour faire sortir les mots. »

Rémy Girard a eu un coup de foudre pour Claude Gauvreau à sa dernière année au Conservatoire de théâtre de Québec. Jean-Pierre Ronfard, qui venait de monter sa pièce *Les oranges sont vertes* au TNM, a débarqué au Conservatoire un bon matin avec plein de petits textes de Gauvreau (*Les entrailles*, *La jeune fille et la lune*, *Le drame des quêteux disloqués*, *Au cœur des quenouilles*) et Girard, Chouinard et compagnie ont monté un spectacle Gauvreau. «On découvrait le côté provocateur de Gauvreau, sa liberté, sa grande audace, se rappelle Girard. Pour des jeunes comme nous autres, c'était fascinant. C'est toujours vrai aujourd'hui. Le fils de Jean Fernand, qui joue dans un groupe punk, a entendu *Ode à l'ennemi* et a dit: "C'est ça qu'on veut dire nous autres !" Et il a demandé s'il pouvait la chanter», ajoute l'oncle Rémy dans un éclat de rire.

[…]

Le chanteur reconnaît aussi dans ce texte l'humour de Gauvreau, «des petits clins d'œil dans le jeu des mots. Tu sens que Gauvreau jouit des mots qu'il emploie et en beurre un peu exprès. C'est pour ça qu'on ne peut pas se prendre au sérieux en montant ce show.»

Vous le devinez, Rémy Girard, le comédien qui a déjà chanté *J'étais sur mon bateau* aux Lundis des Ha ! Ha ! et le psaume 27 du roi David dans le film *Le chemin de Damas*, n'a pas choisi la voie de la facilité pour son premier «show de

chansons». Parce que malgré les textes d'enchaînement extraits des correspondances de Gauvreau avec Paul-Émile Borduas et notre collègue retraité Jean-Claude Dussault, malgré les projections vidéo en direct de dessins, tableaux et documents d'archives que prépare Christian Pomerleau, il s'agit «purement et simplement d'un spectacle musical dans lequel l'ordre des chansons, ni thématique ni chronologique, a été décidé en fonction de la musique», assure Rémy Girard.

ADAPTER LA MUSIQUE AU TEXTE

Le comédien a lu l'intégrale des poèmes de Gauvreau et il en a retenu une trentaine qu'il a soumis à ses trois associés de la boîte de production Les Quêteux Lunaires: sa compagne Nadine Marchand, son frère Jean Fernand et [son complice de toujours, le metteur en scène Normand] Chouinard. «Puis nous sommes passés au vote, dit-il. Pour *Jamais le Dé Noro*, on était tous parfaitement d'accord, pour d'autres, fallait convaincre. On s'est donné comme défi de ne pas changer le texte, pas un mot. On n'adapte pas le texte à la musique, c'est le contraire. Mais on s'est permis de couper des choses. *La jeune fille et la lune* dure 15 minutes, on ne voulait pas faire une chanson de 15 minutes… On s'est aussi permis de reprendre une partie d'un poème pour faire un refrain.»

«On a lu les textes à haute voix à cause de l'importance de la sonorité chez Claude

Gauvreau, me disait Jean Fernand Girard avant de jouer trois chansons du spectacle devant les journalistes, jeudi après-midi. Déjà, il y avait des rythmes dans les textes, on a joué avec les syllabes. Gauvreau, lui, ne mettait pas de barrières, il était éclaté. Il fallait qu'on fasse pareil, qu'on joue autant de la samba que de la musique atonale. Pour moi, ç'a été un travail d'écriture d'un an extraordinaire. Peu importe ce qui va arriver à partir d'aujourd'hui, ce travail aura changé ma façon d'écrire de la musique.»

Rémy Girard espère présenter son spectacle ailleurs au Québec et même en France où le public, croit-il, peut s'intéresser à la démarche unique de Gauvreau. Un ami producteur français doit d'ailleurs voir le spectacle à Montréal dont on fera un enregistrement qui servira de «carte de visite». Le cinéaste Charles Binamé, voisin et ami de Pierre Gauvreau et Janine Carreau, a même filmé les répétitions au cas où…

LA GRANDE INCONNUE

Rémy Girard, on le sait, a un public nombreux, diversifié et fidèle, aussi bien à la télé qu'au cinéma ou au théâtre. Ce public sera-t-il déstabilisé par l'écriture «non figurative» de Claude Gauvreau? Ou, au contraire, suivra-t-il le comédien dans son aventure audacieuse?

«Je ne le sais pas, c'est ma grande inconnue, répond Girard. Est-ce que les gens vont prendre le bateau, embarquer dans le train? Mais peu importe ce qui va arriver, je serai toujours fier d'avoir fait ça. C'est un projet auquel je tenais, je voulais aller ailleurs, faire autre chose de non conventionnel.

«On veut vaincre la peur de Gauvreau, reprend-il en riant. On pense qu'en mettant ses textes en musique, on va les rendre plus accessibles, que ça va ajouter à la musique de ses poèmes. Oui, la bouchée est grosse. En même temps, c'est ça qui est intéressant. On ne dérange pas le monde pour des niaiseries.»

Rémy Girard est convaincu que Claude Gauvreau donnerait son aval au spectacle. La preuve, dit-il, Gauvreau a confié un de ses textes à Robert Charlebois pour qu'il en fasse la chanson *Trop belle pour mourir.*

«Dans le dernier texte qu'on lit de lui dans le spectacle, une lettre très touchante à Borduas, Gauvreau dit en substance: "Tu penses que je suis masochiste, que je fais exprès pour provoquer, mais faites l'effort de publier mes œuvres, faites l'effort de les lire, faites-en une critique adéquate et vous verrez si je suis malheureux!!!" Le mythe de Claude Gauvreau, le poète qui ne voulait pas être publié, qui ne voulait rien savoir du succès, est totalement faux. D'ailleurs, je le sais aussi de son frère Pierre…»

Alain de Repentigny, «Qui a peur de Gauvreau?», *La Presse*, 5 avril 2008, cahier Arts et spectacles, p. 2 et 3.

LES CHANSONS

Claude Gauvreau

- *Jamais le Dé Noro* (1950-51, jazz swing)
- *Mycroft Mixeudeim* (extrait de *La charge de l'orignal épormyable,* 1956, rock and roll)
- *Aurore de minuit aux yeux crevés* (1950-51, rhythm and blues)
- *Flortandre* (1954, ballade folk)
- *Saint-chrême durci au soleil* (1950-51, boogie woogie)
- *La jeune fille et la lune* (extrait, 1944-46, valse)
- *Les quêteux disloqués* (1944-46, rockabilly)
- *Les feuilles de magnolias* (1954, moderne contemporain impressionniste satien)
- *Sous nar* (1950-51, samba)
- *Une journée d'Érik Satie* (extrait, quelque part entre 1952 et 1961, ballade impressionniste satienne)
- *Primemaya* (1950-51, impressionniste français)
- *Les L de plomb* (1950-51, grégorien contemporain)
- *Ode à l'ennemi* (1950-51)
- *Ange métorfoze sur les dalles* (1950-51, hip-hop)
- *Le soldat Claude* (extrait, 1944-46, shuffle zappaïen ou le cauchemar du contrebassiste)

Entre parenthèses, on peut lire la période de création du texte de chaque chanson ainsi que son genre musical dans les mots du compositeur Jean Fernand Girard. Tous ces textes, poèmes ou extraits de pièces de théâtre, font partie des *Œuvres créatrices complètes* de Claude Gauvreau (Éditions Parti pris, 1971) [...].

Répertoire ✚

Lire de la poésie

- Il existe une quantité infinie de poèmes à lire et à apprécier. Les recueils et les anthologies que vous trouverez en bibliothèque et en librairie favoriseront vos découvertes. Les recueils vous permettront de vous familiariser avec un univers poétique en particulier. Pour trouver un recueil, faites une recherche par nom d'auteur. Les anthologies, quant à elles, vous donneront accès à des poèmes regroupés par pays, par thème ou chronologiquement, etc. Pour trouver une anthologie, orientez votre recherche selon vos champs d'intérêt, par exemple, «poèmes et rire» pour une anthologie thématique, «poésie francophone du XXᵉ siècle», pour une anthologie par langue et par époque, «poètes africains» pour une anthologie par pays ou continent.

Écouter de la poésie

- On assiste actuellement à un regain d'intérêt pour les lectures et les récitations poétiques. Profitez-en pour vivre en direct une expérience verbale et sonore. Renseignez-vous sur ces événements dans les pages culturelles des journaux locaux. Surveillez aussi les événements, telles les soirées slam, qui sont organisés plus spontanément et qui souvent sont annoncés dans les lieux mêmes où ils se déroulent. Qui sait, peut-être irez-vous jusqu'à monter sur scène à votre tour.

Écrire de la poésie

- Si vous désirez écrire de la poésie et ne savez pas trop par où commencer, vous pourriez participer à un atelier de création poétique. Ce lieu d'expérimentation vous permettra d'exercer vos habiletés et de développer votre potentiel créateur. Renseignez-vous auprès de votre professeur de français pour savoir où se déroule ce type d'atelier ou même pour en créer un.

- Il existe de nombreux concours ouverts aux jeunes poètes auxquels vous pouvez participer, par exemple celui organisé chaque année par l'Association québécoise des professeurs de français. Votre professeur de français pourra vous fournir des renseignements à ce sujet.

Le film *Éclipse totale* (1995) retrace la relation tumultueuse d'Arthur Rimbaud (Leonardo di Caprio) et de Paul Verlaine (David Thewlis).

Comme si
vous y étiez

DOSSIER 4

Les reporters mettent à votre service

Leurs cinq sens
Leurs compétences
Leur curiosité
Leur soif de vérité

Au bout du monde
Ou dans le voisinage
Ils ont rendez-vous...

Beauté, Plaisir
Drame, Angoisse
Injustice, Cruauté, Terreur
Les attendent au détour.

Sommaire

■ correspond aux clés de lecture

PAGE PRÉCÉDENTE : Angus McBride, *Le danger, ils connaissent ! Leur métier : chasseurs de nouvelles dans le monde entier !*, 1969.

FESTIVAL AU DÉSERT D'ESSAKANE

Un festival
au bout du monde

Dans le circuit culturel planétaire, on dit du Festival au désert d'Essakane
qu'il est «le plus lointain des festivals». En janvier dernier, quelque 10 000 campeurs
— nomades touaregs, mordus de musique malienne ou intrépides voyageurs —
se sont donné rendez-vous dans la portion malienne du Sahara,
pour la huitième présentation de cette rencontre internationale,
à deux heures de piste de la mythique ville de Tombouctou. *La Presse* y était.
Et, contrairement à nombre d'explorateurs du XIVe siècle, elle en est revenue...

Sylvie St-Jacques
ENVOYÉE SPÉCIALE
MALI

L'artiste malien Toumani Diabaté.

I l y a de ces événements qui ne surgissent que très fortuitement dans une vie. Par exemple : partager sa natte et quelques plats de brochettes et de «riz sauce» avec un musicien italien, un voyageur des Canaries, une photographe espagnole, un guérisseur-féticheur malien et son apprenti du village voisin.

5 Pendant trois jours et trois nuits, le Festival au désert d'Essakane au Mali reproduit un village global où les Touaregs à dos de dromadaire côtoient les globe-trotters en bermudas. La musique, dénominateur commun de tous ces festivaliers, résonne d'une dune à l'autre jusqu'aux heures tardives de la nuit, rythmant le ballet céleste des étoiles filantes. À Essakane, on prend le thé sur la dune avec un nouvel ami touareg, on apprend à négocier dur avec les 10 tenaces vendeurs d'artisanat, on danse jusqu'à l'aube sur la musique de Tinariwen, on se laisse porter par le mouvement des griots traditionnels… Ce faisant, on apprend quelques mots de bambara (langue nationale malienne) et de tamachek (la langue des Touaregs), même si à peu près tout le monde peut se débrouiller en français.

Au Festival au désert, le sourire béat plaqué sur la bouille des festivaliers devenus 15 campeurs touaregs sert de langue universelle. C'est que la majorité d'entre nous sont tout simplement ébahis (ou soulagés !) d'être finalement arrivés à destination. Pour franchir la soixantaine de kilomètres qui séparent Tombouctou de l'oasis d'Essakane, il y a évidemment le «forfait dromadaire», moyen de transport privilégié par les Touaregs. Les Occidentaux adeptes de la méthode motorisée, eux, se serrent comme des sardines dans des 4X4 aux 20 conditions variables.

Pourquoi diable faire la route jusqu'au fin fond du désert ? Parce qu'Essakane, c'est tout simplement la Mecque des festivals de musique malienne. Aussi, parce que le nom de Tombouctou a un attrait irréel. Et bien sûr, parce qu'en matière de dépaysement, on peut difficilement imaginer mieux.

25 On débarque au Festival au désert incrédule et désorienté. Autour de nous, les dunes, les tentes en coton blanc, les dromadaires aux parures élégantes, les équipes de tournage européennes et des griots nous frappent par leur étrangeté. Mais rapidement, on cède à un certain état de grâce, envoûté par l'immensité du désert. Et avec notre turban touareg coloré pour protéger la tête du soleil – véritable emblème du festival ! – on devient tous un 30 peu nomades. L'Afrique, devenue si festive et rassembleuse, n'a plus rien à voir avec les images de guerre et de famine que nous transmet incessamment le bulletin de nouvelles. Façon comme une autre de dire que le PIB du Mali est inversement proportionnel à la richesse de sa culture…

Pour Ellie, animatrice de radio new-yorkaise, le transport routier Bamako-Essakane a duré 35 quatre jours et demi dans un 4X4 qui brisait continuellement. Dépitée ? Bien au contraire. La joviale cinquantenaire était simplement euphorique à l'idée d'assister aux concerts de Vieux Farka Touré et Tinariwen. «Ce sont les musiciens que j'écoute continuellement chez moi.»

Ali, jeune nomade touareg de 18 ans et fana de rap malien, semble quant à lui tout à fait disposé à élargir son cercle d'amis. Et alors que nous escaladons tranquillement la dune 40 offrant le meilleur point de vue sur la scène principale, il partage ses impressions sur l'ouverture internationale de «son» festival. «Ça me plaît, ces gens qui viennent de partout. On parle de tout : du désert, de la vie…»

L'ORIGINE DU FESTIVAL

Mamatal Ag Dahmane, l'un des programmateurs du Festival au désert, fait partie d'une 45 classe «hybride» de Touaregs autant hommes d'affaires que nomades. Plusieurs mois par année, il sillonne l'Europe, portable à la main, pour faire la promotion du festival. Le reste du temps, il part en caravane dans le Sahara.

Entre deux coups de fil, terré dans sa tente où il se protège du soleil de plomb, Mamatal nous raconte l'origine du Festival au désert.

«Le festival a commencé comme une fête traditionnelle touareg organisée trois jours après la fête de Tabaski. Au moment de la rébellion – au milieu des années 90 – le festival a été interrompu, parce que les Touaregs ont été contraints de se réfugier dans les pays frontaliers. Au retour des réfugiés, on a voulu reprendre cette fête tout en l'ouvrant au monde extérieur et en gardant sa base traditionnelle.»

Sept ans après son retour, le Festival au désert a une programmation composée de 50 % de musique traditionnelle, 25 % de musique africaine (tous pays confondus) et 25 % d'artistes «hors Afrique». 9000 festivaliers étaient Maliens (ou Touaregs) et 1000 étaient des Occidentaux. Si l'événement était gratuit pour les Maliens, les «touristes» venus de l'étranger devaient débourser l'équivalent de 400 $ canadiens pour l'hébergement en tentes (matelas inclus!), la bouffe et l'eau minérale. Les organisateurs du Festival étaient d'ailleurs surpris par la forte affluence médiatique, puisque quelque 150 journalistes couvraient l'événement. Même le magazine *Vogue* s'y est pointé, pour faire un *shooting* photo.

RENCONTRE UNIQUE DES CULTURES

Pourquoi un tel «buzz»? L'article sur le Festival, publié dans le numéro de juin 2007 «spécial Afrique» du magazine *Vanity Fair* n'était sûrement pas étranger à cet intérêt soudain...

Le public du Festival au désert d'Essakane.

«Cela nous étonne un peu que les gens soient si intéressés par les Touaregs», reconnaît Mamatal Ag Dahmane, qui se réjouit néanmoins de cette rencontre unique des cultures. «Dans notre culture, les étrangers sont toujours les bienvenus et ont la priorité.»

Un peu plus tard, dans une grande tente destinée au repos des festivaliers, nous croisons un cinéaste qui fait la sieste, un journaliste pigiste américain qui cause de bouddhisme avec une voyageuse scandinave et une chorégraphe française qui décrit son travail à un griot malien. Et tout à coup, surgit le cortège d'un groupe traditionnel dogon talonné par une équipe de tournage européenne...

[...]

Au coucher du soleil, tous se retrouvent sur la dune, pour applaudir le spectacle des courses de chameaux. Et c'est lorsque le ciel du désert se tapisse d'étoiles que le Festival au désert prend vraiment son envol, avec en rafale des prestations de Vieux Farka Touré, Tiken Jah Fakoly, Toumani Diabaté... Et en marge de la grande scène centrale, des petits concerts intimes s'improvisent tout près des tentes.

Dont celui, magnifique, de quelques membres de Tinariwen réunis autour d'un thé africain. Ce qui fait pétiller de bonheur les regards des nombreux amateurs de musique malienne qui ont fait le voyage au Mali spécialement pour vivre ce genre de moment. C'est qu'après tout, comme le résume Rob Egan, ethno-musicologue de Victoria, «c'est la plus belle musique au monde.»

Sylvie St-Jacques, «Festival au désert d'Essakane:
Un festival au bout du monde», *La Presse*, 9 février 2008,
cahier Arts et spectacles, p. 8.

LES DIEUX GRAS DOUBLE DU JAP●N

CAROLYNE PARENT

Collaboratrice du *Devoir*

Tokyo — Six fois par année, la fièvre du sumo s'empare du pays du Soleil levant à raison d'autant de tournois, dont trois se déroulent en janvier, mai et septembre à Tokyo. Cette forme de lutte où deux adversaires gras double s'efforcent de s'expulser l'un l'autre d'un petit ring attire à la fois connaisseurs et étrangers curieux. Tant et si bien qu'un tour-opérateur nippon leur offre depuis peu l'occasion d'assister à une séance d'entraînement de sumo dans la capitale.

Nous voici donc chez l'oyakata – ou maître – Arashio, qui dirige une des 54 écuries de sumo de la mégapole. Depuis 7 h 30 ce matin s'y entraînent sans relâche de jeunes lutteurs, ou rikishi. La pièce
5 est grande comme votre salon. Le sol est couvert de sable. Un cercle de 4,5 mètres de diamètre délimite le dohyo, ou l'enceinte sacrée de combat. Oui, sacrée, car le sumo était à l'origine pratiqué lors de festivals dans les sanctuaires shintoïstes,
10 raconte la guide Mariko Yamaoka, où, traditionnellement, on saupoudrait le ring de sel pour le purifier. «Lorsque le lutteur frappe fortement le sol un pied après l'autre, c'est pour éloigner les mauvais esprits et ainsi le purifier», ajoute-t-elle.

15 Pendant environ deux heures, installés sur une estrade en bordure du ring d'entraînement, nous observerons en silence, afin de ne pas les distraire, les jeunes lutteurs s'affronter les uns après les autres. Suant à très grosses gouttes, ils s'empoignent sans
20 ménagement et, la tête contre l'épaule de l'adversaire, tentent de pousser celui-ci hors de l'arène ou encore de l'obliger à toucher le sol. Pour ce faire, ils auront recours à une des 82 techniques qu'a recensées l'Association de sumo du Japon. Comme les
25 rikishi déploient une force inouïe, les combats se déroulent à la vitesse de l'éclair. À peine a-t-il repris

son souffle que le gagnant choisit son opposant, et c'est reparti pour une autre séquence de prises et de poussées. Fascinant!

Point de rififi chez les rikishi

30 Une fois l'entraînement terminé, nous nous retrouvons à l'étage, histoire de partager une soupe-repas des plus consistantes appelée chanko et que les lutteurs consomment deux fois par jour.
35 Le maître Arashio explique, par l'entremise de notre guide-interprète, qu'il est de son devoir non seulement de veiller à l'entraînement rigoureux de ses protégés mais aussi de les loger, de les nourrir et de les blanchir. Il en a huit sous son toit depuis
40 2002, qu'il a choisis en raison de leur endurance et de leur potentiel de puissance. Avis aux intéressés: pour se qualifier, il faut avoir entre 15 et 22 ans, mesurer au moins 1,67 mètre, peser au bas mot 75 kilos et ne pas craindre de doubler de poids.

45 L'écurie Arashio, comme toutes les autres, est soutenue financièrement par l'association, qui lui verse des subventions calculées en fonction du rang de ses lutteurs. Ces derniers vivront d'ailleurs avec lui jusqu'à ce qu'ils soient assez bons pour
50 obtenir un salaire décent. À partir du niveau juryo, par exemple, un rikishi peut gagner jusqu'à un million de yens (9500 $) par mois et voler de ses propres ailes. Mais le titre qu'il convoite est bien sûr celui de yokozuna, ou champion suprême, qui fera
55 de lui un véritable héros national.

«Et quand une écurie ne compte pas assez de lutteurs pouvant lui assurer de bons revenus, elle accueille les touristes!», lance, mi-sérieux, l'ancien champion Arashio. Quelle chance alors pour ces
60 derniers, a-t-on envie de lui répondre.

Carolyne Parent,
«Les dieux gras double
du Japon», *Le Devoir*,
17 novembre 2007.

COMME SI VOUS Y ÉTIEZ **137**

L'AUSTRALIE
à la manière aborigène

Vous avez déjà mangé des sucs collants sécrétés par des termites ?
Ou soufflé dans un didgeridoo ? Vous vous êtes déjà lancé dans des bassins d'eau claire
du haut de parois rocheuses ? Vous avez déjà léché de drôles de fourmis vertes
qui goûtent le citron pour prendre votre dose de vitamine C ? Non ?
Mettez le cap sur le Territoire du Nord, en Australie.

Ici, oubliez les plages et le surf. Nous sommes au cœur de l'Australie de Crocodile Dundee. Une région sauvage, surprenante, qu'il est bon d'explorer en compagnie des habitants qui la connaissent le mieux : les aborigènes.

Notre guide s'appelle Genda. Au volant de son 4x4 identifié aux couleurs du tour opé-
5 rateur, il grille les cigarettes l'une après l'autre en brûlant le bitume du parc national Litchfield.

Une trappe à touristes, l'exploration du parc en compagnie d'un aborigène ? Nous nous le demandions, jusqu'à ce que notre guide arrête brusquement son véhicule avant de faire demi-tour, puis d'en sortir en courant pour s'enfoncer dans la forêt en nous faisant
10 signe de le suivre.

Nous le suivons tant bien que mal. Genda ralentit la cadence et avance maintenant à pas feutrés, le nez en l'air : de toute évidence, il est à la recherche de quelque bestiole perchée dans les arbres.

15 Il bondit soudain avec une souplesse étonnante avant d'atterrir. Une vision à vous faire sortir le cœur de la cage thoracique. Il tient par la queue un dragon, littéralement, qui se débat furieusement, la gueule béante.

Un lézard à collerette, ou dragon d'Australie, nous
20 apprend-il une fois que notre pouls a repris une cadence raisonnable. Le mystère, cependant, n'est qu'à demi éclairci. Car le fait qu'il ait pu apercevoir l'animal à partir de la route force le respect.

Baignade idyllique

25 Genda vient de gagner notre confiance, et c'est sous son œil de lynx que nous accep-
tons de piquer une tête dans des trous d'eaux idylliques bordés de cascades, mais où des écriteaux nous mettent en garde contre la présence possible de crocodiles. Ou de sauter du haut de parois rocheuses pour aller faire de grands « splashs » dans des bassins d'eau claire.

La visite réserve d'autres surprises. Comme lorsque Genda nous incite à suivre son
30 exemple et à pincer de drôles de fourmis par la tête question de lécher leur abdomen vert fluo. Ça goûte le citron et c'est bourré de vitamine C, nous explique notre guide.

Plus loin, c'est un champ de termitières qui se dessine. Les termites, dites magnétiques, ont aligné leurs constructions de plusieurs mètres de hauteur selon un axe nord-sud. L'ensemble a des allures de pierres tombales dressées dans la forêt, et est fort peu rassurant.

35 Il l'est encore moins lorsque Genda plonge un bâton dans une termitière et le ressort couvert de ses habitants. Ceux-ci secrètent un liquide collant qui ressemble à de la gui-
mauve. Encore une fois, il faut goûter : ce sont nos besoins en calcium qui le commandent.

Ne reste qu'à terminer la journée au marché de nuit de Mindil Beach, à Darwin. La seule ville des environs s'avère vibrante d'énergie. Par sa bouffe, son artisanat, ses spec-
40 tacles et ses couleurs, le marché dégage un exotisme dépaysant pour une ville australienne.

Pas surprenant lorsqu'on pense que là-bas, au-delà de la plage, c'est l'Indonésie. Et que Melbourne, elle, est à des milliers de kilomètres derrière.

Philippe Mercure, « L'Australie à la manière aborigène »,
La Presse, 22 décembre 2007, cahier Vacances/Voyage p. 6.

Le dodo de Simon

Katia Gagnon

Katia Gagnon

Simon est collé sur Annie Lacasse, l'éducatrice en service ce soir. Elle lui lit une histoire, de sa belle voix douce. Une petite musique joue à l'étage. Il est 20 h. C'est l'heure d'aller dormir.
5 Simon veut un verre d'eau. Son camion. Il veut enlever son pyjama. En fait, ce que Simon veut surtout, c'est ne pas se coucher.

C'est que Simon a une compagne de lit très remuante : son angoisse. Une anxiété dévorante,
10 qui l'inonde au moment d'aller dormir. Le lit, la chambre, le noir : ça lui rappelle probablement de très mauvais souvenirs.

Quand il était hébergé en centre, il y a quelques mois à peine, ses éducateurs ne venaient généralement pas à bout de lui avant 1 h du matin. Quand venait
15 l'heure du dodo, il hurlait. Il courait partout. Cognait dans les portes. Lançait tout ce qu'il y avait à sa portée. Il finissait généralement à la salle d'isolement, dans ce qu'on appelle là-bas le bloc de retrait.

Le petit bonhomme de 5 ans finissait par tomber d'épuisement dans cette petite pièce. Les éducateurs le prenaient et l'emmenaient dans son lit.

20 Quand il est arrivé à la Maison, le premier soir, il a réclamé le bloc de retrait. «Il n'y en a pas. C'est une maison ici», lui a répondu Chantal Parent, éducatrice.

Au début, quand Simon est arrivé à la Maison, les éducatrices ont fini très tard. «On a essayé toutes sortes de stratégies. Finalement, on a fait exactement ce que les livres de psychologie disent de ne pas faire : on l'a accompagné jusqu'au som-
25 meil», explique Emmanuelle Courcy, spécialiste en réadaptation psychosociale.

Après quelques mois de ce régime, Simon a fait des progrès. Mais sa routine de dodo est encore réglée au quart de tour. À 6 h 45 : médicament. Une dose de sédatifs qui cognerait un adulte normal pendant sept heures. Après le bain, il sera toujours, toujours à proximité d'un adulte, chargé de le placer dans l'environ-
30 nement le plus calme possible.

Mais le moindre grain de sable dans cette mécanique bien huilée peut provoquer un cauchemar.

Ce soir, donc, il est avec Annie. Elle le transporte sur son dos en faisant le vieux cheval fatigué jusqu'à son lit. Simon veut son toutou-girafe. Il ne trouve pas le
35 toutou. Annie ne trouve pas le toutou. Katia ne trouve pas le toutou.

Simon s'énerve. Il crie. Saute sur son lit. Veut aller faire pipi. Retourne dans sa chambre.

Ce toutou-girafe sera, pendant plus d'une heure, le point central autour duquel tournera la Terre de Simon. Rien d'autre ne compte. C'est une obsession, 40 un hamster qui tourne sans fin dans sa petite roue.

Dans toute cette tourmente, Annie garde son calme. En fait, elle est plus calme que n'importe quel parent, qui aurait déjà pété les plombs au moins cinq fois.

Elle se poste avec une chaise devant la porte ouverte de Simon, qui continue 45 son manège. Elle se frotte les yeux, puis se tourne vers moi. «Ça, c'est un super beau coucher. Avant, si on n'avait pas trouvé le toutou, il aurait tout cassé», dit-elle.

Mais pourquoi t'es là, assise devant la porte, Annie? «On se met devant sa porte parce qu'avant, il courait dans la chambre des autres et leur sautait dessus 50 pour les réveiller. Il est très vite», explique-t-elle. Bref, non seulement Simon ne dormait pas, mais il faisait un sérieux bordel dans toute la maisonnée.

Il se met à crier. Louise Chaput, l'autre éducatrice, tente de fermer la porte pour ne pas réveiller les autres. «NON», hurle Simon. Il s'arc-boute entre la porte et le cadre. «Reste ici», crie-t-il à l'intention d'Annie. Elle le prend dans ses bras. 55 Se couche pratiquement avec lui dans le lit. Elle lui caresse les cheveux. Tout doucement, imperceptiblement, Simon s'apaise. «Je veux ma girafe», murmure-t-il. «Demain», chuchote Annie.

Et finalement, à mon immense surprise, il dit: «Je veux Katia.»

Ce soir-là, Simon m'a fait un cadeau. Il a consenti à s'endormir pendant que 60 moi, je lui caressais les cheveux.

Quand je suis arrivée chez moi, je suis allée caresser les cheveux de mes propres enfants.

Et j'ai pleuré.

Katia Gagnon, «Le dodo de Simon»,
La Presse, 11 septembre 2007,
cahier Nouvelles générales, p. A8.

LES ANGES GARDIENS DE MONTRÉAL

Katia Gagnon

Ils arpentent les bas-fonds de Montréal.
Ils se mettent du Vicks sous les narines pour entrer
dans des taudis aux planchers couverts de déjections. Ils découvrent
des vieilles dames atteintes de démence emmurées dans leur logement.
Ils négocient avec des paranoïaques sur le point d'exploser.
Ils sauvent des sans-abri à moitié gelés dans la rue. Ils restent avec des bébés
dans les bras quand les mères sont emmenées à l'hôpital, attachées sur des civières.
Ils sont les pompiers de la santé mentale, les anges gardiens de Montréal.
Nous avons passé trois jours avec eux.

Quand sa nièce de 12 ans lui a demandé ce qu'il faisait dans la vie, Michel D'Astous a opté pour la franchise. «J'emmène des fous dangereux à l'hôpital», a-t-il répondu à la gamine. Depuis quatre ans, l'infirmier spécialisé en psychiatrie fait partie de l'équipe Urgence psychosociale-justice, UPS-J. Un organisme fondé il y a 10 ans à la demande des
5 policiers, qui réclamaient de l'aide pour les interventions, de plus en plus nombreuses, impliquant des personnes atteintes de troubles mentaux. «Les coucous», comme les surnomment les policiers.

L'équipe d'une trentaine d'intervenants, qui œuvre sept jours sur sept, jour et nuit, est constamment sur la brèche. Leur but: amener la clientèle à accepter les soins. Ils traînent
10 avec eux leur petite trousse de survie. Un lexique de médicaments, un imposant bottin

de numéros de téléphone: hôpitaux, CLSC, DPJ. Des masques, des gants, des couvre-chaussures et du Vicks, pour les interventions en milieu insalubre. Et, bien sûr, un cellulaire, la ligne d'urgence d'UPS-J.

Nous sommes dans une maison de l'est de Montréal, destinée aux jeunes qui veulent se sortir de la rue. Les intervenantes ont appelé UPS-J, car elles sont inquiètes. Tara, une jeune fille de 19 ans, enceinte, a des comportements franchement bizarres.

On l'entend souvent crier de sa chambre. Hier, à la cuisine, elle a eu une longue conversation avec une orange. Et, il y a quelques jours, est survenu ce bizarre incident du couteau qui a «glissé», laissant une belle estafilade sur son poignet.

La porte de la chambre s'ouvre. Tara est là, jolie fille, impeccablement habillée et maquillée, dans cette chambre minuscule où trône une belle collection de poupées. Son t-shirt court laisse voir son ventre proéminent. «Bonjour, je suis infirmier. Je suis ici pour t'aider», lui dit gentiment Michel D'Astous, flanqué de sa coéquipière, Martine Bergeron, criminologue de formation.

Tara semble surprise. «M'aider? Mais comment?» dit-elle en battant des cils. Plus la conversation avance, plus la jeune fille apparaît troublée. Elle passe de l'agressivité à l'angoisse la plus totale. Soudain, elle se tourne vers la fenêtre. «Vous avez entendu?» lance-t-elle. Personne n'a parlé. «Qu'est-ce qu'ils ont dit?» demande Michel. «Je ne sais pas, je ne sais pas. Souvent, les voix me traitent de salope», chuchote-t-elle en roulant des yeux.

«Mes problèmes ont commencé en même temps que mon ventre», dit-elle. Elle a dit aux intervenantes, il y a quelques jours, qu'elle avait l'impression «qu'un insecte lui rongeait l'intérieur». Appuyés au chambranle de la porte, Michel et Martine lancent délicatement leurs lignes. Ils tentent, imperceptiblement, de créer une alliance avec Tara afin de la convaincre de se rendre à l'hôpital pour voir un psychiatre. Rien à faire.

Elle finit par leur claquer la porte au nez. Ils n'insistent pas, de peur que la jeune fille quitte la ressource pour se retrouver de nouveau à la rue. «Il ne faut pas qu'elle accouche dans le banc de neige», dit Michel D'Astous.

Que faire? C'est ce que les intervenantes de la maison, qui ne sont pas des spécialistes de la santé mentale, se demandent. Réponse: pour l'instant, rien. «Elle se désorganise lentement mais sûrement. Mais il faut qu'il y ait d'abord des éléments de perte de contrôle», leur explique Michel.

Seule option possible: la requête en évaluation psychiatrique. Deux jours plus tard, avec d'autres éléments «inquiétants», Tara, sur ordre du tribunal, sera emmenée de force à l'hôpital.

«Les gens font de la pensée magique. Ils croient qu'en nous appelant, on va tout régler. Mais on fonctionne dans un cadre légal très précis», explique Michel D'Astous. À moins de poser un danger grave et immédiat, personne ne peut être amené contre son gré devant un psychiatre. «Souvent, on est obligés de repartir les deux mains dans les poches. On ne peut même pas donner un numéro de téléphone, la personne n'en veut pas!» dit Martine Bergeron.

Même quand on réussit à convaincre le malade de se rendre à l'hôpital, rien ne dit qu'il va y recevoir des soins. Nathalie Yvon, qui fait partie de l'équipe d'UPS-J, se souvient très bien du cas de «Peter Parker», un sans-
60 abri qui se prenait pour Spider-Man et qui a fait l'objet d'une quinzaine d'interventions. Jamais les hôpitaux ne l'ont gardé plus de quelques heures. «Il a fini par agresser quelqu'un. Le juge l'a envoyé à l'institut Pinel. Il y est resté plusieurs mois», raconte Mme Yvon.

65 «Les hôpitaux nous disent souvent: il n'est pas suffi-samment dangereux, on ne le garde pas. Il arrive que les gens ne soient même pas vus par un psychiatre», dit Jason Champagne, chef d'administration du pro-gramme UPS-J.

70 Et, parfois, les intervenants «découvrent» littéralement des malades dont le réseau de la santé ignorait l'existence. Comme Madeleine Aubut, 86 ans. La vieille dame, qui vit seule, a crié à ses voisins d'appeler la police après que quatre inconnus furent entrés dans son logement. Le problème, c'est qu'il n'y avait personne. Mme Aubut, à un stade avancé de la maladie d'Alzheimer, avait des hallucinations.

75 Depuis deux mois, elle ne prenait plus ses médicaments contre l'hypertension. Sa pression était dans le plancher. Après l'intervention des policiers, qui ont appelé UPS-J, Mme Aubut s'est enfin retrouvée là où elle aurait dû être depuis longtemps: à l'hôpital.

«On est des anges gardiens dans cette ville-là. Avec les appels, on finit par trouver par-fois des vieilles personnes qui se nourrissent aux biscuits soda et qui n'ont pas enlevé leurs
80 pantoufles depuis un an», dit Michel D'Astous.

Les intervenants d'UPS-J sont confrontés à ce que la société a de pire. Pauvreté, toxi-comanie, prostitution, taudis. Lors de notre passage, Yolande Riendeau, intervenante d'expérience, revenait tout juste d'une intervention pathétique. La locataire, atteinte d'une maladie dégénérative, héberge depuis peu un ami. L'auxiliaire familiale du CLSC
85 croit que ce nouveau conjoint l'exploite et la brutalise. En plus, son propriétaire menace de l'expulser.

L'appartement est effectivement un taudis, constellé de culottes d'incontinence souil-lées, d'assiettes cassées et de bouteilles d'alcool. […] Elle se croit en 1986. Son nouveau conjoint a vendu tout ce qui se trouvait dans l'appartement. […] Il se dit peintre et déclare
90 «qu'il a fait de grandes choses pour l'humanité».

Au milieu de ce tableau d'horreur, la dame est euphorique. «J'avais l'impression de rêver, d'être dans une pièce de théâtre», raconte Mme Riendeau.

«Mais on n'avait aucun élément de danger grave et immédiat», raconte sa coéqui-pière, Isabelle Longpré.

95 Le CLSC continue de surveiller le cas. La famille a enclenché des procédures pour faire déclarer la dame inapte. D'ici là, si elle fait effectivement face à l'expulsion, les inter-venants d'UPS-J pourront revenir. Une femme en fauteuil roulant sans ressources jetée à la rue en plein hiver: cette fois, le danger sera grave et immédiat.

Katia Gagnon, «Les anges gardiens de Montréal»,
La Presse, 26 janvier 2008, cahier Plus, p. 2.

Le champion du monde
Éric Marchand.

Aux Îles-de-la-Madeleine, il faut toujours stationner sa voiture face au vent.
Sans quoi, les portières risquent de se tordre lorsqu'on les ouvre…

JEAN-SÉBASTIEN GAGNON

La Presse

C'est qu'il vente beaucoup sur cet archipel du Saint-Laurent. Les rafales de 50-60 km/h sont fréquentes. «Le vent est hyper constant», dit Éric Marchand, un gaillard de 37 ans qui a fondé dans 5 les Îles la première école de surf cerf-volant au pays.

Au-dessus des petites collines, que les gens d'ici appellent buttereaux, flottent chaque jour des voiles multicolores. Accrochés comme des pantins à leurs cordages, des kiters profitent du mistral. Le 10 spectacle est à couper le souffle: ces fous du blizzard glissent à des vitesses folles, ou s'élèvent comme des feuilles mortes jetées dans la bourrasque. À les voir, on se sent comme devant sa première bicyclette. On se dit invariablement: moi 15 aussi.

C'est dans la petite baie de Havre-aux-Maisons qu'a lieu le premier contact. En ce jour de février, il vente fort sur la mince étendue d'eau glacée. Cinquante, parfois 70 kilomètres à l'heure chargés 20 de neige. Tellement que le guide, Éric Marchand,

multiplie les mesures de prudence. Le cerf-volant qu'il nous tend, une voile gonflée à la main, ne mesure que trois mètres carrés. Un jouet, déjà paré au décollage. Il faut s'être déjà battu avec les 25 nœuds d'un kite, les doigts gelés par une température de -25 °C, pour comprendre tout le luxe que ça représente…

Éric, une toile de cinq m^2 entre les mains, garde les pieds bien sur terre. «Je sens que le kite pourrait 30 me lever assez haut.» Venant d'un ex-champion du monde de kiteski, ça veut dire entre sept ou huit mètres dans les airs. «De quoi se casser une jambe en retombant, ajoute-t-il en souriant. Et il faut que je reste en un seul morceau pour la photo…»

35 Muni d'un casque, d'une chaude cagoule, de lunettes et d'un harnais, on se sent plus comme un parachutiste qui s'élancerait au-dessus de l'Antarctique. Pendant qu'Éric patine comme un artiste, on traverse doucement la baie, glissant vers un cha- 40 pelet de maisons typiquement madeliniennes.

Il fait froid, bien sûr. Mais le kite est un sport où l'on dépense sans cesse de l'énergie. Pensez à une journée de ski où l'on ne s'arrêterait jamais pour le remonte-pente. Le corps se réchauffe bientôt, et on
45 se surprend même à suer. Seules les extrémités ont besoin d'une attention particulière. On se croit les doigts réchauffés dans leurs mitaines, mais en réalité, on ne les sent plus…

COUPE DU MONDE

50 Le soir, Éric et sa conjointe, Tania Berthelot, me reçoivent dans leur demeure. La maison est tapissée de souvenirs de voyage : Thaïlande, Bahamas, Belize… Pendant qu'ils préparent le souper, un écran plasma, niché dans un coin du salon, diffuse
55 un film de kite. Pete Cabrinha, Robbie Nash, Lou Waiman racontent leurs premiers pas sur les planches. Ce sport est tellement jeune ! En 2000, il était encore une curiosité. Ses pionniers, ceux qui ont levé les premières voiles dans le ciel d'Hawaii,
60 n'ont pas encore 40 ans.

Ces fous du vent affluent par centaines aux Îles, notamment durant la Coupe du monde de kitesurf, disputée chaque année au mois de septembre. C'est énorme si l'on considère qu'au Québec, 5000 per-
65 sonnes pratiquent de façon régulière la planche à voile.

« Le cerf-volant est la seule activité que l'on peut pratiquer par toutes les températures aux Îles-de-la-Madeleine, dit Éric, entre deux bouchées de
70 saucisse au loup marin. Quand il vente trop pour faire du kayak ou pas assez soleil pour aller à la plage, on peut toujours kiter. »

Selon Tania, on peut débuter dès l'âge de quatre ans. À l'expérience, on suggérerait d'en attendre
75 cinq de plus.

L'hiver, les activités reliées au cerf-volant ralentissent. Seulement une centaine de personnes franchissent les portes de leur école, surtout au mois de mars. Vrai qu'il faut être un brin fou pour affronter
80 la bourrasque dans le froid plutôt que par une belle journée de juillet.

Tous les cerfs-volistes rencontrés sont d'accord : c'est en mars qu'il faut déposer ses skis aux Îles-de-la-Madeleine. « La lumière est belle, les Madeli-
85 nots sortent de leur hibernation, dit Michel Fournier, 51 ans et formateur en paraski. La température est plus douce. La neige devient comme du gros sel, on peut atteindre des vitesses épeurantes. »

Jean-Sébastien Gagnon, «Les fous du blizzard»,
La Presse, 24 février 2008,
cahier Vacances/Voyage p. 10 et 11.

QU'EST-CE QUE LE KITE ?

Attachez un cerf-volant à un surf, à une planche à neige ou à des skis, et vous obtenez un nouveau sport de glisse : kitesurf, kiteski, kitebuggy. Les types de
5 voiles aussi se multiplient : cerf-volant à caissons, à boudins, kitewing, paraski. En été, certains le pratiquent même sur une trottinette ou en patins à roues alignées. Apparu pour la première fois en Nouvelle-
10 Zélande, ce sport est en train de réserver à la planche à voile le même traitement que le *snowboard* a servi au ski alpin. Les véliplanchistes se sentent subitement moins *cools* devant les kiters qui filent
15 plus vite et sautent plus haut, avec moins de vent, et dont l'équipement est plus léger. Un nouveau slogan est apparu sur les grandes plages du monde : *Windsurfing has been cancelled**. Au Québec,
20 le sport s'établit de plus en plus rapidement. Il suffit d'un champ balayé par la poudrerie pour lever une voile et commencer à glisser. L'été, les kiters se retrouvent à Salaberry-de-Valleyfield,
25 Deux-Montagnes, Beauport et, bien sûr, aux Îles-de-la-Madeleine.

*La planche à voile, c'est terminé !

Un rêve de gamin

NOTRE JOURNALISTE S'ÉCLATE À LA COURSE DES MÉDIAS

Michel Corbeil

Moi, Michel Corbeil, journaliste et, apparemment, sain d'esprit, je me demandais ce que je faisais là, hier matin, sur la place Royale, debout sur
5 mes patins, vêtu de mon «stock de hockey», à contempler un tout petit bout de piste glacée qui plongeait dans le vide. Vraiment, je me le demandais.

Heureusement, le temps passe vite
10 sur une patinoire, surtout lorsqu'elle est en plan incliné. Et deux instants plus tard, l'animatrice de la course réservée aux représentants des médias annonçait que mon moment de gloire était venu.
15 Je m'élançais.

Le parcours est un ruban de glace de 536 mètres. Il se déroule depuis le Château Frontenac pour aboutir tout en arrière de la place Royale, dans le Vieux-
20 Québec.

Évidemment, question de ménager leurs facultés, le segment réservé aux journalistes, dont certains venus de Finlande et du Mexique, se démarque par
25 ses dimensions modestes : 134 mètres, une seule descente en piqué, une marche surélevée et un dos d'âne.

Ou quelque chose comme ça. Je n'ai pas pris de notes au passage, vous
30 comprendrez.

Au «go !» de circonstance, me voilà qui enfonce mes lames du mieux que je le peux, direction l'escalier glacé. Ça s'appelle le *Crashed Ice* mais, si vous
35 voulez mon avis, le terme ne me semble pas tellement approprié.

La glace n'est ni pilée ni écrasée, au sens où l'entendent les piliers de bars. Elle est plutôt très dure, un peu rabo-
40 teuse et parfaite pour ce sport de glisse nouveau genre.

Je m'approche de la *drop*, si vous me passez l'expression. Pendant les courts moments de pratique, les volontaires ont été à même de constater que la côte est raide. Surtout pour la remonter en vue de prendre position au départ. On a tout intérêt à avoir aiguisé ses patins.

45   Je m'égare. La bosse arrive et me v'là en plein d'dans. Une seule pensée: garder le centre de gravité bas et les genoux pliés pour passer les obstacles sans tomber. Tomber, ce n'est rien. Nous avons revêtu un équipement de hockeyeur après avoir signé une décharge de responsabilité pour blessures, invalidité totale ou partielle et, évidemment, décès.

Mais tomber devant ses enfants, oh là! Et tomber devant tous les collègues du bureau,
50   attirés par l'odeur du sang, jamais!

J'y suis maintenant. Dans la pente que les vrais compétiteurs prennent peut-être à reculons, mais qui saisit un peu quand même quand on a l'impression de chuter dans le vide.

Revenons aux collègues. Le genre humain se classe en deux catégories à propos du *Crashed Ice*. Remarque féminine universelle: «Es-tu malade?» Remarque mâle, tout aussi uni-
55   verselle: «T'es chanceux, toé!»

Parce que le *Crashed Ice*, c'est avant tout un rêve de gamin. Débouler une rue transformée en patinoire, en pleine ville, ça relève du fantasme pour n'importe quel petit garçon qui a grandi au Québec. À plus forte raison dans notre capitale glacée et enneigée pendant tant de mois chaque année.

60   Ça y est. J'ai atterri après le saut de l'escalier. Je m'amène vers la ligne d'arrivée à une vitesse très légèrement inférieure à celle du son. Je passe les deux derniers obstacles. Comme ça, sans m'enfarger, sans perdre l'équilibre ou la face.

Le bonheur se veut fugace. Celui de ma descente a duré une éternité de 10 secondes et 13 poussières.

Michel Corbeil, «Un rêve de gamin», *Le Soleil*, 25 janvier 2008, cahier Actualités, p. 2.
Texte légèrement modifié à des fins pédagogiques.

INDE

LA RÉVOLTE DES
INTOUCHABLES

Vikash, champion de cricket, n'a pas survécu à la justice des castes.
Intouchable, il a défié les brahmanes. Son meurtre
sonne l'heure de la fronde des impurs. Reportage.

OLIVIER WEBER

Vikash rêvait d'être un champion de la batte. Un de ces rois du cricket tels Robin Singh ou Sachin Tendulkar, adulés sur toutes les pelouses du globe, acclamés par des millions de fans, de l'Australie aux Antilles. Une de ces gloires qui ont conquis le
5 monde et donné à l'Inde, à force de médailles et de coupes, ses lettres de noblesse sportives. À 21 ans, Vikash Man Singh, cheveux drus et muscles fermes, voyait déjà son chemin tout tracé, aussi lumineux que la Voie lactée le soir au-dessus de son village perdu de Santhagare, hameau de paysans intouchables dont il était la
10 fierté.

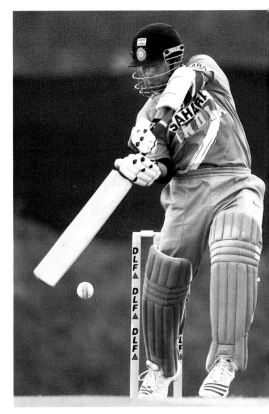

Le batteur indien Sachin Tendulkar
à Kuala Lumpur en 2006.

On vient le voir de loin, Vikash, de très loin ! «Un joueur rapide, fin tacticien», dit son ami Rajiv. Un entraîneur le repère, veut le suivre. Son équipe vient de gagner une médaille, celle du district, et Vikash est fier de l'arborer sur une photo de groupe
15 retouchée, sur fond de paysage suisse.

Pour vivre son rêve, Vikash a tout quitté. L'école, d'abord. Mais là, il n'avait guère le choix. Intouchable il est, intouchable il doit rester. Les bancs de l'école secondaire lui demeurent inaccessibles, faute de moyens, et en raison de l'ostracisme des hautes
20 castes, les fils de brahmanes, les dieux sur terre. Qu'importe. Vikash s'engage comme apprenti et devient charpentier à 15 ans. Il crapahute le jour sur les toits et court le soir sur les terrains de cricket. Pour 150 roupies par jour (4 dollars), il excelle dans son métier. 150 roupies, c'est un bon salaire dans le coin. De quoi aider son père, le pousseur
25 de rickshaw, qui connaît la dureté des jours sans clients et l'arrogance des gens de haute caste. De quoi payer aussi la case familiale, une bicoque de quatre mètres de côté dans laquelle s'entassent six personnes la nuit, parents, frères et belle-sœur. Vikash, lui, se soucie comme d'une guigne de ces conditions de vie misérables, de cette existence de paria. Lorsqu'il sera prince des gazons, lorsque le *Times of India* relèvera ses exploits, il
30 pourra enfin acheter un lopin de terre aux siens et une maison digne de ce nom.

L'impossible succès d'un paria

Mais le succès du beau gars aux yeux en amande commence à irriter les castes supérieures. Surtout les jeunes *thakurs* (l'une des hautes castes), qui enragent à chaque victoire engrangée par Vikash, ce joueur plus véloce que le vent qui descend des contre-
35 forts de l'Himalaya. Comment un paria ose-t-il défier l'honneur des seigneurs ? Comment peut-il faire mordre la poussière aux hommes purs ? Comment un sans-grade prétend-il gagner sur le terrain des suzerains, ceux qui font tourner le monde depuis trois mille ans ? À Santhagare, l'ordre demeure féodal. Les intouchables ne peuvent boire l'eau du puits des brahmanes et des bien-nés. Ils ne peuvent marier leurs enfants à ceux issus d'un sang
40 noble. Les processions à cheval sont interdites aux jeunes époux.

Les basses castes et intouchables doivent payer leurs incarnations antérieures et n'ont d'autre choix que de rester *dalit*, «le peuple brisé», le peuple des indigents, des vidangeurs de fosses communes, des équarrisseurs de viande. Le peuple impur des souillures qu'un brahmane ne peut approcher. Malgré les promesses du Mahatma Gandhi, «la grande âme
45 de l'Inde», lui-même brahmane mais qui voulait protéger les intouchables et les basses castes. Malgré la Constitution de 1950 de l'Inde indépendante, qui a banni le principe d'intouchabilité. L'esprit de caste demeure. Sa violence aussi, organisée ou pas, à Santhagare comme ailleurs dans l'Inde immuable, où un habitant sur six est intouchable, où un viol frappe toutes les six heures une femme *dalit*, où l'on compte huit crimes de castes chaque
50 jour. Les Églises chrétiennes s'offusquent de la recrudescence des exactions – 100 000 par an – contre les intouchables.

Une femme *dalit* devant le portrait du Dr Ambedkar.

Alors les jeunes seigneurs *thakurs* et *rajputs* du village voisin ont voulu rétablir l'ordre cosmique. Alors ils ont pris des bâtons et des battes de cricket puis, embarqués à moto et sur un tracteur, sont allés tendre un piège à Vikash et à Manesh, son camarade de jeu, dans
55 un bosquet, loin du village des impurs, près de la rivière. Les deux malheureux sont roués de coups, les agresseurs s'acharnant particulièrement sur Vikash. Les deux camarades sont

battus à mort, vidés de leur sang. À coups de batte, justice est faite. Celle des castes. Vikash n'achètera jamais une maison à sa famille.

Une femme brandit la statue du Dr Ambedkar pendant une manifestation en mars 2007.

C'est pour venger ces crimes de castes, pour contrer les exactions qui frappent les 160 millions d'intouchables en Inde, pour une population totale de 1 milliard d'hommes, qu'Udit Raj appelle à la révolte. Udit Raj, c'est un mélange de Gandhi et de vengeur par le droit. Un intouchable, fils de paysan pauvre, devenu haut fonctionnaire, l'équivalent d'un inspecteur des Finances, grâce à une volonté peu commune. À 42 ans, prolixe, nerveux et affable à la fois, il se place en héraut des parias, en Robin des bois des impurs. Le crime de Santhagare, il ne veut pour rien au monde le laisser impuni. Et il le fait savoir ! Les deux coupables, Karam et Yashpal Singh, ont déjà été relâchés sous caution. « La police est aux ordres des hautes castes. Mais nous, nous l'obligerons à arrêter les auteurs de ce massacre ! » tonitrue Udit Raj. Dans la ville voisine du lieu du crime, Saharanpur, les fidèles d'Udit Raj ont gardé les cendres des deux martyrs pour les arborer lors d'une grande manifestation.

Dans son appartement de New Delhi, constamment visité par des partisans et fidèles de sa caste, le « superparia » Udit Raj martèle son credo. Car le tribun du « peuple brisé », à la tête d'une association et d'un petit parti, le Parti de la justice indienne, entend fédérer tous les *dalits*. « Le système des castes, c'est pire que l'apartheid, qui, lui, est basé sur la couleur de la peau. Ici, nous sommes enchaînés pour des générations. Et ce que veulent les hautes castes, c'est perpétuer leur domination sociale et économique. Tout leur appartient, le pouvoir politique, les médias, l'industrie, la diplomatie, la justice… » À ses côtés, assise sur un canapé sommaire, sa femme approuve. Haut fonctionnaire, elle aussi, du ministère des Finances, elle est issue des castes intermédiaires. Et a bravé l'interdit familial pour épouser le défenseur des opprimés. « L'hindouisme sécrète la discrimination, poursuit Udit Raj. Il ne tolère aucune réforme. Surtout quand elle vient d'en bas, des impurs. »

Au pied de la maison délabrée, devant le jardinet, un homme patrouille, armé d'un fusil. C'est son garde du corps, qui le suit pas à pas. Depuis qu'il a lancé sa croisade, le héros des parias a été maintes fois menacé de mort. Ce qu'on lui reproche ? Non seulement de protéger les intouchables, mais aussi de les convertir au bouddhisme, comme le docteur Ambedkar, l'un des pères de la République indienne. Car tel est le rêve d'Udit Raj, lui-même converti : organiser une grande manifestation d'un million de personnes et leur parler de Bouddha, « avec une religion qui, elle, est basée sur l'égalité ». Selon Udit Raj, 400 000 Indiens auraient déjà échappé au *jati*, au système des castes, « la plus barbare des inégalités, car elle est mentale ». Ce que ne sauraient tolérer nombre de brahmanes, qui considèrent que l'ordre castique demeure le pilier de la société indienne, et ce depuis trois millénaires.

Olivier Weber, « La révolte des intouchables »,
Le Point, n° 1661, 15 juillet 2004, p. 30.

LA PRISON AFGHANE DE JALALABAD:
L'ENFER DES PÉCHERESSES

L'Afghanistan ne badine pas avec le sexe.
Des femmes et des hommes sont emprisonnés pour avoir défié la loi
sur les crimes sexuels et l'honneur. Visite de la prison de Jalalabad.

Michèle Ouimet
JALALABAD

En Afghanistan, les relations sexuelles en dehors du mariage sont un crime. Le sexe est illégal.

Dans la prison de Jalalabad, une
5 ville du sud de l'Afghanistan, neuf femmes sont incarcérées. Deux pour meurtre, sept pour crimes sexuels. Elles vivent avec leurs enfants. Il y en a sept, âgés de 3 mois à 10 ans.

10 Ces femmes ne sont pas des prostituées. Elles ont fui un mari qui les battait, elles ont eu un amant ou elles sont tombées amoureuses d'un homme que leur famille n'avait pas choisi. Verdict:
15 coupable. Sentence: une lourde peine d'emprisonnement.

Comme Nazamina. Dès sa naissance, son père lui a trouvé un mari. Elle détestait son futur époux. À 14 ans, elle est tombée follement amoureuse d'un homme. Il avait 18 ans et il était fiancé. Ils ont décidé de fuir malgré les risques. À 4 h du matin, Nazamina s'est
20 levée en silence, elle a jeté un peu de linge dans un sac et elle est partie rejoindre son amoureux.

Ils ont fui à Kaboul, où ils se sont mariés, mais la police les a vite retrouvés. Ils ont été arrêtés, traînés devant le tribunal. Lui a été condamné à quatre ans de prison, elle à cinq ans.

Aujourd'hui, Nazamina a 15 ans. Sa vie se résume à une cellule qu'elle partage avec
25 deux autres femmes et une cour en terre battue où elle tourne en rond jusqu'à en devenir folle.

«Quand je vais sortir de prison, dit-elle avec défi, je vais vivre avec mon mari!»

Le Code pénal afghan est sans équivoque. L'article 426 précise que l'adultère, l'homosexualité et la violation de l'honneur sont passibles de longues peines d'emprisonnement.
30 Et il y a des circonstances aggravantes: si la femme est mineure, si elle devient enceinte, si

elle transmet une maladie vénérienne… La liste est longue. L'article 426 vise autant les hommes que les femmes.

Sur papier, la preuve doit être béton pour obtenir une condamnation. Quatre témoins doivent être présents lors de l'acte sexuel. Mais la réalité est tout autre. «Les tribunaux ne 35 suivent pas la loi, ils interprètent la morale», explique une femme qui travaille pour un organisme de défense des droits de la personne. Elle ne veut pas être identifiée. «Un procureur de la couronne de Jalalabad m'a déjà dit qu'il était là pour défendre la moralité de la société, ajoute-t-elle. Et tant pis pour les preuves!»

Nazamina est la plus jeune détenue. À côté d'elle, assise par terre sur un tapis, Sohiba, 40 18 ans, raconte son histoire. Elle s'est mariée à 16 ans. Un mariage arrangé par sa famille, comme l'exige la tradition afghane.

Pendant un an et demi, son mari l'a battue à coups de ceinture. Son beau-père levait aussi la main sur elle. Il la giflait et lui donnait des coups de poing. Un jour, elle s'est enfuie avec un homme marié, père de six enfants. Ils étaient amoureux. Leur escapade a été de 45 courte durée. Le jour même, la police les a arrêtés.

Sohiba a écopé d'une peine d'un an d'emprisonnement, son ami aussi. Elle jure qu'ils n'ont jamais couché ensemble.

Les femmes écoutent Sohiba. Assises par terre, elles serrent leur voile sur leur poitrine. Il fait froid, la porte entrouverte laisse passer les courants d'air. Une fenêtre sale éclaire 50 faiblement la pièce. Dans un coin, une pile de couvertures et une malle rouillée où s'entasse du linge d'enfants. Plus loin, un minuscule hamac sert de berceau. Au centre, un vieux poêle à bois aux braises refroidies.

Les enfants sont tranquilles. Ils sont jeunes, chétifs, les cheveux en bataille. La plupart se collent à leur mère, un bout de pain dans les mains.

55 Nazifa, 45 ans, a deux enfants de 5 et 7 ans. Ils sont assis sur un lit, silencieux. Ils écoutent les femmes raconter leurs chagrins. Nazifa a été condamnée pour le meurtre du fils d'un officier. Sa sentence: sept ans.

La prison n'a pas de barreaux. Les femmes peuvent se promener librement. Les cellules donnent sur une cour où du linge sèche sur des cordes tendues entre les arbres.

60 Les enfants ne vont pas à l'école et ils n'ont pas de jouets. Les femmes non plus n'ont rien, pas de télévision, pas de radio, pas de livre, rien. Leur famille n'a pas le droit de les visiter, ordre du tribunal.

65 «Elles vont devenir folles», affirme Rabia, une travailleuse humanitaire qui m'accompagne.

Les femmes se visitent, elles nettoient la cour ou passent le balai dans leur cellule. Et elles boivent du thé en ressassant 70 mille fois leurs histoires. Jusqu'à en devenir folles.

Michèle Ouimet, «La prison afghane de Jalalabad: l'enfer des pécheresses», *La Presse*, 6 février 2008, p. A17.

L'insomnie avant

Mali — Michèle a passé un mois en Afrique : deux semaines au Mali
et deux semaines au Tchad. Deux pays, quatre sujets de reportage, dont l'excision
et les camps de réfugiés du Darfour. Grosse commande, méchante logistique.

MICHÈLE OUIMET

Cette nuit-là, j'ai mal dormi. Le ronronnement du clima-tiseur n'arrivait pas à calmer mes angoisses. Dehors, il faisait une
5 chaleur d'enfer, l'air était moite, lourd. En Afrique, la nuit est tou-jours chaude, même en hiver.

On était en septembre. J'étais au Mali depuis deux se-
10 maines, un pays sub-saharien qui a réussi à prendre le virage de la démocratie.

Le Mali tranche avec les États africains déchirés par une
15 guerre civile ou tourmentés par des dictateurs qui font fi des droits les plus élémentaires de la population, comme celui de voter lors d'élections qui ne
20 sont pas truquées et de critiquer le régime sans risquer de se faire jeter en prison. Comme au Tchad, un pays logé au cœur de l'Afrique. Ma prochaine destina-
25 tion après le Mali.

[...]

Angoisse et nervosité

Dans le silence de ma chambre où le ronron du clima-
30 tiseur étouffait les bruits de la nuit africaine, je baignais donc dans mes angoisses. Ce n'était pas le Tchad, avec ses centaines de milliers de réfugiés du
35 Darfour entassés dans des camps de fortune, qui m'empêchaient de fermer l'œil, mais plutôt la perspective de me lever à 5 h du matin pour assister à une
40 séance d'excision.

Je fixais avec obstination les chiffres lumineux de mon réveille-matin. Trois heures. Inca-pable de m'endormir, tourne
45 dans le lit, jette, pour la mil-lième fois, un œil sur le réveil. Quatre heures. Misère. Rien à faire. Je me sentais nerveuse à l'idée de voir des fillettes se faire
50 trancher le clitoris avec une lame de rasoir manipulée par une exciseuse.

Au Mali, 95 % des femmes sont excisées – une pratique bar-
55 bare qui horrifie les Occidentaux. Mais au cœur de l'Afrique, où l'excision est une coutume soli-dement établie depuis la nuit des temps, l'indignation s'effi-
60 loche. Seule une poignée de femmes et d'hommes maliens s'opposent à l'excision. Ils ont formé une association, l'Amsopt, qui se bat avec un minuscule
65 budget et une équipe famélique.

J'avais contacté la respon-sable de l'Amsopt, Kadidia Sidibé, avant de partir en Afrique et elle m'avait expliqué que je ne pou-
70 vais pas assister à une séance d'excision, encore moins avec un photographe, un homme de surcroît. Ça ne se fait pas, avait-elle précisé.

75 Par contre, nous pouvions visiter un village, Makono, situé à une centaine de kilomètres de la capitale, Bamako, avec un

l'horreur

travailleur de l'Amsopt. Grâce
80 au patient travail de l'Association, le village a abandonné
la pratique de l'excision, mais la
tâche a été rude et longue.
Quatre ans d'efforts et de sensi
85 bilisation, quatre ans à expliquer aux villageois les dégâts
provoqués par l'excision : mutilation des parties génitales,
infections fréquentes, accou
90 chements douloureux, etc.

Un lien de confiance s'est
tissé avec l'Amsopt. De retour
à Bamako après la visite de
Makono, une des responsables
95 de l'Association, Mme Traoré,
m'a dit qu'elle connaissait une
femme qui s'apprêtait à exciser
huit filles à Kati, en banlieue de
Bamako. Les exciseuses tra
100 vaillent tôt le matin, m'a-t-elle
prévenu. Elle me rejoindrait à
mon hôtel à l'aube. De là, on
irait chez l'exciseuse avant de
filer pour Kati.

105 **L'excision**

À cinq heures du matin, je
suis prête. On sillonne les routes
au lever du soleil, Mme Traoré,
l'exciseuse, le photographe,
110 Robert Skinner, et moi.

Après avoir roulé sur des
chemins de terre défoncés, on
arrive devant une maison entourée d'une clôture qui abrite
115 une grande cour intérieure.
Quelques femmes attendent
l'exciseuse, d'autres arrivent,
traînant leur petite fille par la
main ou tenant un bébé dans
120 leurs bras. Pendant ce temps,
l'exciseuse se prépare. Elle sort
ses lames de rasoir et ouvre des
petits sacs de plastique contenant de la poudre sur laquelle
125 elle crache en marmonnant des
incantations.

Robert prend des photos.
Étonnamment, personne ne proteste contre la présence de ce
130 grand six pieds qui tranche
dans cet univers féminin.

Les petites filles sont excisées dans la toilette à ciel ouvert
située dans le fond de la cour.
135 L'endroit est minuscule et une
vague odeur d'excréments
flotte dans l'air. Même s'il n'est
que neuf heures du matin, le
soleil tape dur. L'exciseuse em
140 poigne une jeune fille terrorisée
et la couche par terre. Une
femme l'aide à la maintenir au
sol, jambes écartées, bras solidement maintenus derrière la
145 tête.

La lame de rasoir fend l'air
et sectionne le clitoris. La fillette
de cinq ans hurle en se tordant
de douleur. Son sang forme une
150 mince rigole. Tout se passe très
vite. L'exciseuse relève l'enfant,
applique de la poudre, lui enfile
un tissu qui cache ses organes
génitaux mutilés et la renvoie
155 dans la cour.

Coincé dans la porte, Robert
prend des photos. Il sue à grosses

gouttes. Debout sur la plaque
de métal qui couvre maladroite
160 ment le trou des toilettes, plaquée contre le mur, je griffonne
des notes dans mon calepin
froissé. On ne parle pas, on ne
se regarde pas, on travaille,
165 concentrés. C'est à peine si on
frissonne en entendant les cris
des enfants mutilés. Le choc, le
malaise viendront plus tard.

Au total, l'exciseuse « opé
170 rera » huit enfants, surtout des
bébés. L'excision est une fête,
les mères sont fières. Elles discutent, rient et dansent pendant
que leurs filles restent assises
175 sans bouger, le temps d'encaisser le choc de la douleur.

Les femmes, curieuses, me
demandent si j'ai une fille. Oui.
Est-elle excisée ? Non. Cette pra
180 tique est inacceptable au Canada.
Elles me regardent avec un
soupçon de pitié. Elles se disent
que les Occidentaux ne comprennent rien à rien. Ce qu'elles
185 ignorent, c'est que je pense la
même chose de l'Afrique.

Michèle Ouimet, « L'insomnie
avant l'horreur », La Presse,
27 décembre 2004, cahier Plus, p. 2.

MICHÈLE OUIMET
(née au Québec en 1954)

Journaliste à *La Presse* depuis 1989, Michèle
Ouimet est une des rares femmes qui exercent le difficile métier de correspondante de
guerre : elle a réalisé plusieurs reportages sur
les conflits qui ont eu lieu en Algérie, au
Rwanda, en Afghanistan. La série d'articles
qu'elle a signée lors de la guerre au Liban en
2006 lui a valu le prix Judith-Jasmin dans la
catégorie Grand reportage. Quand elle n'est
pas sur le terrain à l'étranger, Michèle
Ouimet tient une chronique qui traite de la
politique municipale et de l'éducation.

LES SORCIÈRES
DE KUKOE

DANS LE NORD DU GHANA, LA CHASSE AUX SORCIÈRES DOIT ÊTRE ENTENDUE AU PIED DE LA LETTRE. REJETÉES PAR LEURS COMMUNAUTÉS D'ORIGINE, DES CENTAINES DE VIEILLES FEMMES ACCUSÉES DE MALÉFICES SOUS DIVERS PRÉTEXTES ONT TROUVÉ REFUGE À KUKOE, UN VILLAGE PRÉSERVÉ DES «MAUVAIS ESPRITS».

Philippe Broussard

C'est un village de bout du monde, un village de fond de brousse, sans eau ni électricité. Les cases sont en terre séchée, de cette terre d'Afrique dont les habitants tirent à peine de quoi
5 vivre. Dès l'aube, des gosses au ventre rond jouent dans la poussière, leurs mères vendent des rations de riz à l'ombre des arbres centenaires, quelques adolescents discutent en réparant les rares vélos encore en état de marche. Il y a un chef, aussi,
10 musulman, polygame et buveur de gin. Et un marabout au regard d'inquisiteur. Et une prêtresse, gardienne du temple et des secrets. Et de vieilles femmes, beaucoup de vieilles femmes, quatre cent cinquante au total, des mamies hors d'âge qui
15 courbent l'échine en portant le bois mais trouvent encore la force de sourire. Des «sorcières», paraît-il. Des jeteuses de sorts accusées de mille sortilèges. Chassées des autres villages, rejetées comme des pestiférées, elles se réfugient à Kukoe, dans le nord
20 du Ghana. La région peut dormir en paix: le marabout les a exorcisées.

Kukoe, village de sorcières… Plus près d'Accra, la capitale, à quelques centaines de kilomètres au sud, le visiteur soupçonnerait un piège à touristes.
25 Mais les touristes ignorent l'existence de cette communauté. Nul ne s'aventure dans cette zone déshéritée. Les organisations humanitaires elles-mêmes ont fini par la bouder. Pour y parvenir, il faut quitter Accra avant le lever du soleil, se frayer
30 un passage dans Kumasi, la deuxième ville du pays, traverser des immensités luxuriantes et des forêts de tecks, puis emprunter, douze heures plus tard, à partir de Tamale, une interminable piste en terre ocre. Il reste alors trois heures de gymkhana[1], à la
35 nuit tombante, jusqu'à Bimbila, et enfin Kukoe, accessible par un ultime chemin cahoteux.

---
1. Course d'obstacles au parcours compliqué.

Drôle d'endroit, loin de tout et hors du temps. Drôle de village, arrimé à une tradition ancestrale: l'accueil des «sorcières». La région n'en manque
40 pas: en septembre 1997, les services sociaux avaient répertorié huit cent deux femmes, bannies de leurs communautés d'origine et contraintes de se rabattre sur d'autres lieux d'accueil, dont Kukoe. Depuis ce recensement, le soupçon de sorcellerie a
45 continué de gagner du terrain aussi sûrement qu'une épidémie de malaria; il s'est nourri de rumeurs, de naïveté, de haines tribales, comme s'il fallait à tout prix trouver des responsables aux malheurs de cette région sinistrée. Les «vieilles»,
50 que leur statut de mère ou de grand-mère ne saurait préserver d'un tel destin, constituent des cibles de choix. Des enfants meurent? Les sorcières! Un camion se renverse sur la piste? Les sorcières! Des problèmes d'argent? De cœur? De mauvaises
55 récoltes? Les sorcières! Les sorcières! Les sorcières!

Autrefois, seul un chef – un sage, donc – pouvait rendre ce verdict d'exclusion. Aujourd'hui, il suffit d'une fièvre inexpliquée ou d'une panne de virilité pour qu'un voisin soupçonneux, voire un
60 mari ou un fils, s'érige en procureur et désigne une coupable à la vindicte populaire. Rien ne sert de protester, la sanction est sans appel: au mieux, elle doit partir sur-le-champ, seule ou accompagnée de ses petits-enfants, chargés de subvenir à
65 ses besoins; au pire, elle sera frappée, mutilée ou exécutée.

[…]

Le nord du pays est particulièrement touché. Dans cette région voisine du Togo et du Burkina-
70 Faso, islam et christianisme font pourtant référence. Comme souvent en Afrique, le voyageur s'étonne d'ailleurs de la multitude d'églises et de communautés implantées le long de la grand-

route: les baptistes, les méthodistes, les adventistes du septième jour, le Sang de Jésus et bien d'autres encore… Sans oublier les mosquées, également fort nombreuses. Mais cela n'empêche pas les croyances traditionnelles de prospérer à l'ombre des religions classiques. Or l'une de ces croyances veut que les sorcières soient responsables de tous les maux de la terre…

«Dans ces régions pauvres, c'est un problème majeur», estime Angelina Mornah Domakyareh, sous-directrice de la Commission des droits de l'homme et de la justice administrative, une institution indépendante qui a longuement enquêté sur le sujet. «Cet ostracisme touche en priorité les femmes sans enfants ou dont les enfants sont décédés», précise Mme Domakyareh. Il apparaît en outre que la traque bat son plein à la saison des pluies, avec l'apparition de certaines épidémies, en particulier de choléra. De la même manière, elle s'intensifie lorsque les cas de méningite se multiplient. Selon Mme Domakyareh, il importe d'«éduquer la population pour qu'elle cesse d'accuser les vieilles personnes et comprenne enfin qu'il s'agit de maladies scientifiquement identifiées».

Sitôt expulsées, la plupart des femmes essaient donc de rejoindre l'un ou l'autre des «villages de sorcières», Gambaga, Ngani, Kpatinga et surtout Kukoe, le plus peuplé de tous. Sur mille sept cents habitants, plus de quatre cents sont des miséreuses qui ont tout abandonné – maison, parents, amis, terrains… – des mois ou des années plus tôt, pour venir à pied jusqu'ici. Laraba, par exemple, chassée de chez elle en 1993, après la mort soudaine d'un garçonnet. «C'est de sa faute, elle lui a jeté un sort!», avait décrété la foule, l'obligeant à déguerpir au plus vite. Idem pour Aishetu, une grand-mère au boubou rouge et jaune, expulsée de Napayele au printemps 2000, au lendemain du décès d'un voisin. Ou encore Mahia, la Togolaise solitaire, qui ne parle pas le dialecte local: huit de ses dix enfants sont morts et elle a dû s'exiler après le décès d'un voisin. Et enfin Adama, rouée de coups le jour où les villageois ont pourchassé les femmes jugées incapables de maintenir leurs enfants en vie: «Je me suis enfuie avec mon frère, à l'arrière de sa bicyclette, sinon ils m'auraient tuée! Croyez-moi, je ne suis pas une sorcière!»

Toutes jurent de leur innocence, assurant n'avoir rien à se reprocher, nul maléfice à avouer. Bien sûr, il se murmure tout de même que plusieurs d'entre elles auraient été envoûtées à leur insu et que d'autres auraient usé, par le passé, d'obscurs pouvoirs, mais aucune ne le confessera devant un étranger: la vie leur a appris la méfiance, la peur aussi. «Vous savez, insiste l'une d'elles, certaines personnes sont prêtes à inventer n'importe quoi pour se débarrasser de quelqu'un de gênant. Admettons par exemple qu'une femme ayant un peu d'argent de côté en prête à un homme et que celui-ci ne puisse honorer sa dette. Eh bien, il viendra en pleine nuit devant sa maison et se mettra à hurler: "C'est une sorcière! C'est une sorcière! Elle est en train de me tuer!" S'il sait y faire, les autres habitants seront prêts à le croire et elle n'aura plus qu'à partir sans son argent…»

Un vieillard en djellaba, le chef Issa, préside aux destinées de cette étrange société. Tandis que ses jeunes épouses – les seules habitantes de Kukoe à vivre à moitié nues – s'occupent de la cuisine et des gamins, il reçoit à l'intérieur de sa case, assis sur une chaise longue en bois. Seules concessions à la modernité, dans cet intérieur sans façon: un parapluie aux couleurs de l'Italie et un poste radio, qui lui permet de prendre chaque matin des nouvelles du pays. L'islam local autorisant quelques entorses à la sobriété, il est d'usage d'offrir au maître des lieux une poignée de noix de kola, réputées aphrodisiaques, et une bouteille de gin, dont il versera quelques centilitres aux esprits. Des esprits plutôt bienveillants, comme l'explique le chef, garant des traditions: «Notre village a toujours accueilli les

personnes soupçonnées de sorcellerie. Nous les acceptons toutes, car notre dieu traditionnel, Bouhélé, les purifie. Quand une étrangère arrive, elle se présente d'abord à moi. Je préviens ensuite le marabout et la grande prêtresse, qui organisent une cérémonie dans le temple, le lundi ou le vendredi.»

Le temple en question se limite à une case entourée de palissades et décorée de fragments d'assiettes. Les étrangers n'y ont pas accès. Même les photos sont déconseillées car la force invisible de Bouhélé voilerait le cliché et endommagerait l'appareil. C'est là, en tout cas, que le marabout Tilana Damba et son assistante, la prêtresse en robe bleue, exorcisent les nouvelles venues. Ces dernières sont d'abord soumises à un interrogatoire, de façon à être poussées éventuellement aux aveux. Le marabout décapite ensuite deux poulets de couleurs différentes. Selon qu'ils meurent en basculant d'un côté ou de l'autre, il pourra dire s'il s'agit ou non de vraies sorcières. Quelle que soit la sanction, arrive enfin le moment d'ingurgiter une mixture purificatrice concoctée par la prêtresse selon une recette gardée secrète. Au sortir de cette troisième épreuve, les vraies sorcières sont considérées comme inoffensives. Les autres, même innocentées, doivent également rester sur place. Non pas qu'elles soient prisonnières ou réduites à l'esclavage – tout indique au contraire qu'elles sont bien traitées –, mais un retour à la maison serait bien trop dangereux.

Une autre Aishetu – prénom très répandu au Ghana –, comme des centaines d'autres, a été «purifiée». Cette femme sans âge – elle ignore sa date de naissance – vit à Kukoe depuis 1997. La finesse de ses traits, la douceur de son regard laissent deviner un passé de jeune élégante, respectée de tous. «Avant, se souvient-elle, j'habitais à Pudia, un village situé à dix heures de marche. J'avais un fils. Ce fils s'est marié. Puis, un matin, peu après son mariage, il a été pris de vertiges. Le soir même, il était mort. Mon mari et sa famille ont prétendu que c'était de ma faute. Ils m'ont chassée sans que personne ne prenne ma défense. J'ai dû partir car ils m'auraient frappée, peut-être tuée. Mon frère m'a accompagnée, nous sommes arrivés ici vers minuit, sans bagage, avec pour seuls vêtements ceux que je portais sur moi.»

Aishetu a les larmes aux yeux en évoquant cet époux auquel elle a tout de même donné neuf enfants, dont trois, seulement, ont survécu: «Je n'ai toujours pas compris pourquoi il a fait ça. Je ne suis pas une sorcière, je n'ai jamais eu de pouvoirs!» Parfois, ses enfants viennent la voir, mais un retour à Pudia est impossible: les autres habitants, les inquisiteurs d'hier, ne croiraient pas à sa «purification» par le dieu Bouhélé. De toute façon, son genou est si enflé qu'elle ne pourrait marcher jusque là-bas. Pour gagner de quoi subsister, Aishetu en est donc réduite à brûler des morceaux de bois devant sa case; le charbon ainsi produit sera ensuite vendu aux autres habitants.

La plupart des vieilles, même si elles sont en état d'aller travailler les champs, vivent dans la misère. «En théorie, rappelle le chef Issa, les familles doivent leur envoyer des vivres de temps en temps. Au début, elles le font. Puis, petit à petit, les sorcières se retrouvent à notre charge. Certaines doivent aller de case en case pour demander un peu de nourriture.» Leur principal souci reste toutefois l'absence d'eau potable. La source la plus proche étant située à plusieurs kilomètres, celles qui n'ont pas de petits-enfants ne peuvent s'y rendre et doivent acheter l'eau à des jeunes des environs. Bien sûr, le forage d'un puits et l'installation d'une pompe changeraient leur vie, mais le coût d'une telle opération (environ 1200 dollars) est trop élevé pour cette communauté oubliée de tous.

Les habitants veulent pourtant se persuader que Kukoe, loin d'être maudit, est béni des dieux. Ici, au moins, les vieilles sont à l'abri et inoffensives, puisque les esprits néfastes n'ont plus d'emprise sur elles. À en croire les anciens, on peut d'ailleurs les voir en action, ces forces du mal. Au cœur de la nuit, folles de colère, elles virevoltent comme des lucioles en lisière du village. Heureusement, Bouhélé les tient à distance, veillant à jamais sur le peuple des «sorcières».

Philippe Broussard, «Les sorcières de Kukoe»,
Le Monde, 10 septembre 2001, p. 11.

Sara Daniel,
MÈRE DE FAMILLE ET REPORTER DE GUERRE

Sara Daniel

L e 11 septembre 2001, à la consternation de mes proches, je suis devenue reporter de guerre.

Élevée dans une famille de journalistes — mon père a fondé *Le Nouvel Observateur* et ma mère a
5 été longtemps photographe de presse —, au fil d'un processus très naturel, je n'ai jamais vraiment envisagé la possibilité d'exercer un autre métier. Embarquée, petite, dans tous les endroits où s'écrivait l'histoire, j'ai mis un certain temps à comprendre
10 que la plupart des enfants ne fredonnaient pas *L'Internationale* pendant la révolution des Œillets au Portugal et ne rencontraient pas des chefs d'État africains ou arabes au Sénégal ou au Maroc. Mes parents étant toujours «en reportage», mon
15 enfance était itinérante; mes souvenirs aussi. Les plus puissants effluves de paradis perdu me reviennent des pays arabes de la Méditerranée où nous passions souvent de longs mois dans un air saturé de l'odeur des fleurs, des fruits, des épices, des
20 souks et des égouts. Une palette olfactive composite que je retrouverai avec délices en Irak — au grand étonnement de mes confrères journalistes.

Je n'ai pas été élevée dans la mystique de la guerre; bien au contraire: alors qu'il couvrait la
25 crise de Bizerte en Tunisie, pendant les soubresauts de la décolonisation française, mon père avait reçu une balle dans la cuisse. Il en a gardé une jambe plus courte que l'autre et la nécessité de se ménager physiquement. Très tôt j'ai donc su que l'on
30 risquait sa vie en reportage et que les blessures n'étaient romanesques qu'au cinéma.

J'ai vraiment commencé mon activité de journaliste aux États-Unis. Pendant plus de trois ans j'ai parcouru ce pays, couvrant les remous de l'*affirma-*
35 *tive action* dans les universités de Californie, le procès O. J. Simpson ou encore les retombées politiques de l'affaire Lewinsky.

Je me souviens de ce jour d'avril 1995 où, devant la prison d'une petite ville de l'Oklahoma,
40 j'ai vu sortir, menottes aux mains, Timothy McVeigh, hué par un groupe de gens. Il était à quelques mètres de moi et son regard a croisé le mien. Quelques jours auparavant, il avait commis l'attentat terroriste le plus sanglant de l'histoire des États-
45 Unis, une bombe déposée contre le bâtiment fédéral d'Oklahoma City qui avait fait cent soixante-huit morts et des centaines de blessés. J'avais enquêté aussi sur les milices, les sectes survivalistes des forêts de l'Arkansas ou dans les camps d'ex-
50 trême droite du Minnesota. La paranoïa de ces laissés-pour-compte du rêve américain, de ces avatars du Ku Klux Klan, de ces obsédés du rôle

New York, 11 septembre 2001, alors que la tour nord est en flammes, un deuxième avion percute la tour sud du World Trade Center.

diabolique des Nations unies, m'a fait penser plus tard, quand je me suis spécialisée dans le Moyen-
55 Orient, aux fondamentalistes islamistes ou à certains colons extrémistes d'Israël qui attendaient, eux aussi, la fin du monde.

Le 11 septembre 2001, j'effectuais un reportage en Jordanie dans les camps palestiniens
60 d'Amman. Cet après-midi-là, j'avais décidé d'aller visiter les ruines de Pétra, désertées depuis le déclenchement de la deuxième Intifada. Quand j'ai repris ma voiture en direction d'Amman, j'ai commencé à comprendre qu'il se passait quelque
65 chose d'anormal : d'abord un homme est sorti de son échoppe pour me demander, avec une exaltation presque menaçante, si j'étais triste ou heureuse de ce qu'il venait de se passer. Puis, en arrivant à Amman, j'assistai à des scènes de liesse
70 dans les camps palestiniens. Enfin, mes interlocuteurs de la veille m'ont fait un récit enthousiaste de l'événement, tout en adressant *via* leur téléphone portable des dessins d'avions assortis de messages

de félicitations. Pour mon interprète — une jeune
75 femme moulée dans une tenue léopard assez peu islamique et qui, depuis les débuts de notre collaboration, me faisait le panégyrique de Ben Laden —, l'attentat démontrait une fois pour toutes la supériorité de son héros.

80 Ce jour-là, dans un monde désormais scindé en deux par la catastrophe du World Trade Center, les Jordaniens, qui, quelques heures auparavant, répondaient avec bienveillance à mes questions, m'ont rangée dans le camp de l'ennemi — celui qui
85 compatissait au sort des victimes de la catastrophe, qui ne ressentait pas cette satisfaction inavouable que la plupart de mes amis musulmans éprouvaient, même s'ils auraient trouvé indigne d'en faire état.

90 Après cet événement, j'ai eu le sentiment que je me devais de tenter de comprendre et d'expliquer cette nouvelle fracture qui venait de couper le monde en deux, cette guerre de civilisations qui avait pris corps devant moi depuis quelque temps

95 déjà et dont je comprenais si intimement la complexité, les enjeux et les déchirements.

Ce 11 septembre 2001, ma fille, Hanna, venait d'avoir deux ans. J'ai tout de même décidé, quelques mois plus tard, de partir pour l'Afgha-
100 nistan alors que je risquais d'être longtemps bloquée dans ce pays enclavé et en guerre. Je ne suis pas partie de gaieté de cœur, mais je lui ai fait comprendre — avec ses mots — qu'il était de mon devoir d'y aller, que si cette guerre n'était pas notre
105 guerre à nous, les Français, elle était notre affaire à tous.

Un mois après mon arrivée en Afghanistan, Johanne Sutton et Pierre Billot, deux des camarades journalistes avec qui j'avais entrepris ce voyage
110 depuis la frontière tadjike, sont morts, fauchés par les balles des talibans. Je les avais quittés le matin même, sur la ligne de front, pour aller écrire mon papier. Nous avons renvoyé leurs corps à leurs familles le lendemain dans un hélicoptère. Il ne se
115 passe pas une semaine sans que je pense à mes amis disparus en Afghanistan.

Bagdad — Un employé municipal iraquien nettoie après une attaque à la bombe.

Puis la guerre d'Irak est arrivée. Un an avant le déclenchement des opérations américaines, je m'étais rendue dans le pays pour la célébration de
120 l'anniversaire de Saddam Hussein. Tous les habitants que j'avais alors rencontrés rêvaient d'en finir avec le despotisme ubuesque[1] et meurtrier de leur dictateur. Je pense encore que l'intervention américaine aurait pu marcher. Mais après ces trois
125 années où j'ai couvert cette guerre de façon presque continue, j'ai vu, étape après étape, erreur après échec, se mettre en place l'engrenage fatal. Et, notamment, affluer les combattants de la mouvance d'Al-Qaïda que les troupes croyaient déloger,
130 alors que c'est l'occupation elle-même qui avait fini par les attirer.

Le hasard de mes pérégrinations en Irak m'a fait accumuler, sans que je l'aie vraiment cherché, les scoops et les premières fois. J'ai été la seule jour-
135 naliste occidentale, avec le photographe américain Stanley Greene, à assister à la profanation des corps des quatre agents de sécurité américains à Fallouja; j'ai côtoyé pendant une semaine ceux qui ont perpétré le premier attentat civil contre l'avion postal
140 de la DHL à Bagdad; j'ai affronté les «décapiteurs» de Nicholas Berg à Fallouja. Le seul fait de vouloir comprendre ce nouveau siècle où de tels crimes sont possibles m'a fait battre de bien tristes records.

145 Mon expérience irakienne a été remplie de superlatifs: trop de violence, trop de barbarie, trop de souffrances. Trop de guerre, en somme. C'est si vrai qu'un grand nombre des personnes que j'ai interviewées pendant trois ans sont mortes assas-
150 sinées depuis.

Ces trois années ont changé ma vie et je sais aujourd'hui que je ne me remettrai jamais vraiment de «ma» guerre d'Irak. Que se passe-t-il dans l'âme d'un homme qui, de sang-froid et non sans plaisir,
155 décapite un otage? Quelle est la nature de cette jouissance particulière qu'éprouvent les kamikazes à se faire sauter dans une foule? À quel moment les résistants à l'occupation américaine basculent-ils dans le terrorisme? À quel moment la barbarie
160 nous a-t-elle, nous Occidentaux, dénaturés? En Irak, j'ai eu le privilège d'entr'apercevoir l'enfer et d'en revenir. Mais on en revient d'autant moins indemne que le monde de ces possédés d'un genre nouveau est aussi le nôtre.

Sara Daniel, *Voyage au pays d'Al-Qaïda*,
Paris, © Éditions du Seuil, 2006, p. 7 à 11.

---

1. Qui ressemble à Ubu roi, le personnage-titre, cruel et grotesque, de la pièce de théâtre d'Alfred Jarry (1896).

RÉGIS JAUFFRET
(né en France en 1955)

«Je suis un écrivain dangereux, ma production est malfaisante, nocive, le poison que renferment mes livres tue les lecteurs.» On pourrait sans doute appliquer à Régis Jauffret le portrait corrosif qu'il trace ainsi de l'un des cinq cents personnages qu'il a créés pour ses monumentales *Microfictions* (2007). Adoptant à nouveau l'approche privilégiée dans ses *Fragments de la vie des gens* (2000), Jauffret donne vie à des personnages abominables et pathétiques pour dresser un catalogue des failles, des vices et des pulsions morbides qui se cachent au cœur de la nature humaine. L'écriture cinglante de Régis Jauffret se retrouve également dans ses romans *Histoire d'amour* (1998), *Univers, univers* (2003) et *Asile de fous* (2005).

ALBERT LONDRES

EXTRAIT DE ROMAN

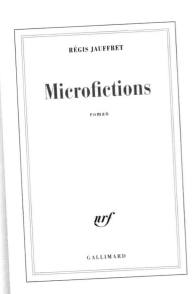

RÉGIS JAUFFRET

Microfictions

roman

nrf

GALLIMARD

Nous avons filmé ces scènes de torture et de meurtre afin d'en dénoncer le caractère intolérable et la barbarie. Vous ne pouvez pas reprocher à une chaîne d'information de montrer la réalité. S'il est bien évident que nous blâmons leur
5 conduite, nous devons aussi rendre hommage à ces tortionnaires de nous avoir permis d'apprécier à sa juste valeur le prix du bien-être et de la vie. Il est vrai que nous nous sommes rapprochés d'eux peu à peu.

— Ils sont devenus pour ainsi dire des relations de travail.

10 Et en définitive nous avons noué avec certains des liens d'amitié. Ils nous ont aidés dans notre tâche, évitant par exemple de faire exploser les otages, ce qui se serait traduit à l'image par une épaisse fumée monochrome peu propice à l'accroissement de l'audimat.

— L'exécution des enfants apitoyait les classes
15 supérieures comme les plus mal lotis.

Nous allions jusqu'à drainer plusieurs millions de téléspectateurs en plein milieu de la nuit.
Mais ces pratiques déplaisaient aux annonceurs,
qui redoutaient notamment une atteinte à l'image
20 de marque de leurs produits pour bébés.

— Nous leur avons donc demandé de les
épargner.

Nombre de gamins nous doivent la vie,
même s'ils restent toujours détenus dans des
25 caves et des carrières désaffectées, dont par déon-
tologie nous refuserons toujours de révéler l'emplacement aux services de police.

— On nous reproche d'avoir filmé avec une
complaisance particulière la torture des femmes.

30 Je vous rappelle malgré tout que plusieurs
membres de notre équipe étaient de sexe féminin,
et que notre directrice de rédaction est venue sur
place pour se rendre compte de visu du sérieux de
notre job. Elle a pu constater que même si on ne
35 leur infligeait pas un traitement plus rude, les
femmes avaient un cri aigu, perçant, et pleuraient
à la première décharge électrique.

— Nous les avons filmées avec respect et
affection.

40 Protégeant de surcroît leur pudeur en demandant qu'un filet soit tendu devant leur poitrine,
afin que les téléspectateurs ne puissent rien voir
de leurs mamelons dévastés.

— Mais nous ne pouvions tout de même pas exiger qu'on les torture sous
45 anesthésie.

En bref, nous sommes fiers de cette série de reportages qui font honneur à notre
profession. S'il était encore de ce monde, Albert Londres aurait été des nôtres. En
participant à cette grande aventure journalistique.

50 — Il nous aurait servi de caution morale[1].

ALBERT LONDRES, GRAND REPORTER

Albert Londres (1884-1932) est un grand reporter français qui, par son intégrité, son courage et son humanisme, est devenu une référence dans le milieu journalistique. Depuis 1933, le prix Albert-Londres souligne le travail des meilleurs journalistes français.

Régis Jauffret, *Microfictions*, Paris,
© Éditions Gallimard, 2007, p. 11 et 12.

---

1. On aura compris que, dans ce récit de fiction, des journalistes sans scrupules et obsédés par les cotes
d'écoute se cachent derrière le nom d'Albert Londres pour justifier leur manque d'humanité.

Le Schtroumpf reporter

Tout va bien, pourtant! Chaque Schtroumpf lit maintenant ton journal et attend avec impatience son affaire quotidienne!

Justement, pour demain, je n'ai pas la moindre information, pas le plus petit scandale! Rien!!

Mais c'est une cataschtroumpf!! Il faut schtroumpfer quelque chose! Le journal **doit** sortir, sinon c'est la fin...

Parle des problèmes d'insécurité dans le village...

Déjà fait!

Des chenilles qui schtroumpfent toute la salsepareille!

Ça aussi!

Du Schtroumpf Gourmand qui schtroumpfe deux fois plus que les autres...

Idiot, c'est toi, le Schtroumpf Gourmand!

Euh... Schtroumpf Reporter?

J'ai fini de schtroumpfer mon nouveau récit pour le journal! Pourrais-tu le relire?

Bien sûr, Schtroumpfette!

Excusez-moi de ne pas rester, mais je suis tellement fatiguée! Je vais me schtroumpfer!

Bonne nuit!!

Bonne nuit, Schtroumpfette!

Aaah... La Schtroumpfette! Je me demande de qui elle est amoureuse...

Moi aussi! Je schtroumpferais cher pour le savoir!

23

!

MAIS OUI, BIEN SÛR! LA VOILÀ, L'IDÉE!

SMACK

?

Merci, Schtroumpf Gourmand!

Mais... c'est quoi l'idée?!

Tu verras demain, dans le journal!

Le lendemain...

SCHTROUMPF A LA UNE

LA SCHTROUMPFETTE EST AMOUREUSE... MAIS DE QUI?

En secret, son cœur bat pour un Schtroumpf. Bien qu'elle le nie farouchement, elle rêve sûrement d'un Schtroumpf charmant. Mais qui est-il donc ce chanceux? LES SCHTROUMPFS ONT LE DROIT DE CONNAÎTRE LA VÉRITÉ...

Je me demande qui ça peut être! Je lui schtroumpferais bien deux mots!!

Euh... Je t'assure que ce n'est pas moi, Schtroumpf Costaud?

TAP TAP

Eh! Eh! Je le savais! Les Schtroumpfs s'arrachent l'édition d'aujourd'hui!

Oui mais... Je ne comprends pas! Dans ton journal, on ne dit pas de qui elle est amoureuse!

Justement!! C'est ça qui est génial! On pose la question mais on n'y répond pas!

Ah bon? C'est génial, ça?!?

Mais oui, bien sûr! Si tu réponds à la question, plus personne ne s'y intéresse! Par contre, si tu n'y réponds pas, les Schtroumpfs veulent connaître la réponse, et donc continuent à schtroumpfer le journal! Tu comprends?

GRATT GRATT

Non! Mais de toute façon, on va avoir la réponse! Je vois la Schtroumpfette qui schtroumpfe par ici!

© Peyo 24

Euh... Tu peux la recevoir? J'ai un article important à schtroumpfer!!

?

KESSEL :
un **témoin** **parmi** les **hommes**

Témoin parmi les hommes

AVERTISSEMENT DE L'ÉDITEUR

Au début du XXᵉ siècle, quand la terre semblait plus grande, quand l'automobile, l'aviation, le cinéma, la radio, la télévision ne mettaient pas encore en contact immédiat les
5 hommes de tous les climats et de toutes les latitudes, quand les zones inconnues subsistaient plus largement sur la planète et que les différences entre les peuples étaient beaucoup plus accusées encore qu'aujourd'hui, une catégorie
10 nouvelle de journalistes est née — on peut dire une race nouvelle : les grands reporters.

Leur métier était l'aventure, la découverte permanente. Ils avaient pour mission de connaître et de faire connaître à des millions de lecteurs,
15 emprisonnés dans leur quotidienne routine, des lieux pour eux inaccessibles et des spectacles humains auxquels ils ne pouvaient même pas rêver d'assister.

Ce métier, cette mission, les grands reporters
20 l'ont souvent payée de leur vie. Des plus anciens aux plus jeunes.

Albert Londres… Louis Delaprée… Claude Blanchard… Jean-François Armorin…

Et nous évitons de citer les correspondants
25 tués lorsqu'ils accompagnaient les armées de leur pays. Ils étaient, eux aussi, des soldats.

Quand un directeur de journal envoie un reporter vers une contrée dangereuse, et quand le reporter quitte le bureau de son directeur, ils
30 savent très bien qu'ils ne se reverront peut-être jamais. C'est le tribut du métier. C'est l'honneur des hommes qui mettent au-dessus de tout le besoin de pénétrer et de révéler les secrets de notre terre, des hommes que travaille le désir
35 insatiable du monde.

JOSEPH KESSEL
(1898-1979)

C'est à dix-sept ans, en pleine Guerre mondiale, que Joseph Kessel signe ses premiers reportages. La même année, il décide de s'engager dans l'aviation. Il terminera la guerre en mission en Sibérie et tirera de cet épisode la matière de son premier grand succès romanesque, *L'équipage* (1923). L'aventure et l'écriture définiront dès lors toute la vie de Kessel. Grand reporter, il va couvrir les événements marquants de son siècle: la révolution irlandaise, la guerre d'Espagne, le procès de Nuremberg... La série d'articles qu'il rédige en 1930 sur le trafic d'esclaves des négriers de la mer Rouge fait date dans l'histoire du journalisme. En plus de *Témoin parmi les hommes* (1956), un recueil de ses grands reportages, Kessel aura livré plus de soixante-dix romans inspirés de ses aventures vécues partout dans le monde. En 1962, Kessel est élu à l'Académie française.

Dans cette pléiade, Joseph Kessel tient un rang singulier.

Depuis son adolescence, il a couru en journaliste les grands chemins de l'univers. Il a joué
40 son existence sur un avion archaïque, dans le vent de sable africain, avec les premiers pilotes de ligne. Il l'a jouée dans les tempêtes de la mer Rouge, sous la «Fortune Carrée» pour dépister les derniers marchands d'esclaves. Il a entendu
45 siffler les balles des guerres civiles et des insurrections nationales. Grand reporter, il l'est vraiment par vocation.

Et peut-être par prédestination.

Naître dans la pampa argentine de parents
50 russes, grandir sur les rives de l'Oural, au seuil de la steppe d'Asie, acquérir sa langue, sa culture et sa patrie en France, s'engager dans une escadrille, enfin faire le tour du monde à vingt ans, au lendemain de l'armistice de 1918, comme officier
55 aviateur d'une armée victorieuse, tout cela n'est-il pas de nature à vouer une vie entière au voyage et à l'aventure — cette aventure que, ces derniers mois encore, Kessel allait chercher au cœur de l'Afrique Noire, chez les Mau-Mau insurgés et dans la
60 haute jungle birmane, chez les mineurs de rubis.

Mais Kessel n'est pas seulement un journaliste, c'est aussi, c'est autant un romancier, un écrivain. Et même lorsqu'il câblait ou téléphonait un article, au soir d'une enquête périlleuse, dans
65 la hâte de l'actualité, il faisait, par la vertu de ses dons, par le souci de sa langue, entrer le reportage dans la littérature.

Il nous a paru important de publier l'expérience d'un homme qui, par goût et profession, a
70 vu ses semblables sous toutes les latitudes, à tous les rangs sociaux, dans toutes les situations historiques, au cours du tiers de siècle écoulé.

C'est l'Histoire, vue sinon au jour le jour, du moins d'année en année, avec ses extraordinaires
75 répétitions dans la situation des peuples et ses oppositions extraordinaires dans le destin des individus, l'Histoire faite d'hallucinants renversements dans le destin des grands hommes et de l'étonnante permanence qu'ont les réflexes des
80 nations.

Tel est le document, l'exceptionnel témoignage que nous sommes heureux d'offrir au public.

Joseph Kessel, *Témoin parmi les hommes –
Tome I: Le temps de l'espérance*, Paris,
Les Éditions Mondiales, 1956.

1930

LES CHASSEURS D'ESCLAVES

— Vous avez carte blanche pour le sujet, le temps, la dépense. Mais il nous faut une enquête qui arrache le lecteur à la routine, aux soucis de chaque jour. Il nous faut une aventure étonnante.

Telle était la proposition de grand reportage que me fit, vers le terme de l'année 1929, l'administrateur du Matin.

5   Notre conversation avait lieu dans son bureau situé sur la haute façade couleur sang-de-bœuf qui signalait de loin ce journal, boulevard Poissonnière. Il me demanda :

— Avez-vous une idée ?

Alors, je n'entendis plus l'abondante clameur du boulevard, je ne vis plus son mouvement.

Raid de chasseurs d'esclaves dans un village africain.

Je venais de songer à des hommes noirs,
10 taciturnes, et résignés, que j'avais remarqués, trois ans plus tôt, en terre arabe, attachés au service d'Abdallah, émir de Transjordanie, dans son fruste palais d'Amman, ou encore chez les grands chefs
15 bédouins, sous leurs tentes brunes, à Der-es-Zor, près de l'Euphrate et dans le grand désert syrien.

Ces hommes étaient des esclaves.

Je me rappelai les récits qui m'avaient été
20 faits là-bas sur le commerce de la chair humaine, et ses itinéraires. La traite était sans doute proscrite par les lois des nations, mais la surveillance des frontières, les patrouilles des bateaux n'empêchaient rien
25 dans le bassin de la mer Rouge.

En Abyssinie, au Yémen, au Hedjaz, les marchands d'esclaves prospéraient. Des caravanes secrètes, des voiliers clandestins acheminaient d'un pays à l'autre le bétail de
30 servitude.

Quand on m'avait conté cela, j'avais rêvé de surprendre, dans son élémentaire appareil, le négoce millénaire et terrible, et de dépister les derniers successeurs des négriers
35 d'autrefois et des pirates de Zanzibar. Mais il fallait des moyens que je n'avais point.

Or, voici que je recevais carte blanche.

Le 1ᵉʳ janvier 1930, le paquebot André Lebon *appareillait de Marseille pour l'Extrême-Orient.*
40 *Parmi les passagers qui descendirent à Djibouti, se trouvait notre équipe.*

En effet, pour un voyage qui tenait de l'exploration sur terre et sur mer, j'avais demandé à deux amis qualifiés de m'accompagner. L'un était
45 *Pierre Lablache Combier, lieutenant de vaisseau, l'autre le médecin militaire Émile Peyré, qui servait dans les compagnies méharistes. [...]*

L'ENTREPÔT HUMAIN

Une fois de plus, au petit jour, Saïd emplit
50 sa gourde, nous recommande de boire à notre soif, car jusqu'au soir, dit-il, nous ne trouverions pas d'eau. Puis nous sellâmes nos mulets et ce fut de nouveau la brousse éthiopienne.

Une rue de Djibouti dans les années 1920.

Malgré tous nos efforts, le marchand d'esclaves gardait, tant que nous étions en route, une réserve absolue. Était-ce la difficulté du terrain, le désir d'économiser son souffle ou
55 plutôt l'habitude des caravanes muettes ? On ne pouvait rien discerner sur cet impassible visage. Droit, ferme, sans une goutte de sueur, malgré le soleil brûlant, les lèvres serrées, l'œil mi-clos, Saïd poussait son mulet du talon.

Vers la fin de l'après-midi, le paysage devint plus aride, plus dénudé. Nous abordions une
60 côte assez dure. Saïd se tourna vers le docteur et lui dit :

— Nous arrivons.

Trois heures après, nos mulets ayant gravi pierre à pierre la colline escarpée, nous aperçûmes, juché sur un piton, un village important.

Il ne ressemblait en rien à ces groupes de huttes, de paillotes, de *toucoules* que nous
65 avions rencontrés dans tout le Harrar. C'était un bourg fortifié avec des maisons de pierre serrées les unes contre les autres, avec des toits et des cours en cascade.

— Un village aragouba, dit Saïd en descendant de son mulet et le menant au puits qui se trouvait à une centaine de mètres des premières maisons.

Tandis que les bêtes s'abreuvaient, Saïd, comme si la fin de l'étape l'eût délivré d'un vœu
70 de silence, nous donna toutes les explications qu'exigeait notre curiosité.

— Les Aragoubas, dit-il, sont une branche de la grande race des Gallas. Ils sont, parmi ces derniers, de beaucoup les plus intelligents, les plus fiers, les plus courageux. Et toujours ils se sont occupés du commerce des esclaves. Ils ne les vendent ni ne les achètent, mais leurs villages servent de lieu de rassemblement, d'entrepôt. Nous savons que nous pouvons y
75 abriter nos caravanes en sûreté. À travers toute la contrée, elles vont de l'une à l'autre de ces cachettes avant d'aborder le désert où nous ne craignons plus personne.

Les ruelles tortueuses, bordées de demeures aveugles, ne prenaient jour que par des portes étroites. La petite cité était déserte. Pas une âme dans les pièces obscures, pas une âme dehors.

80 Nous ne comprîmes la raison de ce vide étrange qu'au moment où nous fûmes arrivés au sommet du bourg. De l'autre côté du piton sur lequel se dressait le village aragouba, au bas de la pente opposée à celle par où nous étions venus, toute la population était rassemblée. Armée de fléaux, elle battait le grain de *doura*.

[...]

85   — Ce sont vos esclaves ? demandâmes-nous à Saïd.

Ils ne se permit pas de sourire, mais répondit doucement :

— Il ne faut pas en voir partout. Non, ce sont les Aragoubas du village. Mes esclaves, eux, se reposent. Ils ont fait beaucoup de chemin. Ils en ont encore plus à faire. Je veux qu'ils arrivent en bonne santé à la côte. Venez les voir.

90   Nous suivîmes Saïd dans une cour. Quelques planches traînaient à terre. Il les souleva. Un trou apparut. Au fond, il y avait quatre femmes qui dormaient. Elles devaient être rompues de fatigue, car elles n'ouvrirent pas les yeux. Saïd remit les planches en place.

À ce moment, la porte de la maison s'ouvrit et un homme au visage farouche parut, le fusil au poing. Apercevant Saïd, il s'inclina très bas. C'était son convoyeur.

95   Dans la cave rudimentaire d'une autre maison, nous vîmes six esclaves étendus. Dans la suivante, ils étaient trois.

— Chaque demeure, ici, dit Saïd, a sa cachette. Et tout village aragouba est construit de même. C'est utile pour nous et pour les esclaves aussi. Ils se reposent mieux. Nous ne sommes pas forcés de les attacher.

100   Trois hommes armés nous avaient rejoints. Saïd conféra longtemps avec eux. Quand ils eurent achevé, il nous confia :

— La caravane partira ce soir. Elle ne voyage que de nuit. Je me mettrai en route pour la rattraper après-demain. J'ai besoin encore de compléter mon lot.

Il s'arrêta, réfléchit un instant et conclut :

105   — Puisque tout cela vous intéresse et que vous ne craignez pas la fatigue, vous pouvez aller voir la chasse de Sélim.

Saïd poussa un rauque appel et je ne sais de quelle retraite bondirent deux hommes à demi nus.

L'un était vieux, ridé, mais ferme et dur sur ses jambes sèches. L'autre, adolescent, res-
110 semblait, par la puissance et la souplesse de ses muscles, par son rictus, à un animal de proie.

— Sélim, dit Saïd en montrant le dernier.

Il lui murmura quelques mots et ils vinrent tous deux nous baiser la main.

LE CHASSEUR D'ENFANTS

Plus d'une fois, au cours de la journée suivante, nous faillîmes renoncer à la mystérieuse
115 randonnée.

Nous étions partis à pied depuis le lever du jour et les deux hommes de Saïd, aussi bien le vieux que Sélim, n'avaient pas cessé de mener un train épuisant. Ils glissaient comme des couleuvres à travers les mimosas sauvages armés de terribles épines, leurs pieds nus se posaient avec une telle légèreté sur les roches et les pierres tranchantes qu'ils n'avaient pas
120 le temps de s'y blesser. Mais nous, harassés, ruisselants, nos vêtements de toile déchirés par les broussailles, trébuchant dans les cailloux malgré les espadrilles catalanes dont nous avait munis Monfreid, nous étions accablés, désespérés, par la démarche dansante de ces deux corps noirs qui ne connaissaient ni lassitude ni répit.

Enfin, par signes (ils parlaient un idiome que le docteur Peyré ne comprenait pas), nous
125 demandâmes une halte.

Sélim et son compagnon se concertèrent brièvement. Le vieux poursuivit sa route, Sélim s'accroupit sur les talons, sortit son poignard et se mit à tailler en bâtons des branches d'arbre. Quand il eut terminé, il nous les tendit avec un sourire enfantin. Nous comprîmes ainsi qu'il avait pitié de nous.

130   Cela ne l'empêcha point de reprendre sa diabolique allure aussitôt que nous fûmes debout. Pendant des heures, je lui vouai une véritable haine. Mais le paysage à la vue duquel s'acheva cette course me fit tout oublier.

    Nous étions venus par une suite de plateaux et de
135 dépressions presque désertiques, semés de pierres rouges et grises, éventrés par des pitons où ne poussait qu'une végétation épineuse et sans sève. Or, quand Sélim s'arrêta au sommet de l'entassement pierreux qui, jusque-là, avait fermé notre horizon, une faille géante
140 s'ouvrit devant nous.

    Et dans cette faille serpentait un petit cours d'eau et l'herbe y était verte, grasse, parmi des bouquets d'arbres, et de cette immense vallée, gardée par des massifs sauvages, montait une indicible paix, une naïveté infinie
145 et comme divine. Nous sûmes, par la suite, que les plus pernicieuses des fièvres en interdisaient l'habitation, mais à ce moment de la journée où s'annonçait la fraîcheur du crépuscule, nous crûmes voir dans cette verdoyante pureté, dans ce silence moelleux, un coin béni des premiers âges, à l'aube de la vie des hommes.

    Tels sont le pouvoir, le magnétisme de la beauté, que nous fûmes impatients, malgré
150 toute notre fatigue, de descendre vers la vallée miraculeuse. Mais Sélim nous fit signe de nous dissimuler derrière une termitière et lui-même, couché dans son ombre, attendit.

    Un roucoulement, à peine plus rauque que celui des ramiers, se fit entendre au bout de quelques minutes. Sélim dressa la tête comme pour repérer exactement la direction d'où venait cette tendre plainte et, choisissant une sente terriblement abrupte, interrompue sans
155 cesse par des rocs glissants, s'enfonça dans la faille.

    Après une heure de descente acrobatique et comme nous avions fait environ la moitié du chemin pour atteindre la vallée nous trouvâmes une aiguille de pierre qui s'élançait presque au niveau de la hauteur que nous venions de quitter. Là nous entendîmes de nouveau, et tout près, le roucoulement qui avait été pour Sélim le signal du départ.

160   Dans une anfractuosité de l'aiguille, très haut, parut un instant le visage du vieux chasseur. Sélim sourit.

    Son guetteur avait choisi un observatoire admirable.

    Quand nous fûmes au bas de la pente, le soleil avait depuis longtemps quitté le fond de la vallée. Une humidité pénétrante nous enveloppa. Le sol était spongieux. Une odeur de nuit
165 et de marécage flottait. Sélim enveloppa son torse nu d'une cotonnade en guenilles qu'il avait jusqu'alors portée enroulée à son bras et prêta attentivement l'oreille.

    Dans le silence merveilleux de l'herbe et de l'eau, nous entendîmes, très vague, très lointain, très doux, un tintement de clochettes. Puis, sur le versant opposé, nous vîmes quelques chèvres et quelques bœufs monter lentement. Derrière venaient de minuscules silhouettes de
170 femmes. Elles ramenaient les bêtes du pâturage vers quelque hameau perdu dans la montagne.

    Ce fut au pied du sentier pris par elles que nous conduisit Sélim. Il fallut, pour cela, traverser toute la vallée en passant le cours d'eau qui nous arrivait jusqu'à mi-cuisse.

    Dans un buisson touffu, Sélim fraya avec son poignard un passage si étroit qu'il était à peu près invisible, puis il l'élargit au creux même du massif en une sorte de tente feuillue et
175 piquante. Dans cet abri, il nous donna les galettes de *doura* qu'il avait emportées et l'eau qu'il alla chercher dans sa gourde à la rivière.

    La veille commença.

    Inoubliable nuit dans la vallée vierge baignée de lune… Plaintes stridentes des grands singes qui sautaient, démons fantastiques, de roc en roc… Ombres épaisses, massives et prudentes des phacochères venant boire à la rivière… Souffle tragique des félins que nous sentions errer autour de nous… Vie sans contrôle humain de la terre, des plantes et des bêtes…

Sélim dormait profondément, mais nous, malgré cette journée d'effort écrasant, nous ne pûmes l'imiter. Nous écoutions la rumeur du mystère, de l'ombre, et nous tremblions légèrement, à la fois de fièvre et de cette émotion sacrée qu'éprouve l'homme civilisé chaque fois qu'il retourne à sa condition primitive.

L'aube vint. Sélim se défit de sa cotonnade, se glissa à l'entrée du couloir qu'il avait aménagé, et, là, sans un frémissement de ses muscles bandés, à plat ventre, les yeux immobiles, épia le sentier par où, la veille, avait disparu le maigre troupeau.

Nous le regardions avec une secrète épouvante, osant à peine respirer. Nous commencions à comprendre.

Comme le petit jour se mettait à moirer la rivière, des grelots sonnèrent faiblement dans la montagne. Leur bruit se rapprocha… Il venait sur nous, de plus en plus net, de plus en plus angoissant… Des chèvres passèrent.

Et Sélim bondit.

Ce fut vraiment la détente d'un fauve. Pas un bruit à l'élan, pas un bruit à la chute. Simplement un faisceau de muscles qui, de sa propre puissance, se déplace dans l'air.

La fillette qui suivait le troupeau n'eut pas le temps de pousser un gémissement. Enveloppée, bâillonnée par la cotonnade, elle ne fut qu'un mince paquet sans défense. Sélim la jeta sur son épaule et, avant que nous ayons pu sortir de notre abri, s'élança vers la sente par laquelle nous étions descendus la veille. Nous le vîmes longtemps courir dans la vallée qui naissait à la lumière. Il disparut enfin dans les rochers avec sa proie. Le rapt était consommé.

Le vieux chasseur nous ramena au village auprès de Saïd.

Le marchand d'esclaves nous demanda si nous étions contents de notre expédition. Je le remerciai, par l'intermédiaire du docteur Peyré, de son obligeance et lui dis que notre joie serait complète si la petite fille volée m'était vendue et ensuite ramenée à l'endroit d'où Sélim l'avait emportée. Saïd réfléchit, calcula…

— Elle est jolie et bien faite, dit-il enfin. En Arabie, elle vaut quatre-vingts livres. Mais je ne pourrais la vendre que quarante au marchand qui vient chercher ma caravane de ce côté de la mer… Et il y a les risques du voyage… Je vous la laisse à trente…

Le marché fut conclu et la fillette reprit le chemin par lequel elle était venue, accompagnée du vieux chasseur.

— Soyez tranquille, dit Saïd, il n'ira pas la vendre ailleurs. Il me sert depuis dix ans.

— Et que fait Sélim ? demandai-je.

— Il est allé chercher un jeune garçon, *inch' Allah*. […]

Joseph Kessel, *Témoin parmi les hommes – Tome II:
Les jours de l'aventure*, Paris, Les Éditions Mondiales, 1956, p. 9 à 66.

1945

LE JUGEMENT DERNIER

Nuremberg…

Cette ville qui avait servi de sanctuaire au culte nazi, où chaque année, avant la guerre, dans une débauche d'oriflammes, de chants, de cuivre, de feux géants, de parades et d'emphase mons-trueuse, Hitler hurlait ses commandements, ses anathèmes et ses prophéties aux foules accourues,
5 *cette ville ancienne et magnifique n'était plus qu'un amas horrible de ruines et tellement informe que ses habitants eux-mêmes n'en reconnaissaient plus le tracé.*

Parmi ce chaos de décombres sur lequel flottaient les pluies et les nuées de novembre, une avenue récemment déblayée — voie large et solitaire — menait à un grand édifice tout neuf. C'était le Palais de Justice, construit spécialement par les services américains pour le procès des
10 *plus hauts criminels de guerre allemands — civils et militaires — encore en vie.*

Procès sans équivalent dans les annales humaines. Pour la première fois, les responsables et les complices d'immenses meurtres collectifs allaient passer en jugement.

Des centaines de journalistes venus du monde entier s'entassaient, à cinq ou six par chambre, dans le camp de presse que les Américains avaient établi aux environs de Nuremberg.

15 *Envoyé spécial de France-soir, j'assistai seulement au prologue d'un procès qui devait se pro-longer des mois et des mois avant d'aboutir à la mort, par suicide ou pendaison, des principaux accusés.*

Mais ce fut précisément dans les premières audiences que cet extraordinaire jugement eut toute sa force et sa couleur spectrale.

Dans les années 1930, à Nuremberg, Hitler salue la foule du balcon de son hôtel.

CINÉMA

Pourquoi ce jour et cet instant furent-ils choisis ?

On ne l'expliqua point. Et, en vérité, peu importe.

Mais toutes les lumières s'éteignirent ensemble et la salle, où les rideaux hermétiquement appliqués aux fenêtres étouffaient le moindre rayon venu du dehors, la salle devint un vais-
25 seau de ténèbres.

Sur notre droite, là où siégeait le tribunal, une voix s'éleva, neutre, lente, lourde et répercutée par les écouteurs dans quatre langues différentes.

Elle dit :

— Vous allez voir un documentaire pris dans les camps de concentration établis par le
30 régime hitlérien.

Contre le mur du fond, l'écran de cinéma s'éclaira doucement. Alors, sous le faisceau doré, parut toute l'horreur que, six mois plus tôt, les troupes alliées avaient découverte derrière l'enceinte des bagnes les plus atroces et les plus scientifiques, parmi les usines de cauchemar conçues pour humilier, supplicier, anéantir l'homme dans sa chair et dans son âme.

35 Dachau,

Buchenwald,

Auschwitz.

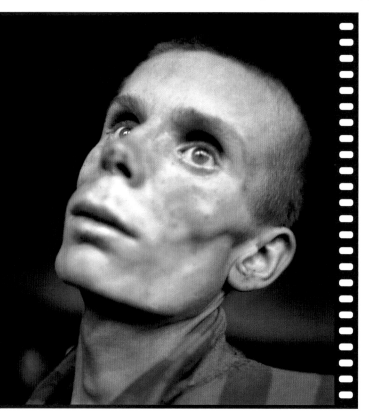

Portrait d'un jeune juif Russe de 18 ans à sa sortie du camp de concentration de Dachau, en 1945.

Sans doute les objectifs des appareils n'avaient pas pu surprendre les bourreaux à leur labeur, mais
40 leur outillage, que les S.S. en s'enfuyant avaient abandonné, suffisait à nourrir une épouvante et une colère sacrées : laboratoires de tortures… chambres à gaz… fours crématoires… Mais, surtout, les visages, les corps des survivants.

45 Ces nuques dont on pouvait compter les vertèbres, ces bras réduits à l'état d'os, ces torses décharnés jusqu'au squelette, ces joues exsangues, collées exactement aux mâchoires et ces énormes trous au fond desquels le regard avait déjà l'inson-
50 dable atonie de la mort.

Ces fantômes donnaient une substance, une existence terrible aux récits, aux balbutiements, aux délires, vrais dans chaque détail, que l'on avait entendus six mois plus tôt, six mois seulement,
55 quand s'étaient ouvertes les portes des enfers, et qui avaient été murmurés ou criés par des bouches sans dents, des lèvres sans forme, des voix sans timbre, des figures sans âge.

La faim… les matraques… le travail inhumain… les expériences médicales à vif… les
60 appels du matin par trente degrés au-dessous de zéro, tandis que la chair sous-alimentée, grise et souillée, n'a pour se couvrir qu'un haillon de toile… la faim… la dysenterie… la cravache… la faim… le typhus… les grabats surpeuplés… les chambres à gaz… les abat-jour délicats taillés par les gardiens du camp dans la peau humaine… la faim… l'humiliation… l'humiliation… le four crématoire.

65 On n'était plus à Nuremberg, dans la salle de Justice, mais encore aux temps hitlériens…

Buchenwald…

Dachau…

Auschwitz…

Soudain, mais je ne pourrais dire la durée ni le chemin que prit cet avertissement
70 intérieur pour parvenir jusqu'à ma conscience, soudain j'eus le sentiment que la résurrection de l'horreur n'était plus, en cet instant, le fait essentiel.

Il y avait dans cette enceinte quelque chose de plus important encore.

C'est alors que j'aperçus dans l'immense salle obscure un second foyer lumineux.

Sur ma gauche, le faisceau d'un projecteur éclairait exactement les deux travées sur
75 lesquelles, dix par dix, les accusés se trouvaient répartis.

Cet éclairage, on avait dû le régler à l'avance avec un soin extrême: atténué, onctueux, subtil et comme attentif, il prenait les visages de biais, en écharpe et de telle manière que leur faculté de vision ne fût gênée en rien, mais en même temps que rien sur leurs traits ne pût échapper au regard du public et des juges.

80 Tel était donc l'objet véritable de l'expérience: il ne s'agissait pas de montrer aux membres du tribunal un document dont ils avaient, à coup sûr, une connaissance approfondie. Il s'agissait de mettre tout à coup les criminels face à face avec leur forfait immense, de jeter pour ainsi dire les assassins, les bouchers de l'Europe, au milieu des charniers qu'ils avaient organisés, et de surprendre les mouvements auxquels les forcerait ce spectacle, ce choc.

85 Quand avait-on commencé à établir ce second éclairage?

Avait-on fait croître son intensité, degré par degré, d'un miroitement insensible jusqu'à cette égale et tranquille clarté?

Quoi qu'il en fût, tous les visages, depuis celui de Goering jusqu'à celui de Rudolph Hess, depuis celui de Keitel jusqu'à celui de Seyss-Inquart, étaient isolés, cernés, alignés, dans un
90 étrange crépuscule d'autre monde qui s'arrêtait aux casques blancs des policiers militaires américains.

Or, les accusés ne s'apercevaient pas que leurs visages se trouvaient tirés de l'ombre par une sorte de bain révélateur et que leur fresque hallucinante formait un point de mire obligé,

Certains des accusés nazis au procès de Nuremberg.
À l'avant : Hermann Goering, Rudolf Hess, Joachim Von Ribbentrop,
Wilhelm Keitel et Ernst Kallenbrunner. Assis derrière eux :
Karl Doenitz, Erich Raeder, Baldur von Schirach et Fritz Sauckel.

une cible fatale. Ou, s'ils l'avaient su un instant, ils
95 l'avaient oublié.

Maintenant, les vingt figures étaient tournées vers l'écran et, inconscientes de l'avidité presque sauvage avec laquelle toute une salle étudiait leurs traits, insensibles à ce poids, à cette glu, elles appar-
100 tenaient entièrement aux images qui se déroulaient contre le mur du fond.

Tandis que des centaines d'hommes les regardaient sans répit, sans merci, les criminels n'avaient de regard que pour l'écran.

105 À quoi était due une fascination si profonde ? Ils ne pouvaient pas ignorer, eux, l'existence, l'atrocité, l'abomination des camps. Même les généraux, même les amiraux, même les diplomates ! Ils avaient été placés pendant dix ans aux leviers essentiels de
110 commande. Ils avaient, de toute nécessité, parmi les rouages du régime, pris connaissance de celui-là, le plus terrible.

Alors, pourquoi cette hypnose ?

Est-ce que vraiment, pour les uns, le manque d'imagination les avait empêchés de voir
115 jusque-là ce que certaines mesures signifiaient en douleur humaine ? Et chez les autres, le spectacle du méthodique supplice qu'ils avaient voulu était-il trop cruel pour leurs nerfs ? Ou bien était-ce au contraire curiosité morbide ? Ou encore vertige devant le miroir affreux de leur règne ? Et voyaient-ils dans les images l'annonce du verdict qui les attendait ?

Crispés, égarés, incrédules ou rompus, dix visages et, derrière ceux-là, dix autres encore,
120 fantastiques rangées émergeant des ténèbres, se tendaient comme magnétisés vers le mur du fond.

Ainsi, dans toute la salle obscure, vivaient seulement deux nappes lumineuses. On voyait sur l'une toute l'horreur décharnée des camps de concentration. Sur l'autre se profilaient les figures, mises à nu, des hommes qui en étaient comptables.

125 Prodigieuse, spectrale confrontation. Et les spectres les plus effrayants se trouvaient sur les bancs des accusés.

Soudain, entre ces deux foyers de clarté il y eut une sorte d'équilibre. Le documentaire tirait à sa fin. Des bulldozers nettoyaient les champs de cadavres, les monceaux d'ossements, poussaient les débris vers d'immenses fosses communes. Les squelettes roulaient les uns sur
130 les autres, les crânes dansaient, sautaient, les catacombes se mettaient en marche.

Alors Goering, vice-roi du IIIᵉ Reich, serra ses mâchoires livides à les rompre. Le commandant en chef Keitel, dont les armées avaient ramassé tant d'hommes promis aux charniers, se couvrit les yeux d'une main tremblante. Un rictus de peur abjecte déforma les traits de Streicher, bourreau des Juifs.

135 Ribbentrop humecta de la langue ses lèvres desséchées. Une sombre rougeur couvrit les joues de von Papen, membre du *Herren Klub* et serviteur d'Hitler. Frank, qui avait décimé la Pologne, s'effondra en sanglots.

Et nous tous qui, la gorge nouée, assistions dans l'ombre à ce spectacle, nous sentîmes que nous étions les témoins d'un instant unique dans la durée des hommes.

Joseph Kessel, *Témoin parmi les hommes – Tome III : L'heure des châtiments*, Paris, Les Éditions Mondiales, 1956, p. 381 et 382 et p. 417 à 422.

Répertoire ✚

Lire autour du reportage

- Vous pourriez trouver des reportages dans les magazines d'actualité. Les grands quotidiens en publient aussi; puisque ce sont des articles de prestige, on présente souvent les reportages dans les éditions de fin de semaine et on leur accorde un traitement visuel particulier.

- Vous pourriez lire les récits de grands reporters comme Sara Daniel, des recueils de textes de reporters célèbres comme Albert Londres ou des recueils d'articles d'écrivains qui, comme Joseph Kessel, Gabrielle Roy et George Simenon, ont été journalistes avant d'être romanciers.

- Certains reporters et reporters-photographes ont eu une vie si trépidante qu'on leur a consacré une biographie. C'est le cas, par exemple, de Robert Capa.

ALEX KERSHAW

ROBERT
CAPA

L'HOMME QUI JOUAIT
AVEC LA VIE

JC Lattès

Vivre des expériences culturelles liées au reportage

- Plusieurs émissions de télévision et de radio présentent des reportages : émissions d'affaires publiques, bulletins de nouvelles, etc. Certaines émissions se consacrent principalement au reportage (ce sont habituellement des émissions hebdomadaires qui traitent de sujets variés) et elles se spécialisent souvent dans un domaine particulier (les voyages, l'environnement, la science, etc.).

- Plusieurs grands médias rendent disponibles des reportages variés sur leur site Internet.

- Dans le cadre de concours, on invite régulièrement les jeunes à jouer les reporters et à soumettre leurs réalisations. Vous pourriez participer à un de ces concours.

- Certains reporters présentent leurs films au grand public. Vous pourriez assister à l'une de ces représentations. La vie de reporters célèbres a aussi parfois été portée à l'écran : c'est le cas de Sidney Schanberg, un journaliste américain du *New York Times*, qui est resté au Cambodge après la prise de Phnom Penh par les Khmers rouges dans les années 1970. L'intervention de son assistant Dith Pran lui a sauvé la vie.

Dith Pran et Sidney Schanberg
dont l'histoire a inspiré le film
aux trois oscars *La déchirure* (1984).

Coups DE théâtre

DOSSIER **5**

Au lever du rideau, des personnages
se dressent sur scène.

Qu'ils se nomment
Paul-Edmond Gagnon, Max, docteur Knock,
Monsieur et Madame Martin,
Madame la Comtesse de Perleminouze,
Philippe, Le jeune, Le vieux,
Cyrano de Bergerac ou Nana,
les voici qui, sous vos yeux,
vont jouer leur vie.

Place au théâtre !

Sommaire

▦ correspond aux clés de lecture

PAGE PRÉCÉDENTE : Richard H. Fox, *Une loge au théâtre*, 2007.

ÇA VA MAL !

ACTE UN, SCÈNE 1

PAUL-EDMOND
(*Il est essoufflé.*) Pardon monsieur… l'autobus pour Arvida, s'il vous plaît.

FRED
5 Vous avez l'temps, monsieur ! Le prochain part à onze heures, à soir.

PAUL-EDMOND
(*Paniqué.*) Hein ? Y n'a pas un autre avant ?

FRED
Oui, à neuf heures, mais là, y est neuf heures et quatre.

10 PAUL-EDMOND
Ça s'peut pas ! Ç'a pas d'bon sens, ça !

FRED
(*Lui montre sa montre.*) C'est l'heure de CKAC, moé là !

PAUL-EDMOND
15 Mais que c'est que j'vas faire, moi ?

FRED
Attendre le prochain.

PAUL-EDMOND
(*Se retourne vers la sortie du terminus (D).*) Sarto !!! Sarto !!!… Y est parti ! Ça
20 s'peut pas ! Ç'a pas d'bon sens, ça ! J'me marie à trois heures à Arvida, moi !

FRED
Belle place, ça, Arvida !

PAUL-EDMOND
Ha ! Bonyieu ! Bonyieu !

25 FRED
Ben voyons, là, une de perdue, dix de r'trouvées.

PAUL-EDMOND
Le téléphone ?… c'est où, ça ?

FRED
30 C'est juste là.

On entend un appel : «Granby – Magog – Sherbrooke – Saint-Georges, porte dix-sept (bis). Gate number seventeen.» Paul-Edmond fouille dans ses poches, il n'a pas de monnaie. […]

***

ACTE UN, SCÈNE 4
(extrait)

Paul-Edmond entre par (D) et va vers le premier téléphone public, compose le 0.

PAUL-EDMOND

Allô, mad'moiselle ? J'voudrais faire un longue distance à Arvida, s'il vous plaît,
à monsieur Odias Fortin, au numéro 548-88... ... 548-88... Ben voyons, c'est-
tu bête, là, bon un instant, j'ai ça pas loin là. (*Il sort un papier de sa valise et le
lit.*) C'est 88 quequ'chose, là ! Bon, allô, c'est 8808... C'est Paul-Edmond
Gagnon... non Edmond, c'est Paul-Edmond Gagnon. Combien ?... Deux
piastres et demi... OK ! (*Il met de la monnaie dans le téléphone.*) Merci...
Allô ?... Madame Fortin, c'est Paul-Edmond... Paul-Edmond... Paul-Edmond
Gagnon, vot' futur gendre !... Oui... c'est le grand jour... Oui... Enfin, quoi...
Hein ?... Nerveux ?... Ah, oui, chus nerveux... Ça va être une belle cérémonie,
hein... Ah oui ! j'vous crois, oui ! (*Il n'arrive pas à l'arrêter de parler.*) Ça coûte
cher !... Ah non ! on le r'grettera pas non... si j'm'en viens ? Oui, justement,
à propos d'ça, j'pourrais-tu parler à Johanne ?... Non ?... Comment non ?...
Comment ça, ça porte malheur ???... Passez-moé-la, s'il vous plaît, c'est important... Non, j'ai pas eu d'accident... Non, passez-moé-la, s'il vous plaît, c'est
grave. (*Un temps.*) Bon merci... Johanne ?... C'est Paul-Edmond... Paul-
Edmond !... Non, non j'ai pas eu d'accident... j'ai manqué l'autobus... Ben
l'autobus de neuf heures, je l'ai manqué, j'pourrai pas être à l'église à trois
heures... parce que l'char à Sarto partait pas; y'é venu me r'conduire en
r'tard... Prends l'avion, prends l'avion, c'est toé qui as l'argent !... Non,
Johanne... Non, non, pleure pas, non, non... pardon ?... un autre piastre ?...
(*Il fouille dans ses poches.*)... J'ai pus d'monnaie, là !... (*Au téléphone.*)
Johanne ?... Bon arrête de pleurer, là... Un instant, s'il vous plaît mademoiselle... Johanne rappelle-moé à 936-3636... Non, 3636, à Montréal. (*Il pleure.*)
OK, correct. (*La ligne est coupée.*) Ça va mal, que ça va mal !

[...]

Denis Bouchard, Rémy Girard, Raymond Legault
et Julie Vincent, *La déprime*, Montréal,
VLB éditeur, 1991 © 1991 VLB éditeur,
Denis Bouchard, Rémy Girard, Raymond Legault
et Julie Vincent, p. 27 à 34.

Quelque chose
d'incroyable

Scène 1

Huit passagers dans un autobus. Émilie lit un livre. Max est assis derrière elle.

ÉMILIE. Il se passerait quelque chose d'étrange,
5 comme une odeur de catastrophe, de déluge, de force majeure, mais pourtant rien en apparence, l'anonymat habituel et pourtant quelque chose qui ferait qu'au lieu de fuir les regards on se mettrait tous à les chercher avec avidité, à les appeler,
10 comme si on voulait happer l'humanité avec nos yeux, comme si on pouvait avaler l'humanité par les yeux, comme si, pour une raison obscure, on se sentait plus que jamais comme faisant partie de la même race d'animaux qui pensent, et que ce soit
15 suffisant pour être viscéralement concerné par les yeux des autres, et qu'on se mette à pouvoir sentir les autres à tel point qu'il deviendrait possible de faire bouger le bras de quelqu'un d'autre tellement on serait *dans* la peau de ce quelqu'un d'autre, on
20 se mettrait à avoir froid ou chaud pour quelqu'un d'autre, ça créerait une espèce de doute collectif sur la réalité de ce moment, chacun croirait d'abord à une sorte de perversion sexuelle telle-

ment l'exacerbation des sens ferait penser à un
25 désir violent et inexplicable. Chacun se dirait d'abord, mais qu'est-ce que j'ai, à désirer tout le monde, comme ça? Puis bien vite on serait conscient de vivre quelque chose d'exceptionnel, peut-être d'extraterrestre, et on serait complètement
30 désolé pour tous ceux qui n'étaient pas dans l'autobus à ce moment-là. Parce qu'on aurait vécu le comble de la compassion.

MAX. Pouvez-vous arrêter de lire à voix haute, s'il vous plaît?

35 ÉMILIE. Pardon?

MAX. Pouvez-vous lire dans votre tête, c'est agaçant pour tout le monde.

ÉMILIE. Je comprends pas...

MAX. Écoutez, votre littérature d'autobus n'inté-
40 resse pas forcément ceux qui voyagent avec vous.

ÉMILIE. Ça vous regarde pas, ce que je lis!

MAX. Absolument, alors veuillez m'en épargner la lecture.

ÉMILIE. Mais de quoi vous parlez! Je ne dérange
45 personne: je lis!

MAX. Mais vous lisez à voix haute!

ÉMILIE. Pas du tout!

MAX. En plus, c'est un très mauvais livre. C'est quoi ce livre? C'est de qui?

50 ÉMILIE. Vous saurez qu'il a été pressenti comme le meilleur auteur de sa génération.

MAX. De toute façon je déteste les auteurs de leur génération. Si vous avez envie de vous donner en spectacle, ayez au moins le bon goût de lire autre
55 chose.

ÉMILIE. Vous êtes le seul à vous plaindre, Monsieur.

MAX. Parce que les autres n'osent pas.

ÉMILIE. Les autres se mêlent de leurs affaires.

MAX. Les gens ici sont terrorisés à l'idée d'un affron-
60 tement verbal...

ÉMILIE. Où, «ici»?

MAX. ... parce qu'ils n'ont pas les outils intellectuels pour faire face à l'adversaire.

ÉMILIE. Mais où, «ici»?

65 MAX. Au Québec.

ÉMILIE. Ça y est, vous nourrissez encore votre réputation. Après il faut pas vous étonner que partout dans le monde, on haïsse les Français. Vous savez que partout, partout, on vous haït?

70 MAX. Je ne suis pas français!

ÉMILIE. Peu importe, vous m'embêtez. Laissez-moi lire maintenant.

MAX. Volontiers, mais lisez dans votre tête.

ÉMILIE. Bien sûr, que je lis dans ma tête, comment 75 voulez-vous que je lise?

MAX. Peut-être que vous ne vous en êtes pas rendu compte, mais vous lisiez fort, j'entendais tout.

ÉMILIE. C'est absurde! *s'adressant à quelqu'un d'autre:* Madame, est-ce que vous m'avez enten- 80 due quand je lisais?

La dame fait «non» de la tête.

Monsieur? Est-ce que quelqu'un m'a entendue lire ici?

Tout le monde fait «non» de la tête, amusé.

85 MAX. Comment ça se fait que je vous ai entendue, moi, alors?

ÉMILIE. Posez la question à votre médecin. Vous êtes sûrement malade, Monsieur.

MAX. Attendez! Je peux vous prouver que j'ai 90 entendu! Je peux vous dire exactement de quoi ça parle, votre livre! C'est un torchon. Ça parle de gens dans un autobus qui se mettent à avoir envie de baiser les uns avec les autres, tous ensemble, sans raison, alors vous voyez que j'ai entendu? Ça 95 parle d'une espèce de solidarité bestiale, et d'un phénomène peut-être extraterrestre, dans un auto- bus, c'est très malsain. Bon c'est vrai qu'il paraît que devant le constat de l'horreur, l'être humain a parfois mystérieusement envie de baiser, désespé- 100 rément, comme un genre d'ultime manifestation de la vie, j'en ai entendu parler, comme à la guerre, parmi des cadavres, mais franchement, pas dans un autobus, pas ici! Alors maintenant vous voyez bien que j'ai entendu, alors dites-moi que vous 105 lisiez à voix haute, même en chuchotant, parce que vous ne pouvez pas me laisser dans un état de doute concernant ma santé mentale, on ne fait pas

ça à son pire ennemi, le faire douter de sa santé mentale...

110 *Un homme intervient quand Max s'approche trop d'Émilie.*

HOMME. Laissez-la tranquille, maintenant.

MAX. Mais il faut que je sache ce qu'il m'arrive! Moi, d'habitude, je suis un bon citoyen, je parle à 115 personne dans l'autobus, je vous jure que d'habi- tude je prends l'autobus sans faire d'histoires, mais cette femme m'a agressé, elle a lu dans mon oreille, elle m'a susurré des mots dégueulasses...

HOMME. Monsieur, ou bien vous sortez ou bien 120 c'est moi qui vous sors.

Tout le monde applaudit. Max sort, mal à l'aise. Il se sauve. La scène qui suit est interrompue quelques fois par l'échange entre Max et André. Il s'agit du même Max, mais à deux moments différents. Max et Ariane 125 sont dans un café, tandis que Max et André font du jogging dans un parc.

Scène 2 (extrait)

Café et parc en alternance.

ARIANE. J'ai fait un ordre du jour.

130 MAX. Quoi?

ARIANE. Un genre de liste des points dont on doit discuter.

MAX. T'as fait un ordre du jour?

ARIANE. Oui.

MAX. Comment tu as pu faire un ordre du jour ?! C'est pas une réunion, on a décidé de se revoir !

ARIANE. On a des points à régler, et je me suis dit qu'en faisant un ordre du jour, comme ça on n'oublierait rien.

MAX. Est-ce qu'on a le droit de se donner de nos nouvelles, dans ton ordre du jour ? Parce que moi, il m'arrive quelque chose d'incroyable…

ARIANE. Je vais bien, j'ai pas envie de te raconter ma vie, et j'ai pas envie d'entendre parler de la tienne.

MAX. Tu sais que tu perds toute ta féminité, quand tu deviens dure ? Tu vas rider prématurément.

ARIANE. Je cherche absolument pas à te plaire, non plus.

MAX. OK, OK. Ariane, il faut que je te parle, il m'est arrivé quelque chose de trop bizarre…

MAX, *à André. Tous les deux font du jogging.*

Je pense que je suis malade. Je te le dis, André, je me suis jamais senti aussi humilié de toute ma vie. Les gens de l'autobus pensaient que c'était du théâtre invisible ou quelque chose. Ils ont applaudi. Tu te rends compte ? Tellement c'était anormal, ils ont applaudi ! Ça, ça veut dire qu'ils ne pouvaient pas admettre que ce qui se passait était *réel* !

ANDRÉ. C'est quoi ça, du théâtre invisible ?

MAX. C'est des acteurs qui font un genre de scandale sans dire aux gens que c'est du théâtre, et après, quand les gens sont forcés de réagir, de prendre position, ils disent que c'était rien que du théâtre. Quelque chose de complètement idiot. On en a fait quand j'étais au Conservatoire, dans un restaurant avec un faux clochard qui mangeait et un faux client qui voulait pas que le clochard mange près de lui et un faux serveur qui essayait de le calmer…

ANDRÉ. Un peu comme *Surprise Surprise* ?

MAX. Un peu, oui, mais sans vedette.

ANDRÉ. …

MAX. Je suis en train de devenir fou, je te jure, mon médecin m'a dit d'aller voir un psychiatre, le psychiatre est persuadé que je suis schizophrène. Je suis en train de devenir fou. Et toi tu restes calme, c'est comme si je te disais que je pense être hypermétrope. Tu bronches pas, moi je nage en pleine paranormalité, j'ose plus sortir de chez moi, je pourrai plus jamais travailler…

ANDRÉ. Mais tu travailles pas…

MAX. André, c'est pas ça la question ! Je dis juste qu'il faut que je guérisse !

ANDRÉ. C'est pas une maladie.

MAX. Qu'est-ce que tu connais là-dedans, toi ?

ANDRÉ. T'es pas le seul à qui ça arrive, tu sais.

MAX. Ah non ? T'en as déjà entendu parler ?

ANDRÉ. Les Asiatiques.

MAX. Quoi, les Asiatiques ?

ANDRÉ. Tu te rappelles, mon voyage, il y a deux ans…

MAX. Ton trip spirituel ?

ARIANE, *au café.*

Bon, premièrement…

MAX. … J'en reviens pas que t'aies fait un ordre du jour. On a déjà fait du camping, ensemble !

ARIANE. Je vois pas le rapport.

MAX. Symboliquement, c'est très fort, le camping. Je veux dire, tu t'amusais à avoir peur des ours pour que je te serre dans mes bras, tu te blottissais ! Le matin quand j'ai allumé un feu pour te faire cuire des toasts, tu te blottissais encore et aujourd'hui, t'as besoin d'un ordre du jour pour me parler !

ARIANE. Max, j'ai pas beaucoup de temps.

MAX. Tu me trouvais très viril en homme des bois.

ARIANE. Tu as détesté cette fin de semaine de camping.

MAX. Justement, c'était une grande preuve d'amour
210 de ma part.

ARIANE. T'as pas arrêté de chialer qu'on aurait dû aller à l'hôtel.

MAX. C'est parce qu'on n'avait pas d'équipement. Moi je suis pour le camping équipé.

215 ARIANE. On était équipés.

MAX. On n'avait pas de tapis de sol, on n'était pas équipés !

ARIANE. Mais t'es tellement douillet, aussi.

MAX. Je suis pas douillet, j'ai des problèmes de dos.
220 Si t'avais une lordose comme la mienne t'aurais un peu plus de compassion.

ARIANE. Bref.

MAX. Bref. Et comment va ta mère ?

ARIANE. Depuis quand tu t'intéresses à ma mère ?

225 MAX. Moi j'essaie d'être aimable, c'est tout !

ARIANE. Ben je suis pas habituée.

MAX. Eille, c'est vraiment le fun de te revoir…

ARIANE. Excuse-moi mais tu m'as jamais demandé comment allait ma mère, t'as toujours eu l'air très
230 ennuyé que je te parle de ma mère quand j'avais besoin de te parler de ma mère, et maintenant, tout à coup, tu fais ton gentil qui prend des nouvelles de ma mère alors, excuse-moi, mais c'est un peu déstabilisant.

235 MAX. Moi je suis venu ici en pensant qu'on pourrait être détendus…

ARIANE. Je suis désolée mais j'arrive pas à me détendre. J'ai l'impression que si je me détends, tu vas croire que je change d'idée.

240 MAX. Est-ce que t'as peur de changer d'idée ?

ARIANE. Mais non !

MAX. Ah bon, alors tu peux bien me dire comment va ta mère.

ARIANE. Elle va toujours aussi mal merci.

245 MAX. Moi aussi je vais très mal, et c'est pour ça qu'il faut que je te parle…

ARIANE. C'est pas possible ! Tu ramènes encore tout à toi. Tu me demandes des nouvelles de ma mère, mais tu t'empresses de tout ramener à tes
250 petits malheurs.

MAX. C'est pas des petits malheurs, c'est énorme ! Ariane, je pense que je suis en train de devenir fou…

[…]

Evelyne de la Chenelière, «Aphrodite en 04», dans *Désordre public*, Montréal, Éditions Fides, 2006, p. 14 à 20.

EVELYNE DE LA CHENELIÈRE
(née au Québec en 1975)

Après avoir étudié le théâtre à Paris, Evelyne de la Chenelière prête ses talents de comédienne à plusieurs productions québécoises et écrit une série de pièces montées avec succès : *Des fraises en janvier*, *Au bout du fil*, *Aphrodite en 04*, *L'héritage de Darwin*, *Bashir Lazhar*. En tandem avec Daniel Brière, elle écrit et joue dans *Henri & Margaux*, *Le plan américain* et *Nicht retour*, *Mademoiselle*. Le jury des prix du Gouverneur général, qui récompense en 2006 son recueil *Désordre public*, dit qu'elle sait tracer «dans une langue à la fois fluide et remarquablement précise, avec une infinie tendresse, les contours d'une humanité fragile».

La dame en violet

Pour le docteur Knock, un habile homme d'affaires,
les bien portants sont des malades qui s'ignorent.
Il sait exploiter à son avantage la peur de la maladie...

SCÈNE V (extrait)

KNOCK, LA DAME EN VIOLET
*Elle a soixante ans; toutes les pièces
de son costume sont de la même nuance*
5   *de violet; elle s'appuie assez royalement
sur une sorte d'alpenstock.*

[...]

LA DAME — Vous ne connaîtriez pas, docteur,
un secret pour faire dormir ?

10 KNOCK — Il y a longtemps que vous souffrez
d'insomnie ?

LA DAME — Très, très longtemps.

[...]

KNOCK — L'insomnie peut être due à un
15 trouble essentiel de la circulation intracéré-
brale, particulièrement à une altération des
vaisseaux dite « en tuyau de pipe ». Vous avez
peut-être, madame, les artères du cerveau en
tuyau de pipe.

20 LA DAME — Ciel ! En tuyau de pipe ! L'usage
du tabac, docteur, y serait-il pour quelque
chose ? Je prise un peu.

KNOCK — C'est un point qu'il faudrait examiner. L'insomnie peut encore provenir d'une
attaque profonde et continue de la substance grise par la névroglie.

25 LA DAME — Ce doit être affreux. Expliquez-moi cela, docteur.

KNOCK, *très posément.* — Représentez-vous un crabe, ou un poulpe, ou une gigantesque
araignée en train de vous grignoter, de vous suçoter et de vous déchiqueter doucement la
cervelle.

LA DAME — Oh ! (*Elle s'effondre dans son fauteuil.*) Il y a de quoi s'évanouir d'horreur.
30 Voilà certainement ce que je dois avoir. Je le sens bien. Je vous en prie, docteur, tuez-
moi tout de suite. Une piqûre, une piqûre ! Ou plutôt ne m'abandonnez pas. Je me sens
glisser au dernier degré de l'épouvante. (*Un silence.*) Ce doit être absolument incurable ?
et mortel ?

KNOCK — Non.

35 LA DAME — Il y a un espoir de guérison ?

KNOCK — Oui, à la longue.

LA DAME — Ne me trompez pas, docteur. Je veux savoir la vérité.

KNOCK — Tout dépend de la régularité et de la durée du traitement.

LA DAME — Mais de quoi peut-on guérir ? De la chose en tuyau de pipe, ou de
40 l'araignée ? Car je sens bien que, dans mon cas, c'est plutôt l'araignée.

KNOCK — On peut guérir de l'un et de l'autre. Je n'oserais peut-être pas donner cet
espoir à un malade ordinaire, qui n'aurait ni le temps ni les moyens de se soigner, suivant
les méthodes les plus modernes. Avec vous, c'est différent.

LA DAME, *se lève.* — Oh ! je serai une malade très docile, docteur, soumise comme un
45 petit chien. Je passerai partout où il le faudra, surtout si ce n'est pas trop douloureux.

KNOCK — Aucunement douloureux, puisque c'est à la radio-activité que l'on fait appel.
La seule difficulté, c'est d'avoir la patience de poursuivre bien sagement la cure pendant
deux ou trois années, et aussi d'avoir sous la main un médecin qui s'astreigne à une surveillance incessante du processus de guérison, à un calcul minutieux des doses radio-
50 actives — et à des visites presque quotidiennes.

LA DAME — Oh ! moi, je ne manquerai pas de patience. Mais c'est vous, docteur, qui
n'allez pas vouloir vous occuper de moi autant qu'il faudrait.

KNOCK — Vouloir, vouloir ! Je ne demanderais pas mieux. Il s'agit de pouvoir. Vous
demeurez loin ?

55 LA DAME — Mais non, à deux pas. La maison qui est en face du poids public.

KNOCK — J'essayerai de faire un bond tous les matins jusque chez vous. Sauf le dimanche.
Et le lundi à cause de ma consultation.

LA DAME — Mais ce ne sera pas trop d'intervalle, deux jours d'affilée ? Je resterai pour
ainsi dire sans soins du samedi au mardi ?

60 KNOCK — Je vous laisserai des instructions
détaillées. Et puis, quand je trouverai une minute,
je passerai le dimanche matin ou le lundi après-
midi.

LA DAME — Ah ! tant mieux ! Tant mieux ! (*Elle
65 se relève.*) Et qu'est-ce qu'il faut que je fasse tout de
suite ?

KNOCK — Rentrez chez vous. Gardez la chambre.
J'irai vous voir demain matin et je vous exami-
nerai plus à fond.

70 LA DAME — Je n'ai pas de médicaments à prendre
aujourd'hui ?

KNOCK, *debout.* — Heu… si. (*Il bâcle une ordonnance.*) Passez chez M. Mousquet et priez-le d'exé-
cuter aussitôt cette première petite ordonnance.

Jules Romains, *Knock ou Le triomphe de la médecine*,
Paris, © Éditions Gallimard, 1924, p. 92 à 102.

JULES ROMAINS
(1885-1972)

L'écrivain français Jules Romains est le principal
représentant de l'*unanimisme*, une doctrine littéraire selon laquelle l'écrivain doit décrire l'évo-
lution de la société et exprimer l'âme collective.
Cette théorie traverse ses premiers recueils de
poésie et ses romans (*L'âme des hommes*, 1904 ;
La vie unanime, 1908 ; *Les copains*, 1913) et se
déploie totalement dans les vingt-sept volumes
de sa fresque sociale *Les hommes de bonne
volonté* (1932-1946). Jules Romains acquiert véritablement sa notoriété avec ses pièces de
théâtre, dont *Knock ou Le triomphe de la médecine* (1923), qui déjà à l'époque avait fait de son
auteur l'un des dramaturges les plus joués dans
le monde.

Madame et Monsieur Martin

SCÈNE IV

Mme et M. Martin s'assoient l'un en face de l'autre, sans se parler. Ils se sourient, avec timidité.

M. MARTIN

5 (*Le dialogue qui suit doit être dit d'une voix traînante, monotone, un peu chantante, nullement nuancée.*)
Mes excuses, Madame, mais il me semble, si je ne me trompe, que je vous ai déjà rencontrée quelque
10 part.

Mme MARTIN

À moi aussi, Monsieur, il me semble que je vous ai déjà rencontré quelque part.

M. MARTIN

15 Ne vous aurais-je pas déjà aperçue, Madame, à Manchester, par hasard ?

Mme MARTIN

C'est très possible. Moi, je suis originaire de la ville de Manchester ! Mais je ne me souviens pas
20 très bien, Monsieur, je ne pourrais pas dire si je vous y ai aperçu, ou non !

M. MARTIN

Mon Dieu, comme c'est curieux ! Moi aussi je suis originaire de la ville de Manchester, Madame !

25 #### Mme MARTIN

Comme c'est curieux !

M. MARTIN

Comme c'est curieux !… Seulement, moi, Madame, j'ai quitté la ville de Manchester, il y a cinq
30 semaines, environ.

Mme MARTIN

Comme c'est curieux ! quelle bizarre coïncidence ! Moi aussi, Monsieur, j'ai quitté la ville de Manchester, il y a cinq semaines, environ.

35 #### M. MARTIN

J'ai pris le train d'une demie après huit le matin, qui arrive à Londres à un quart avant cinq, Madame.

Mme MARTIN

Comme c'est curieux ! comme c'est bizarre ! et
40 quelle coïncidence ! J'ai pris le même train, Monsieur, moi aussi !

M. MARTIN

Mon Dieu, comme c'est curieux ! peut-être bien alors, Madame, que je vous ai vue dans le train ?

45 #### Mme MARTIN

C'est bien possible, ce n'est pas exclu, c'est plausible et, après tout, pourquoi pas !… Mais je n'en ai aucun souvenir, Monsieur !

M. MARTIN

50 Je voyageais en deuxième classe, Madame. Il n'y a pas de deuxième classe en Angleterre, mais je voyage quand même en deuxième classe.

Mme MARTIN

Comme c'est bizarre, que c'est curieux, et quelle
55 coïncidence ! Moi aussi, Monsieur, je voyageais en deuxième classe.

M. MARTIN

Comme c'est curieux ! Nous nous sommes peut-être bien rencontrés en deuxième classe, chère
60 Madame !

Mme MARTIN

La chose est bien possible et ce n'est pas du tout exclu. Mais je ne m'en souviens pas très bien, cher Monsieur !

65 #### M. MARTIN

Ma place était dans le wagon n° 8, sixième compartiment, Madame !

Mme MARTIN

Comme c'est curieux ! ma place aussi était dans
70 le wagon n° 8, sixième compartiment, cher
Monsieur !

M. MARTIN

Comme c'est curieux et quelle coïncidence bizarre !
Peut-être nous sommes-nous rencontrés dans le
75 sixième compartiment, chère Madame ?

Mme MARTIN

C'est bien possible, après tout ! Mais je ne m'en
souviens pas, cher Monsieur !

M. MARTIN

80 À vrai dire, chère Madame, moi non plus je ne
m'en souviens pas, mais il est possible que nous
nous soyons aperçus là, et si j'y pense bien, la
chose me semble même très possible !

Mme MARTIN

85 Oh ! vraiment, bien sûr, vraiment, Monsieur !

M. MARTIN

Comme c'est curieux !… J'avais la place n° 3, près
de la fenêtre, chère Madame.

Mme MARTIN

90 Oh, mon Dieu, comme c'est curieux et comme
c'est bizarre, j'avais la place n° 6, près de la fenêtre,
en face de vous, cher Monsieur.

M. MARTIN

Oh, mon Dieu, comme c'est curieux et quelle
95 coïncidence !… Nous étions donc vis-à-vis, chère
Madame ! C'est là que nous avons dû nous voir !

Mme MARTIN

Comme c'est curieux ! C'est possible mais je ne
m'en souviens pas, Monsieur !

René Magritte, *Le prêtre marié*, 1950.

M. MARTIN

À vrai dire, chère Madame, moi non plus je ne m'en souviens pas. Cependant, il est très possible que nous nous soyons vus à cette occasion.

Mme MARTIN

105 C'est vrai, mais je n'en suis pas sûre du tout, Monsieur.

M. MARTIN

Ce n'était pas vous, chère Madame, la dame qui m'avait prié de mettre sa valise dans le filet et qui
110 ensuite m'a remercié et m'a permis de fumer ?

Mme MARTIN

Mais si, ça devait être moi, Monsieur ! Comme c'est curieux, comme c'est curieux, et quelle coïncidence !

115 M. MARTIN

Comme c'est curieux, comme c'est bizarre, quelle coïncidence ! Eh bien alors, alors, nous nous sommes peut-être connus à ce moment-là, Madame ?

120 Mme MARTIN

Comme c'est curieux et quelle coïncidence ! c'est bien possible, cher Monsieur ! Cependant, je ne crois pas m'en souvenir.

M. MARTIN

125 Moi non plus, Madame.

Un moment de silence. La pendule sonne 2-1.

M. MARTIN

Depuis que je suis arrivé à Londres, j'habite rue Bromfield, chère Madame.

130 Mme MARTIN

Comme c'est curieux, comme c'est bizarre ! moi aussi, depuis mon arrivée à Londres j'habite rue Bromfield, cher Monsieur.

M. MARTIN

135 Comme c'est curieux, mais alors, mais alors, nous nous sommes peut-être rencontrés rue Bromfield, chère Madame.

Mme MARTIN

Comme c'est curieux ; comme c'est bizarre ! c'est
140 bien possible, après tout ! Mais je ne m'en souviens pas, cher Monsieur.

M. MARTIN

Je demeure au n° 19, chère Madame.

Mme MARTIN

145 Comme c'est curieux, moi aussi j'habite au n° 19, cher Monsieur.

M. MARTIN

Mais alors, mais alors, mais alors, mais alors, mais alors, nous nous sommes peut-être vus dans cette
150 maison, chère Madame ?

Mme MARTIN

C'est bien possible, mais je ne m'en souviens pas, cher Monsieur.

M. MARTIN

155 Mon appartement est au cinquième étage, c'est le n° 8, chère Madame.

Mme MARTIN

Comme c'est curieux, mon Dieu, comme c'est bizarre ! et quelle coïncidence ! moi aussi j'habite
160 au cinquième étage, dans l'appartement n° 8, cher Monsieur !

M. MARTIN, *songeur.*

Comme c'est curieux, comme c'est curieux, comme c'est curieux et quelle coïncidence ! vous
165 savez, dans ma chambre à coucher j'ai un lit. Mon lit est couvert d'un édredon vert. Cette chambre, avec ce lit et son édredon vert, se trouve au fond du corridor, entre les water et la bibliothèque, chère Madame !

170 Mme MARTIN

Quelle coïncidence, ah mon Dieu, quelle coïncidence ! Ma chambre à coucher a, elle aussi, un lit avec un édredon vert et se trouve au fond du corridor, entre les water, cher Monsieur, et la
175 bibliothèque !

M. MARTIN

Comme c'est bizarre, curieux, étrange ! alors, Madame, nous habitons dans la même chambre et nous dormons dans le même lit, chère Ma-
180 dame. C'est peut-être là que nous nous sommes rencontrés !

Mme MARTIN

Comme c'est curieux et quelle coïncidence ! C'est bien possible que nous nous y soyons rencontrés,

185 et peut-être même la nuit dernière. Mais je ne m'en souviens pas, cher Monsieur !

M. MARTIN

J'ai une petite fille, ma petite fille, elle habite avec moi, chère Madame. Elle a deux ans, elle est
190 blonde, elle a un œil blanc et un œil rouge, elle est très jolie, elle s'appelle Alice, chère Madame.

Mᵐᵉ MARTIN

Quelle bizarre coïncidence ! moi aussi j'ai une petite fille, elle a deux ans, un œil blanc et un œil
195 rouge, elle est très jolie et s'appelle aussi Alice, cher Monsieur !

M. MARTIN, *même voix traînante, monotone.*
Comme c'est curieux et quelle coïncidence ! et bizarre ! c'est peut-être la même, chère Madame !

200 Mᵐᵉ MARTIN

Comme c'est curieux ! c'est bien possible cher Monsieur.

Un assez long moment de silence… La pendule sonne vingt-neuf fois.

205 *M. MARTIN, après avoir longuement réfléchi, se lève lentement et, sans se presser, se dirige vers Mᵐᵉ Martin qui, surprise par l'air solennel de M. Martin, s'est levée, elle aussi, tout doucement ; M. Martin a la même voix rare, monotone, vague-*
210 *ment chantante.*

Alors, chère Madame, je crois qu'il n'y a pas de doute, nous nous sommes déjà vus et vous êtes ma propre épouse… Élisabeth, je t'ai retrouvée !

Mᵐᵉ MARTIN s'approche de M. Martin sans se
215 *presser. Ils s'embrassent sans expression.*

La pendule sonne une fois, très fort.

Le coup de la pendule doit être si fort qu'il doit faire sursauter les spectateurs.

Les époux Martin ne l'entendent pas.

220 Mᵐᵉ MARTIN

Donald, c'est toi, darling !

Ils s'assoient dans le même fauteuil, se tiennent embrassés et s'endorment. La pendule sonne encore plusieurs fois.

Eugène Ionesco, *La cantatrice chauve*,
Paris, © Éditions Gallimard, 1954, p. 23 à 31.

EUGÈNE IONESCO
(1909-1994)

Depuis 1957, sans interruption et devant une salle pleine, le théâtre de La Huchette à Paris présente son programme double : *La cantatrice chauve* et *La leçon*. L'auteur de cette «anti-pièce» et de ce «drame comique» est Eugène Ionesco, l'un des pères du théâtre de l'absurde. C'est en 1950 que ce dramaturge français d'origine roumaine crée sa pièce maîtresse, *La cantatrice chauve* ; le public, qui ne retrouve sur scène ni intrigue ni cantatrice chauve, accueille la pièce froidement. Ionesco persiste et signe l'année suivante *La leçon*, puis *Les chaises* (1952) et *Amédée ou Comment s'en débarrasser* (1954), œuvres dans lesquelles il mêle insolite, non-sens et burlesque pour souligner l'insignifiance et la solitude de l'existence humaine. Ionesco expliquait ainsi son approche paradoxale : «Le comique étant l'intuition de l'absurde, il me semble plus désespérant que le tragique. Le comique n'offre pas d'issue.» En 1960, sa pièce *Rhinocéros* connaît un succès phénoménal : c'est la consécration. Ionesco fera aussi paraître des essais (*Notes et contre-notes*, 1962), un roman (*Le solitaire*, 1973) et son *Journal en miettes* (1967). Il est le premier auteur à avoir été publié de son vivant dans la prestigieuse bibliothèque de la Pléiade.

Fiel... Mon zébu !

IRMA, *annonçant.*
Madame la Comtesse de Perleminouze !

MADAME, *fermant le piano*
et allant au-devant de son amie.
5 Chère, très chère peluche ! Depuis combien de trous, depuis combien de galets n'avais-je pas eu le mitron de vous sucrer !

MADAME DE PERLEMINOUZE, *très affectée.*
Hélas ! Chère ! J'étais moi-même très, très vitreuse !
10 Mes trois plus jeunes tourteaux ont eu la citronnade, l'un après l'autre. Pendant tout le début du corsaire, je n'ai fait que nicher des moulins, courir chez le ludion ou chez le tabouret, j'ai passé des puits à surveiller leur carbure, à leur donner des
15 pinces et des moussons. Bref, je n'ai pas eu une minette à moi.

MADAME
Pauvre chère ! Et moi qui ne me grattais de rien !

MADAME DE PERLEMINOUZE
20 Tant mieux ! Je m'en recuis ! Vous avez bien mérité de vous tartiner, après les gommes que vous avez brûlées ! Poussez donc : depuis le mou de Crapaud jusqu'à la mi-Brioche, on ne vous a vue ni au «Waterproof», ni sous les alpagas du bois de
25 Migraine ! Il fallait que vous fussiez vraiment gargarisée !

MADAME, *soupirant.*
Il est vrai !... Ah ! Quelle céruse ! Je ne puis y mouiller sans gravir.

30 MADAME DE PERLEMINOUZE,
confidentiellement.
Alors, toujours pas de pralines ?

MADAME
Aucune.

35 MADAME DE PERLEMINOUZE
Pas même un grain de rifflard ?

MADAME
Pas un ! Il n'a jamais daigné me repiquer, depuis le flot où il m'a zébrée !

40 MADAME DE PERLEMINOUZE
Quel ronfleur ! Mais il fallait lui racler des flammèches !

MADAME
C'est ce que j'ai fait. Je lui en ai raclé quatre,
45 cinq, six peut-être en quelques mous : jamais il n'a ramoné.

MADAME DE PERLEMINOUZE
Pauvre chère petite tisane !... (*Rêveuse et tentatrice.*) Si j'étais vous, je prendrais un autre lampion !

50 MADAME
Impossible ! On voit que vous ne le coulissez pas ! Il a sur moi un terrible foulard ! Je suis sa mouche, sa mitaine, sa sarcelle ; il est mon rotin, mon sifflet ; sans lui je ne peux ni coincer ni glapir ; jamais je ne
55 le bouclerai ! (*Changeant de ton.*) Mais j'y touille, vous flotterez bien quelque chose : une cloque de zoulou, deux doigts de loto ?

MADAME DE PERLEMINOUZE
Merci, avec grand soleil.

60 MADAME, *elle sonne, sonne en vain.*
Se lève et appelle.
Irma !... Irma, voyons !... Oh cette biche ! Elle est courbe comme un tronc... Excusez-moi, il faut que j'aille à la basoche, masquer cette pantoufle. Je
65 radoube dans une minette.

Madame de Perleminouze, restée seule, commence par bâiller. Puis elle se met de la poudre et du rouge. Va se regarder dans la glace. Bâille encore, regarde autour d'elle, aperçoit le piano.

70 MADAME DE PERLEMINOUZE
Tiens ! Un grand crocodile de concert ! (*Elle s'assied au piano, ouvre le couvercle, regarde le pupitre.*) Et voici naturellement le dernier ragoût des mascarilles à la mode !... Voyons ! Oh, celle-ci, qui est si
75 «to-be-or-not-to-be» !

Elle chante une chanson connue de l'époque 1900, mais elle en change les paroles. Par exemple, sur l'air : «Les petites Parisiennes ont de petits pieds...» elle dit : «... Les petites Tour-Eiffel ont de petits
80 *chiens...», etc.*

À ce moment, la porte du fond s'entrouvre et l'on voit paraître dans l'entrebâillement la tête de Monsieur de Perleminouze, avec son haut-de-forme et son monocle. Madame de Perleminouze l'aperçoit. Il est
85 *surpris au moment où il allait refermer la porte.*

MONSIEUR DE PERLEMINOUZE, *à part.*
Fiel !... Ma pitance !

MADAME DE PERLEMINOUZE,
s'arrêtant de chanter.
90 Fiel !... Mon zébu !... (*Avec sévérité.*) Adalgonse, quoi, quoi, vous ici ? Comment êtes-vous bardé ?

MONSIEUR DE PERLEMINOUZE,
désignant la porte.
Mais par la douille !

95 MADAME DE PERLEMINOUZE
Et vous bardez souvent ici ?

MONSIEUR DE PERLEMINOUZE, *embarrassé.*

Mais non, mon amie, ma palme…, mon bizon. Je…
j'espérais vous raviner…, c'est pourquoi je suis
100 bardé ! Je…

MADAME DE PERLEMINOUZE

Il suffit ! Je grippe tout ! C'était donc vous, le mystérieux sifflet dont elle était la mitaine et la sarcelle !
Vous, oui, vous qui veniez faire ici le mascaret, le
105 beau boudin noir, le joli-pied, pendant que moi,
moi, en bien, je me ravaudais les palourdes à
babiller mes pauvres tourteaux… (*Les larmes dans
la voix.*) Allez !… Vous n'êtes qu'un…

À ce moment, ne se doutant de rien, Madame revient.

110 MADAME, *finissant de donner des ordres*
à la cantonade.

Alors, Irma, c'est bien tondu, n'est-ce pas ? Deux
petits dolmans au linon, des sweaters très glabres,
avec du flou, une touque de ramiers sur du pacha
115 et des petites glottes de sparadrap loti au frein…
(*Apercevant le Comte. À part.*) Fiel !… Mon lampion !

Elle fait cependant bonne contenance.

*Elle va vers le Comte, en exagérant son amabilité pour
cacher son trouble.*

120 MADAME

Quoi, vous ici, cher Comte ? Quelle bonne tulipe !
Vous venez renflouer votre chère pitance ?… Mais
comment donc êtes-vous bardé ?

LE COMTE, *affectant la désinvolture.*
125 Eh bien, oui, je bredouillais dans les garages, après
ma séance au sleeping ; je me suis dit : Irène est
sûrement chez sa farine. Je vais les susurrer toutes
les deux !

MADAME

130 Cher Comte (*désignant son haut-de-forme*), posez
donc votre candidature !… Là… (*poussant vers lui
un fauteuil*) et prenez donc ce galopin. Vous devez
être caribou ?

LE COMTE, *s'asseyant.*
135 Oui, vraiment caribou ! Le saupiquet s'est prolongé
fort dur. On a frétillé, rançonné, re-rançonné, refré-
tillé, câliné des boulettes à pleins flocons : je me
demande où nous cuivrera tout ce potage !

MADAME DE PERLEMINOUZE,
140 *affectant un aimable persiflage.*
Chère ! Mon zébu semble tellement à ses planches
dans votre charmant tortillon… que l'on croirait…
oserais-je le moudre ?

MADAME, *riant.*
145 Mais oui !… Allez-y, je vous en mouche !

MADAME DE PERLEMINOUZE, *soudain plus grave,*
regardant son amie avec attention.
Eh bien oui ! l'on croirait qu'il vient souvent ici
ronger ses grenouilles : il barde là tout droit, le
150 sous-pied sur l'oreille, comme s'il était dans son
propre finistère !

MADAME, *affectant de rire très fort.*
Eh ! Vous avez le pot pour frire ! Quelle crémone !…
Mais voyons, le Comte est si glaïeul, si… (*cherchant*
155 *ses mots*) si evershap… si chamarré de l'édredon,
qu'il ne se contenterait pas de ma pauvre petite
bouilloire, ni… (*désignant modestement le salon*) de
ce modeste miroton !

LE COMTE, *très galant.*
160 Ce miroton est un bavoir qui sera pour moi toujours plein de punaises, chère amie !

MADAME

Baste ! Mais il y a bien d'autres bouteilles à son râte-
lier !… (*L'attaquant.*) N'est-ce pas, cher Comte ?

165 LE COMTE, *balbutiant, très gêné.*
Mais je ne… mais que voulez-vous frire ?

MADAME

Comment ? Mais ne dit-on pas que l'on vous voit
souvent chez la générale Mitropoulos et que vous
170 sarclez fort son pourpoint, en vrai palmier du
Moyen Âge ?

LE COMTE

Mais… mais… nulle soupière ! Pas le moindre
poteau dans ce coquetier, je vous assure.

175 MADAME, *s'échauffant.*
Ouais !… Et la peluche de Madame Verjus, est-ce
qu'elle n'est pas toujours pendue à vos cloches ?

LE COMTE, *se défendant, très digne.*
Mais… mais… sirotez, sirotez !…

180 MADAME DE PERLEMINOUZE,
s'amusant de la scène et décidée à en profiter
pour mêler ses reproches à ceux de sa rivale.
Tiens ! Tiens ! Je vois que vous brassez mon zébu
mieux que moi-même ! Bravo !… Et si j'ajoutais
185 mon brin de mil à ce toucan ? Ah, ah ! mon cher.
« Tel qui roule radis, pervenche pèlera ! » Ne dois-je
pas ajouter que l'on vous rencontre le sabre glissé
dans les chambranles de la grande Fédora ?

LE COMTE, *très Jules-César-parlant-à-Brutus-*
190 *le-jour-de-l'assassinat.*
Ah ça ! Vous aussi, ma cocarde ?

MADAME DE PERLEMINOUZE

Il n'y a pas de cocarde ! Allez, allez ! On sait que
vous pommez avec Lady Braetsel !

MADAME

195 Comment ? Avec cette grande corniche ? (*Éclatant.*)
Ne serait-ce pas plutôt avec la Baronne de Marmite ?

MADAME DE PERLEMINOUZE, *sursautant.*

Comment ? avec cette petite bobèche ? (*Mépri-*
200 *sante.*) À votre place, monsieur, je préférerais la
vieille popote qui fait le lutin près du Pont-Bœuf !...

LE COMTE, *debout, se gardant à gauche*
et à droite, très Jean-le-Bon-à-Poitiers.

Mais... mais c'est une transpiration, une vraie trans-
205 piration !...

MADAME ET MADAME DE PERLEMINOUZE,
le harcelant et le poussant vers la porte.

Monsieur, vous n'êtes qu'un sautoir !

MADAME

210 Un fifre !

MADAME DE PERLEMINOUZE

Un serpolet !

MADAME

Une iodure !

215 MADAME DE PERLEMINOUZE

Un baldaquin !

MADAME

Un panier plein de mites !

MADAME DE PERLEMINOUZE

220 Un ramasseur de quilles !

MADAME

Un fourreur de pompons !

MADAME DE PERLEMINOUZE

Allez repiquer vos limandes et vos citronnelles !

225 MADAME

Allez jouer des escarpins sur leurs mandibules !

MADAME ET MADAME DE PERLEMINOUZE,
ensemble.

Allez ! Allez ! Allez !

230 LE COMTE, *ouvrant la porte derrière lui*
et partant à reculons face au public.

C'est bon ! C'est bon ! Je croupis ! Je vous présente
mes garnitures. Je ne voudrais pas vous arrimer !
Je me débouche ! Je me lappe ! (*S'inclinant vers*
235 *Madame.*)

Madame, et chère cheminée !... (*Puis vers sa femme.*)
Ma douce patère, adieu et à ce soir.

Il se retire.

MADAME DE PERLEMINOUZE, *après un silence.*

240 Nous tripions ?

MADAME, *désignant la table à thé.*

Mais, chère amie, nous allions tortiller ! Tenez, voici
justement Irma !

Irma entre et pose le plateau sur la table.

245 *Les deux femmes s'installent de chaque côté.*

MADAME, *servant le thé.*

Un peu de footing ?

MADAME DE PERLEMINOUZE, *souriante*
et aimable comme si rien ne s'était passé.

250 Vol-au-vent !

MADAME

Deux doigts de potence ?

MADAME DE PERLEMINOUZE

Je vous en mouche !

255 MADAME, *offrant du sucre.*

Un ou deux marteaux ?

MADAME DE PERLEMINOUZE

Un seul, s'il vous plaît !

RIDEAU

Jean Tardieu, «Un mot pour un autre»,
dans *La comédie du langage*, Paris,
© Éditions Gallimard, 1987, p. 13 à 21.
[Année de la première parution : 1951.]

JEAN TARDIEU
(1903-1995)

L'inclassable Jean Tardieu a déployé tous azimuts ses talents d'écrivain : poésie, théâtre, roman, texte radiophonique, essai, critique d'art, traduction... Dans les années 1930 et 1940, il publie d'abord des recueils de poésie (*Accents*, 1939 ; *Figures*, 1944), puis décide de se lancer dans l'aventure théâtrale. Son *Théâtre de chambre* (1955) et ses *Poèmes à jouer* (1960) participent du «théâtre de l'absurde» dont Eugène Ionesco et Samuel Beckett sont alors les figures de proue. Ses incisives petites pièces comiques tournent en dérision le langage et les procédés théâtraux traditionnels, aboutissant à un théâtre quasi abstrait : une de ses pièces, *Une voix sans personne*, ne comprend aucun personnage ! Cette inventivité, Jean Tardieu l'a aussi appliquée au roman (*Le professeur Froeppel*, 1978) et à l'écriture de sa propre vie (*On vient chercher Monsieur Jean*, 1990).

CET APPAREIL NE REÇOIT PAS D'APPELS

ACTE UN, SCÈNE 14

Entre par (D).

PAUL-EDMOND

(*Il marche de long en large.*) Mais que c'est qu'a fait? Que c'est qu'a fait qu'elle appelle pas?
5 (*Il lit ce qui est écrit sur l'appareil.*) «Cet appareil ne reçoit pas d'appels.» Bonyieu de bonyieu! (*Il signale 0.*) Allô, mademoiselle? Je voudrais faire un longue distance à Arvida, s'il vous plaît... à frais virés... au numéro 548-8808... Paul-Edmond Gagnon... non Edmond, Paul-Edmond Gagnon... Merci. (*Un temps.*) Accepte les frais, Johanne... Johanne!... Tu pourras pas me parler si t'acceptes pas les frais... arrête de pleurer...
10 Monsieur Fortin?... Bon, écoutez... À vous d'mande d'accepter les frais... c'est Johanne qui a l'argent... (*Un temps.*) Bon... Merci... Merci... Ah non! Pensez pas ça de moi, monsieur Fortin... Oui, je l'sais... Oui... Mais je pense qu'y faut pas que vous vous fâchiez comme ça... oui... y a sûrement une solution... Merci... Johanne?... Bon, écoute, j'ai pensé qu'on pouvait peut-être remettre ça à samedi prochain, hein?... Non,
15 j'me cherche pas de défaite! Ben oui, j'veux m'marier... Je t'ai acheté une lettre d'amour!... Ben oui, j't'aime... (*Un temps.*) Je l'sais j'm'haïs!... Bon, monsieur Fortin! Bon, écoutez, on peut pas retarder la cérémonie? Y a un train à trois heures... neuf heures à soir... Qu'est-ce qu'on va faire avec les cent cinquante invités???... C't'une bonne question!... Bon... hein?... Je suis au terminus, là... J'vous le jure, écoutez. (*Il tend le récep-*
20 *teur au-dessus de sa tête, on n'entend rien dans le terminus.*) Euh, paniquez pas, là... paniquez pas... j'vas essayer de trouver une solution pis j'vous rappelle après, O.K. Attendez mon téléphone, j'vous rappelle, O.K.? (*Il raccroche.*) Bonyieu de bonyieu! (*Il sort par (D).*)

$$***$$

25

ACTE DEUX, SCÈNE 9

Paul-Edmond entre par (D) et va directement au téléphone.

PAUL-EDMOND

Allô, mademoiselle? Je voudrais faire un longue distance à Arvida, s'il vous plaît, à frais virés, au numéro 548-88... Oui! c'est ça!... Non, Edmond, c'est Paul-Edmond Gagnon.
30 Merci!... Allô, Johanne? Ça va mieux, là?... Comment ça, c't'une question stupide, c'est pas une question stupide!... Ben oui, mais je fais c'que j'peux... Ben écoute, j'ai rejoint le curé... Bon, lui y dit que la seule solution, ben, c'est de faire ça au téléphone!... Ben oui, au téléphone... J'vas suivre la cérémonie par téléphone... Non, non... Tout c'que t'as à faire, c'est de te rendre à l'église à trois heures comme prévu... avec toute la famille... Ben
35 non, mets ta robe, fais comme si j'étais là!... Bon! T'expliqueras ça à ta mère!... O.K. Je te rappelle à l'église à trois heures moins deux. Oh, Johanne, demande à mon oncle Maurice qu'il le filme, j'aimerais ça voir ça! (*Il raccroche et sort.*)

On entend: «Québec – Plessisville – Victoriaville – Richmond – Sherbrooke – Newport, porte numéro onze, gate number eleven.»

Denis Bouchard, Rémy Girard, Raymond Legault et Julie Vincent,
La déprime, Montréal, VLB éditeur, 1991 © 1991 VLB éditeur, Denis Bouchard,
Rémy Girard, Raymond Legault et Julie Vincent, p. 71 et 72, 159.

Tour guidé

Robert Lepage dans *La face cachée de la lune.*

SETI

Le téléviseur est allumé. Philippe entre en peignoir éponge bleu, lunettes sur le nez, transportant un panier à linge. Il branche le fer, pose une chemise
5 *sur la planche, l'humecte avec l'eau du bocal et la repasse tout en écoutant la télé.*

L'ANIMATEUR — Question sérieuse maintenant : sommes-nous seuls dans l'univers ou existe-t-il quelque part une autre forme d'intelligence
10 qui se pose la même question que nous ? Alors ce matin, je reçois madame Marie-Madeleine Bonsecours, du Bureau canadien du programme SETI, qui va nous dire ce que signifie « SETI » — je vais en apprendre autant que vous. Elle va nous
15 parler d'une toute nouvelle approche pour tenter de répondre à cette question sur la vie extraterrestre. Madame Bonsecours, bienvenue à l'émis-

sion. Tout d'abord, évidemment, que désigne exactement le sigle SETI ?

20 M.-M.B. — En fait, SETI signifie Search for Extra Terrestrial Intelligence, c'est-à-dire la recherche d'une intelligence ou de formes d'intelligence extraterrestre. C'est un organisme qui a été créé en 1959 par deux physiciens de l'Univer-
25 sité Cornell aux États-Unis, qui croyaient qu'à l'aide de puissantes ondes radio, il nous serait possible de communiquer avec d'autres systèmes solaires.

L'ANIMATEUR — Cette fois-ci, votre démarche
30 vous amène à solliciter la participation du public de façon différente…

M.-M.B. — Oui. Jusqu'à maintenant, le programme s'est concentré surtout sur l'écoute des éventuels signaux envoyés par les différentes civi-
35 lisations extraterrestres, alors que maintenant, nous demandons à la population d'envoyer ses messages en nous faisant parvenir des vidéos maison destinées à des civilisations inconnues.

L'ANIMATEUR — Ah, vraiment ? Donc, je pour-
40 rais vous envoyer la vidéo de mon fils s'endormant sur son cornet de crème glacée… C'est ce que vous voulez ?

M.-M.B. — Non, pas vraiment. En fait, nous allons faire une sélection assez sérieuse puisqu'il
45 s'agit d'un concours.

Nous allons choisir dix de ces vidéos que nous allons conformer en code binaire et envoyer dans l'espace.

L'ANIMATEUR — Mais pourquoi précisément
50 des messages du public et non pas des messages de scientifiques ?

M.-M.B. — Oui, c'est une bonne question. En fait, nous avons déjà, dans le passé, envoyé de nombreux messages scientifiques mais nous
55 avons toujours eu la crainte qu'ils puissent être interprétés de façon négative par des civilisations peut-être hostiles à notre présence dans l'univers.

Alors, nous avons cru qu'il serait sage de permettre à des citoyens ordinaires de montrer comment on vit ici, sur la Terre.

L'ANIMATEUR — Donc, pour participer, je vous donne une adresse: SETI Project, 267, Cactus Drive, Box 105, Phoenix, Arizona, code postal 95020.

65 *Philippe note l'adresse.*

Je répète: 267, Cactus Drive, Box 105, Phoenix, Arizona, 95020. Merci beaucoup, madame Bonsecours, vous nous avez appris beaucoup et je vous souhaite bonne chance dans tous vos projets.

70 Ne nous quittez pas, chers téléspectateurs, après la pause, le cuisinier Albéric de Thiers nous fera une démonstration de cuisine norvégienne, et, je vous dis, ça sent déjà le saumon dans le studio. Alors, restez avec nous!

75 *Philippe éteint la télé, ouvre le placard et en sort un sac d'où il tire une caméra vidéo.*

Noir. Musique. Son et projection d'images d'archives de l'Agence spatiale russe du premier homme à marcher dans l'espace, et projection du
80 *surtitre:* 1965, Voskhod 2. Aleksëi Leonov, première sortie dans l'espace.

Tour guidé

Philippe réapparaît, tenant la caméra devant lui. Il se déplace derrière le mur, dont quelques panneaux
85 *sont ouverts.*

Alors, nous, les habitants de la Terre, quand on veut se protéger des éléments extérieurs, on se réfugie dans ce qu'on appelle des maisons. Mais les gens moins fortunés, comme c'est le cas ici, se
90 réfugient dans ce qu'on appelle des appartements loués. Alors ça, c'est le corridor de mon appartement loué. Je peux peut-être vous le faire visiter…

Alors, il y a une première pièce, ici, qu'on appelle le *living*, pour parler français. Disons qu'à l'époque,
95 il y avait des familles entières qui habitaient dans des petits appartements comme le mien. Alors, ici, c'était l'endroit où ils se rassemblaient le soir après le travail, devant un feu de foyer. Ils se racontaient des histoires puis ils se racontaient
100 leur journée. Évidemment, aujourd'hui, c'est la télévision qui a remplacé le feu de foyer, donc, c'est la télévision qui raconte les histoires, c'est la télévision qui raconte sa journée.

Ça, c'est ce qu'on appelle un sofa. C'est un
105 meuble qui est très pratique quand on a de la visite, alors s'il vous vient l'idée de me visiter dans un avenir prochain, c'est probablement là que vous allez passer la nuit, donc, c'est un pensez-y bien!

110 Parce que, voyez-vous, dans mon appartement, il y a une seule chambre à coucher, donc, ça veut dire que, potentiellement, il y a un seul lit, comme vous pouvez voir ici. Évidemment, il y a toutes sortes de lits. Des lits simples, des lits doubles, des
115 lits jumeaux… Et c'est pas parce qu'on dort dans un lit simple que ça veut nécessairement dire qu'on est seul dans la vie, puis c'est pas parce qu'on dort dans un lit double que ça veut nécessairement dire qu'on fait partie d'un couple. Puis,
120 quand c'est des lits jumeaux, c'est assez rare que c'est parce qu'on est des jumeaux, ça veut plutôt dire qu'on fait partie d'un couple, mais qu'on regrette amèrement l'époque où on était seul dans la vie.

125 Ça, c'est la cuisine. La cuisine est une pièce très importante, parce que c'est ici qu'on prépare tous les éléments essentiels à notre nutrition. Mais, habituellement, une cuisine, c'est pas mal plus impressionnant que ça, parce qu'il y a toutes
130 sortes d'appareils ménagers. Moi, le seul appareil ménager que j'ai, mais qui est essentiel à mon alimentation, c'est le téléphone, parce qu'il me permet de me faire livrer de la pizza et des mets chinois. Il est très pratique pour le travail aussi,

135 parce que comme je suis encore aux études, il faut que je joigne les deux bouts, alors, les fins de semaine, je fais un peu de sollicitation par téléphone.

Et puis au bout du corridor, ici, c'est les toilettes.
140 Évidemment, on vous dira que c'est plus élégant d'appeler ça une salle de bains, mais quand c'est petit et malpropre comme ça, parce que ça n'a pas été refait depuis quarante ans, moi, j'appelle ça des toilettes.

145 Alors, voilà, c'est à peu près tout. C'est ici que j'habite, que je travaille. Évidemment, il y a toutes sortes de placards que je vous montrerai pas parce que c'est sans intérêt. À part celui-là, ici… Celui-là, je peux peut-être vous le montrer.

150 *Il ouvre le placard.*

C'est un placard qui contient toutes sortes de vêtements qui appartenaient à mes parents. Il y a des chemises et des vestons qui appartenaient à mon père, des robes qui appartenaient à ma
155 mère… Une boîte à chapeau, une paire de souliers de femme…

Il sort du placard une paire de chaussures à talons hauts, qu'il dépose par terre devant lui.

Évidemment, à l'époque, ma mère en avait des
160 dizaines et des dizaines parce que c'était une femme très élégante et c'était très important pour elle que chaque paire de souliers soit assortie à la robe qu'elle allait porter ce soir-là. Parce qu'elle sortait beaucoup. C'était une femme très popu-
165 laire, dotée d'une personnalité extraordinaire. Donc, elle se faisait inviter dans toutes sortes de galas et de cocktails. Mais ça, évidemment, c'était à l'époque où elle avait une vie sociale, parce que, quand mon père est décédé, il a fallu qu'elle se
170 mette à travailler pour nourrir ses enfants. Alors, disons que, le soir, elle était trop fatiguée pour aller danser, puis le temps a passé, puis, bon, elle s'est débarrassée de toutes ses robes de soirée… Et même ses beaux souliers, elle ne pouvait plus
175 les mettre, parce qu'elle n'avait plus de pieds pour les porter. Les docteurs ont commencé par lui enlever les orteils, puis ensuite les pieds, puis, à un moment donné, ça été les jambes, coupées juste en dessous du genou. C'était assez catastro-
180 phique parce que ma mère avait de très belles

jambes. C'est d'ailleurs la partie de son anatomie dont elle était le plus fière. Mais bon! Ici, sur Terre, c'est le genre d'épreuve à laquelle on est confronté, et, comme disait un grand philosophe
185 du XXᵉ siècle qui préfère garder l'anonymat: «La vie sur Terre, c'est une beurrée de merde et, plus ça va, moins il y a de pain.»

Il éteint la caméra, la dépose dans le placard et chausse les escarpins de sa mère. Musique.

Robert Lepage, *La face cachée de la lune*, Québec, Éditions de L'instant même/ Ex Machina, 2007, p. 28 à 35.

ROBERT LEPAGE
(né au Québec en 1957)

Il faut se rendre à l'évidence: Robert Lepage a le don d'ubiquité. Le voici dramaturge, metteur en scène, scénographe, acteur et réalisateur, le tout avec un égal bonheur; le voilà triomphant sur les scènes de Québec, de Tokyo, de Londres, de Munich et de Moscou. Depuis *La trilogie des dragons* en 1985, ses pièces de théâtre — fusions savantes et insolites des nouvelles technologies, de l'histoire moderne et de l'art du récit — lui ont valu une reconnaissance internationale. Ses spectacles solo (*Vinci*, 1986; *Les aiguilles et l'opium*, 1991; *La face cachée de la lune*, 2000; *Le projet Andersen*, 2005) ont révélé son exceptionnel talent de comédien. Il a également abordé le cinéma, l'opéra et le cirque.

Une scène du *Dragon bleu* de Robert Lepage.

L'AFFAIRE DÉCOURAGEANTE

LE VIEUX — (*Arrivant par la salle, au jeune qui suit.*) Arrive. Serre ton mouchoir. Arrête de brailler un peu, un grand garçon comme toi. Du courage, là.

LE JEUNE — (*Mouchoir sur les yeux.*) Non.

5 LE VIEUX — Avance un peu.

LE JEUNE — J'vas pas plus loin. Qu'est-ce que vous me voulez ?

LE VIEUX — Viens, qu'on cause.

LE JEUNE — Essayez pas de me remonter. Ça prend
10 pas. Le curé, la sœur de ma blonde, mon frère, tout le monde a essayé ; ça prend plus.

LE VIEUX — Écoute.

LE JEUNE — Mon idée est faite, rien me la fera changer.

15 LE VIEUX — T'es jeune.

LE JEUNE — Le cœur vieux comme la lune, j'en ai assez vu.

LE VIEUX — Assieds-toi.

LE JEUNE — Je veux pas m'asseoir non plus.

20 LE VIEUX — Reste debout. Clophas (*il s'assoit*), on n'ira pas par quatre chemins, la vie…

LE JEUNE — Me parlez pas de la vie, j'en ai soupé.

LE VIEUX — T'es sérieux ?

LE JEUNE — Ouais.

25 LE VIEUX — Ôte ton mouchoir que je te voie un peu. Je pensais que c'était des gestes.

LE JEUNE — Non.

LE VIEUX — T'es franchement déprimé au point de…

30 LE JEUNE — Ouais. Ensuite, qu'est-ce que vous me voulez ?

LE VIEUX — Il y en a qui disent que tu dors plus.

LE JEUNE — Ils disent vrai. Je suis découragé.

LE VIEUX — Bon. Mais comment ? Jusqu'où ?

35 LE JEUNE — Jusqu'à loin.

LE VIEUX — Donne-moi une idée, je veux le savoir. Jusqu'à te priver de manger ?

LE JEUNE — Encore plus loin. Il y a longtemps que je mange plus.

40 LE VIEUX — Comme tu l'aimais donc, la petite !

LE JEUNE — Pas un mot là-dessus !

LE VIEUX — Bon. Découragé jusqu'à te priver de boire ?

LE JEUNE — Plus. Jusqu'à mourir.

45 LE VIEUX — Mourir de mort ?

LE JEUNE — De mort.

LE VIEUX — Mais certain ?

LE JEUNE — Certain.

LE VIEUX — Tu me le jurerais ?

50 LE JEUNE — (*Se fait une croix sur la poitrine.*)

LE VIEUX — Ton idée est faite ?

LE JEUNE — Il est-y fatigant, oui !

LE VIEUX — J'te crois pas.

LE JEUNE — La mort, les cierges, le crêpe[1], la
55 bière[2], mettez-en, je voudrais me voir à six pieds sous terre.

LE VIEUX — T'es mon homme ! Approche. Parle-moi d'un gars que son idée est faite. Clophas, écoute-moi, approche, je suis plus vieux, je suis
60 plus sage, j'ai vu plus que les autres ; la terre est un endroit pourri, t'as raison.

LE JEUNE — Les premiers mots intelligents que j'entends depuis… son adieu à elle…

LE VIEUX — Je te comprends. Enlève ton mouchoir
65 de ton visage. Je vais t'aider, puis tu vas m'aider.

LE JEUNE — Je veux pas aider personne, être aidé de personne ; personne m'a aidé, moi.

---

1. Morceau de tissu noir que l'on porte en signe de deuil.
2. Cercueil.

LE VIEUX — Écoute, viens t'asseoir sur le banc.

LE JEUNE — Non.

70 LE VIEUX — Clophas, je vais te dire une chose qui va te surprendre, puis qui va te réjouir. Regarde-moi, je suis ton homme. Tout ce qui te manque, toi, c'est une occasion. La veux-tu ? La v'là, je te l'offre belle comme le jour. Il y a longtemps que je 75 pense à toi… Je me cherche un suicidé. Un gars qui veut se suicider.

LE JEUNE — Comment ?

LE VIEUX — Je me cherche un gars découragé, mais un vrai, pas un gesteux qui mettra pas l'acte der-80 rière le mot ; mais un vrai, un décidé, un résolu, un têtu, un capable, en un mot…

LE JEUNE — En un mot ?

LE VIEUX — Je me cherche un mort.

LE JEUNE — Vous ?

85 LE VIEUX — Moi.

LE JEUNE — Oui ?

LE VIEUX — Ouais. (*Le jeune se palpe.*)

LE VIEUX — Je comprends, t'es vivant, mais hein, c'est pas si long. Il me faut un mort, pas un mort 90 qui est mort depuis quelques jours, pas un vieux mort de la cité des morts, mais un mort jeune, frais, sans expérience, neuf, fou un peu, échevelé, qui était vivant il y a quelques minutes, puis qui l'est plus.

95 LE JEUNE — Il vous faut ça ?

LE VIEUX — Ouais.

LE JEUNE — Pourquoi ?

LE VIEUX — Vaut autant tout te confier. Pourquoi un secret avec un futur disparu, pas de raison, 100 hein ?

LE JEUNE — Ben oui, dites-moi-le donc.

LE VIEUX — Tu me connais. Je suis pas un maniaque, ni un vicieux, ni un mesquin. Quand j'ai mon idée, je l'ai, je la tiens.

105 LE JEUNE — Vous êtes connu.

LE VIEUX — Je veux un accident ici sur ma route ; prends pas l'épouvante ; je veux un gars comme toi qui va s'accidenter gravement dans ma coulée, je veux un accident, pas un incident, ça prend plus. Je 110 veux un argument décisif, définitif, je veux un mort ici, sur les cailloux de la calvette pour décider le gouvernement à venir refaire mon chemin qui est dangereux. Depuis trente ans que je leur crie que ma coulée est dangereuse à cause de la crête des 115 cailloux. Sais-tu ce qu'ils me répondent toujours ? « Y a-t-il eu des morts dans votre coulée ? Amenez-nous un mort. » Je veux un mort. Tu veux, Clophas. (*Un temps.*) Clophas, comprends-tu, tu es décou-ragé, tu veux t'enlever la vie. Je sais qu'à l'auberge 120 le soir, dans les p'tites chambres, il y en a qui te suggèrent des culbutages par les fenêtres, des jeux de couteau : dégoûtant, dégradant, pas respec-tueux. Le rasoir ? Une saloperie. La noyade ? Un buvage d'eau malpropre. L'arme à feu ? C'est bar-125 bare. La corde ? Ça étire tout le système. Mais la calvette ! Y a quelque chose de noble là-dedans ! Tu t'assois sur un vieux vélo, je te donne une p'tite poussée, tu butes, tu te pètes le front sur une pierre, fini ! Ça fait un p'tit nuage de poussière sur

Marc-Aurèle Fortin, *Sainte-Famille, île d'Orléans*, 1941.

130 les cailloux puis les oiseaux continuent de chanter. As-tu compris ? Dès l'instant que ton front pète sur la pierre, c'est fini. Puis, ça s'est fait normalement, naturellement; de c'te minute-là, tu es parti, finie la terre ! V'là une mort qui a de la race. V'là une mort 135 brave, une mort d'homme, une mort virile. Bicycle, caillou, fini. Tu meurs dans tes habits, dans tes souliers, comme un homme. On te ramasse, c'est émouvant, piff ! vie, paff ! mort. V'là l'affaire, v'là ton affaire, v'là ta mort. (*Un temps.*)

140 LE JEUNE — Y a quelque chose là-dedans.

LE VIEUX — Qu'est-ce que tu en dis ?

LE JEUNE — Je dis qu'il y a quelque chose là-dedans.

LE VIEUX — Bon. Ça me semblait. Fini. Clophas, 145 fini, une affaire de pas une minute, puis t'as fait un homme de toi.

LE JEUNE — Puis je vous ai donné un chemin.

LE VIEUX — Voilà. Hein ? Tu pensais que je te faisais venir en haut pour des niaiseries ? Je suis le seul, au 150 village, qui a du cœur. Moi, je vais te libérer. Le che-min, c'est quelque chose; mais l'important, où j'attache de l'importance, c'est que tu as fini de te creuser la tête avec ton problème, fini de traîner une vie manquée, finie la fille qui ricane, le père qui 155 te comprend pas, les voisins qui te plaignent, fini, tout fini, un point c'est tout, fini, ni ni ni, fini.

LE JEUNE — Ouais.

LE VIEUX — Qu'est-ce que tu en dis ?

LE JEUNE — (*Il va voir la coulée.*) Y a quelque chose 160 là-dedans.

LE VIEUX — Puis ?

LE JEUNE — Ouais.

LE VIEUX — Veux-tu que j'aille chercher… l'instru-ment ?

165 LE JEUNE — Ce serait… en vélo ?

LE VIEUX — Ben, tu veux toujours pas un cabriolet puis deux chevaux blancs ?

LE JEUNE — J'aurais pas haï ça. Vélo ? pour dire vrai, je sais pas aller.

LE VIEUX — Tant mieux.

LE JEUNE — Il faut que j'y pense.

LE VIEUX — Dis-moi pas que tu veux du temps pour réfléchir, je vais donc te répondre que t'étais pas sérieux, donc, que tu tiens à la vie pour laisser passer une chance pareille. Avoue que c'est une chance.

LE JEUNE — Pour être une chance, c'est une chance.

LE VIEUX — Ça va-t-y se représenter ? Jamais. Qui a besoin de ça, un mort ? Personne. V'là ta chance. T'imagines pas que si tu me refuses, je vais te courir demain pour te l'offrir encore, suis plus indépendant que ça. Te dis que v'là ta chance.

LE JEUNE — Je vois.

LE VIEUX — Vois-tu bien ?

LE JEUNE — Je vois bien.

LE VIEUX — Tu hésites ?

LE JEUNE — Ben…

LE VIEUX — Pourquoi ?

LE JEUNE — En vélo…

LE VIEUX — Es-tu découragé, oui ou non ?

LE JEUNE — Pour l'être, je le suis.

LE VIEUX — Veux-tu mourir, oui ou non ?

LE JEUNE — Pas en vélo.

LE VIEUX — Oui ou non ?

LE JEUNE — Sûr que quand…

LE VIEUX — T'es pas sérieux, t'es ridicule, tu cherches des moyens pour t'esquiver, t'excuser, t'en aller. C'est pas vrai ton découragement, c'est de la menterie, tu me mets en m…

LE JEUNE — Vélo, ça me tente pas…

LE VIEUX — T'es un hypocrite comme les autres.

LE JEUNE — Je sais pas aller, comprenez donc !

LE VIEUX — T'as pas plus d'allure que les autres.

LE JEUNE — (*Va à la calvette.*)

LE VIEUX — Penses-y, hein ? Le front, la pierre, fini !

LE JEUNE — Ici ?

LE VIEUX — Justement. (*Un temps.*) Je peux pas t'aider plus que ça.

LE JEUNE — Je pense que c'est une solution, la solution. Je vais descendre au village me changer de…

LE VIEUX — De quoi ?

LE JEUNE — De bas, de sous-vêtements, puis me mettre une cravate.

LE VIEUX — T'as pas besoin de ça. Une cravate, c'est assez, tiens, prends la mienne, noire par-dessus le marché. Veux-tu mon chapeau ?

LE JEUNE — Non, j'aime mieux nu-tête. Je voulais mourir nu-tête. Ça marche. Conclu. Allez-y. Où est le vélo ? Vite, poussez, donnez la poussée, la belle poussée, je vous ai compris.

LE VIEUX — D'un autre côté, énervons-nous pas, pensons-y un peu. Tu peux toujours fumer ? Ta dernière, veux-tu que je te la roule ?

LE JEUNE — Retardons. C'est pas pour trente secondes. Ça va marcher.

LE VIEUX — (*Lui roulant une cigarette.*) Comment tu te sens ?

LE JEUNE — Drôle, de me savoir arrivé à ma dernière heure.

LE VIEUX — T'es tout radieux !

LE JEUNE — Oui ?

LE VIEUX — Ouais. T'es comme un ange. Clophas, on dirait que tu vois des pays qui sont loin d'ici.

LE JEUNE — Justement.

LE VIEUX — Clophas, chanceux, on dirait que tu vois des filles merveilleuses qui te font signe de venir.

LE JEUNE — C'est ça.

LE VIEUX — On dirait, Clophas, que t'es plus avec nous autres.

LE JEUNE — Je m'en vas tranquillement, ça sera pas long à c't'heure.

LE VIEUX — Clophas, mais me reconnais-tu ?

LE JEUNE — Oui.

LE VIEUX — Tiens, fume. (*Il lui donne une cigarette.*)

LE JEUNE — La cigarette des condamnés.

LE VIEUX — M… que t'es beau ! Je t'envie !

LE JEUNE — S'il y a une barre sur le vélo, vous n'avez qu'à embarquer avec moi.

LE VIEUX — Clophas, es-tu heureux ?

LE JEUNE — Ouais.

LE VIEUX — As-tu des volontés ?

LE JEUNE — Non.

LE VIEUX — Laisses-tu quelque chose d'important ?

255 LE JEUNE — Rien. Je suis prêt quand vous voudrez. Allez chercher le vélo.

LE VIEUX — J'en reviens pas ! (*Il sort et revient avec une cruchette de whisky et deux petits verres.*) J'ai une surprise pour toi. Avant de passer à… l'action,
260 on va faire une p'tite fête sur l'herbe. Viens. Tu mérites un coup avant de partir. C'est un p'tit cruchon que je gardais pour cette occasion-là.

LE JEUNE — C'était pas nécessaire.

LE VIEUX — Tut tut tut ! Laisse-moi faire. Laisse-moi
265 fêter ton entrée en paradis. (*Il débouche et sert.*) À ta victoire !

LE JEUNE — À votre chemin !

LE VIEUX — Santé !

LE JEUNE — Santé ! (*Ils boivent et reboivent.*)

270 LE VIEUX — T'es beau, t'es fort, t'es de race !

LE JEUNE — Merci.

LE VIEUX — Santé ! Pressons-nous pas. Laisse-moi le temps de te remercier un peu. Je te regarde là, puis je me dis : «Son prochain pot, ce sera en
275 paradis !»

LE JEUNE — Pensez-vous ?

LE VIEUX — Pouah ! Vous allez vous installer, quelque part, un groupe d'amis sous quelque soleil tiède, bien appuyés à de beaux arbres tout blancs,
280 puis vous allez déboucher une bouteille, puis boire tranquillement, les jambes allongées. La bouteille vide, un chérubin t'en apporte une autre, puis une autre, puis une autre… l'éternité, on rit pas…

LE JEUNE — (*Il fait signe de verser.*) Au cas où le
285 marchand serait fermé en haut… (*Il boit.*)

LE VIEUX — Les liqueurs doivent couler comme des p'tites sources entre les rochers d'argent, t'as rien qu'à te pencher. Le miel sur les arbres, des tables toujours servies… les fleurs chantent comme des
290 voix de femmes, tu vas être bien, bonsoir la terre puis ses misères ! Tu penseras à nous autres. Nous autres, faudra se lever, se laver, se traîner, recommencer, percer les jours, défoncer les nuits, recommencer… Ah ! quelle affaire ! Tandis que
295 toi… Santé !

LE JEUNE — Santé ! (*Ils boivent.*)

LE VIEUX — Tu vas aller à la pêche, tu vas revenir, tu vas te coucher, la paix ! Un grand hamac si tu veux… les anges vont te bercer, des vieillards sages
300 vont t'enseigner des choses mystérieuses… sans effort tu vas tout comprendre… tu vas avoir le bras tendu comme tu l'as là, puis ton verre va se remplir comme ça… (*Il le remplit. Ils boivent.*)

LE JEUNE — Si c'est comme vous dites…

305 LE VIEUX — Certain. Hé ! Clophas, je chialerais rien qu'à penser à ce qui t'attend !

LE JEUNE — Comme je vous ai dit tout à l'heure, embarquez avec moi si…

LE VIEUX — Moi, j'ai la couenne dure, je peux résis-
310 ter à la terre.

LE JEUNE — Santé ! (*Ils boivent.*)

LE VIEUX — Un matin, c'est la Sainte Vierge qui va t'arriver puis qui va te dire : «Clophas, je pars en

commission pour l'avant-midi, je te confie mon
315 Enfant-Jésus, garde-le bien. Fais attention qu'il n'aille
pas trop loin.» Toi, Clophas, le gardien de l'Enfant-
Jésus, vois-tu ça ? C'est pas toi qui vas l'amuser,
c'est lui qui va t'amuser. Il va ramasser des fleurs, il
va les changer en oiseaux, qui vont chanter des
320 chansons… des chansons… hein, Clophas ? (*Il danse
et chante.*) «Clophas, où vas-tu, j'avais confié mon
Enfant-Jésus… Clophas…»

LE JEUNE — Ça va être beau !

LE VIEUX — Comprends-tu que t'es chanceux ?
325 J'aurais pu aller en chercher un autre, le diable les
emporte, ils sont trop laids. C'est à toi que j'ai
pensé.

LE JEUNE — Merci.

LE VIEUX — Viens jeter un coup d'œil. (*Ils vont à la
330 calvette, titubant légèrement.*)

LE VIEUX — Quel mystère ! hein ! Toute une autre
histoire qui va commencer à cause d'un front puis
d'un caillou qui vont se rencontrer.

LE JEUNE — Un front. Le mien.

335 LE VIEUX — Qu'est-ce qu'un caillou ? Qu'est-ce
qu'un front ? Rien.

LE JEUNE — Tant que c'est pas le sien, rien, certain.

LE VIEUX — Mais c'est pas le moment de perdre la
tête. (*Il monte sur la roche.*) Clophas, vois-tu, rendu
340 ici, tu te donnes un p'tit élan puis hop… l'autre
bord, dans l'éternité. On voit pas le fond.

LE JEUNE — Le vélo ?

LE VIEUX — Bah ! Pourquoi ? Il faudrait se donner
un élan d'en haut, érocher le chemin, ça va prendre
345 une heure, qu'est-ce que tu en dis ? Puis je suis sûr
que ton âme a hâte de sortir de toi, je la comprends; bon, ben, faisons-la pas attendre. Adieu.

LE JEUNE — (*Il se prépare.*) Adieu, vie !

LE VIEUX — Adieu, mort ! (*Il s'assoit dans l'herbe.*)

350 LE JEUNE — Adieu !

LE VIEUX — Adieu !

LE JEUNE — Adieu !

LE VIEUX — Tu l'as dit, adieu !

LE JEUNE — Regardez pas.

355 LE VIEUX — (*Il s'empâte et s'endort.*) Je regarde
pas… Les fleurs chantent comme des voix humaines… deux mille danseurs pour toi tout seul,
des musiques, le miel sur les arbres… l'ordre, l'éternité… le paradis, c'est-y beau ! Les anges qui te
360 font signe de venir… chanceux… chanceux… chanceux… (*Pendant ce temps, le jeune va s'asseoir près
du vieux… Ils s'endorment, épaule à épaule, comme
deux enfants.*)

RIDEAU

Félix Leclerc, «L'affaire décourageante»,
dans *Le p'tit bonheur*, Montréal,
Bibliothèque québécoise, 1989, p. 15 à 36.
[Année de la première parution: 1959.]

FÉLIX LECLERC
(1914-1988)

«L'envie de chanter m'est venue en voyant à Bruxelles le tour
de chant de Félix Leclerc.» Ces paroles de Jacques Brel
témoignent de l'importance de l'auteur de *Moi, mes souliers*
dans le monde de la chanson. Félix Leclerc fait ses débuts
comme chansonnier dans les années 1930, en insérant
timidement ses compositions dans les émissions radio qu'il
anime. Propulsé à l'avant-scène en 1950, «le Canadien»
obtient un vif succès à Paris avec sa guitare et ses chansons,
humaines et émouvantes. Malgré la carrière prestigieuse qu'il
connaîtra sur scène et sur disque, Leclerc se voyait avant tout
comme un écrivain. Il a publié des contes (*Adagio*, 1943), des
poèmes (*Andante*, 1944), des romans (*Pieds nus dans l'aube*,
1946; *Le fou de l'Île*, 1958) et plusieurs pièces de théâtre.
C'est d'ailleurs dans les interludes de sa pièce *Le p'tit bonheur* qu'il fera connaître la chanson du même nom: *C'était un
petit bonheur…*

La généreuse

L'Hôtel de Bourgogne, un soir de représentation.
L'endroit est plein à craquer. Le public se demande si Cyrano se montrera.
Il avait interdit à un certain comédien de reparaître sur scène.
Or, ce comédien s'apprête à jouer. Cyrano arrive et chasse le comédien.
Les esprits s'échauffent. Cyrano est en verve.

PREMIER ACTE, SCÈNE IV (extrait)

[…]

LE VICOMTE.

Attendez ! Je vais lui lancer un de ces traits !…

5   (*Il s'avance vers Cyrano qui l'observe, et se campant devant lui d'un air fat.*)

Vous… vous avez un nez… heu… un nez… très grand.

CYRANO, *gravement.*

Très.

LE VICOMTE, *riant.*

10   Ha !

CYRANO, *imperturbable.*

C'est tout ?…

LE VICOMTE.

Mais…

15   CYRANO.

Ah ! non ! c'est un peu court, jeune homme !
On pouvait dire… Oh ! Dieu !… bien des choses en somme.
En variant le ton, – par exemple, tenez :
Agressif : «Moi, Monsieur, si j'avais un tel nez,
20   Il faudrait sur-le-champ que je m'amputasse !»
Amical : «Mais il doit tremper dans votre tasse !
Pour boire, faites-vous fabriquer un hanap !»
Descriptif : «C'est un roc !… c'est un pic !… c'est un cap !
Que dis-je, c'est un cap ?… C'est une péninsule !»
25   Curieux : «De quoi sert cette oblongue capsule ?
D'écritoire, Monsieur, ou de boîte à ciseaux ?»
Gracieux : «Aimez-vous à ce point les oiseaux
Que paternellement vous vous préoccupâtes
De tendre ce perchoir à leurs petites pattes ?»
30   Truculent : «Çà, Monsieur, lorsque vous pétunez,

imposture

La vapeur du tabac vous sort-elle du nez
Sans qu'un voisin ne crie au feu de cheminée?»
Prévenant: «Gardez-vous, votre tête entraînée
Par ce poids, de tomber en avant sur le sol!»
35 Tendre: «Faites-lui faire un petit parasol
De peur que sa couleur au soleil ne se fane!»
Pédant: «L'animal seul, Monsieur, qu'Aristophane
Appelle Hippocampéléphantocamélos
Dut avoir sous le front tant de chair sur tant d'os!»
40 Cavalier: «Quoi, l'ami, ce croc est à la mode?
Pour pendre son chapeau, c'est vraiment très commode!»
Emphatique: «Aucun vent ne peut, nez magistral,
T'enrhumer tout entier, excepté le mistral!»
Dramatique: «C'est la mer Rouge quand il saigne!»
45 Admiratif: «Pour un parfumeur, quelle enseigne!»
Lyrique: «Est-ce une conque, êtes-vous un triton?»
Naïf: «Ce monument, quand le visite-t-on?»
Respectueux: «Souffrez, Monsieur, qu'on vous salue,
C'est là ce qui s'appelle avoir pignon sur rue!»
50 Campagnard: «Hé, ardé! C'est-y un nez? Nanain!
C'est queuqu'navet géant ou ben queuqu'melon nain!»
Militaire: «Pointez contre cavalerie!»
Pratique: «Voulez-vous le mettre en loterie?
Assurément, Monsieur, ce sera le gros lot!»
55 Enfin, parodiant Pyrame en un sanglot:
«Le voilà donc ce nez qui des traits de son maître
A détruit l'harmonie! Il en rougit, le traître!»
— Voilà ce qu'à peu près, mon cher, vous m'auriez dit
Si vous aviez un peu de lettres et d'esprit:
60 Mais d'esprit, ô le plus lamentable des êtres,
Vous n'en eûtes jamais un atome, et de lettres
Vous n'avez que les trois qui forment le mot: sot!
Eussiez-vous eu, d'ailleurs, l'invention qu'il faut
Pour pouvoir là, devant ces nobles galeries,
65 Me servir toutes ces folles plaisanteries,
Que vous n'en eussiez pas articulé le quart
De la moitié du commencement d'une, car
Je me les sers moi-même, avec assez de verve,
Mais je ne permets pas qu'un autre me les serve.

70 [...]

***

Auguste François Gorguet, *Cyrano de Bergerac*, 1910.

PREMIER ACTE, SCÈNE V (extrait)

CYRANO.

Qui j'aime ?… Réfléchis, voyons. Il m'interdit
75 Le rêve d'être aimé même par une laide,
Ce nez qui d'un quart d'heure en tous lieux me précède ;
Alors, moi, j'aime qui ?… Mais cela va de soi !
J'aime — mais c'est forcé ! — la plus belle qui soit !

LE BRET.

80 La plus belle ?…

CYRANO.

Tout simplement, qui soit au monde !
La plus brillante, la plus fine,
(*Avec accablement.*)
85   La plus blonde !

LE BRET.

Eh ! mon Dieu, quelle est donc cette femme ?…

CYRANO.

Un danger
90 Mortel sans le vouloir, exquis sans y songer,
Un piège de nature, une rose muscade
Dans laquelle l'amour se tient en embuscade !
Qui connaît son sourire a connu le parfait.
Elle fait de la grâce avec rien, elle fait
95 Tenir tout le divin dans un geste quelconque,
Et tu ne saurais pas, Vénus, monter en conque,
Ni toi, Diane, marcher dans les grands bois fleuris,
Comme elle monte en chaise et marche dans Paris !…

LE BRET.

100 Sapristi ! je comprends. C'est clair !

CYRANO.

C'est diaphane.

LE BRET.

Magdeleine Robin, ta cousine ?

105   CYRANO.

Oui, — Roxane.

LE BRET.

Eh bien ! mais c'est au mieux ! Tu l'aimes ? Dis-le-lui !
Tu t'es couvert de gloire à ses yeux aujourd'hui !

110   CYRANO.

Regarde-moi, mon cher, et dis quelle espérance
Pourrait bien me laisser cette protubérance !

Oh ! je ne me fais pas d'illusion ! — Parbleu,
Oui, quelquefois, je m'attendris, dans le soir bleu ;
115 J'entre en quelque jardin où l'heure se parfume ;
Avec mon pauvre grand diable de nez je hume
L'avril, — je suis des yeux, sous un rayon d'argent,
Au bras d'un cavalier, quelque femme, en songeant
Que pour marcher, à petits pas dans la lune,
120 Aussi moi j'aimerais au bras en avoir une,
Je m'exalte, j'oublie… et j'aperçois soudain
L'ombre de mon profil sur le mur du jardin !

LE BRET, *ému.*

Mon ami !…

125   CYRANO.
         Mon ami, j'ai de mauvaises heures !
De me sentir si laid, parfois, tout seul…

         LE BRET, *vivement, lui prenant la main.*
                              Tu pleures ?

130   CYRANO.
Ah ! non, cela, jamais ! Non, ce serait trop laid,
Si le long de ce nez une larme coulait !
Je ne laisserai pas, tant que j'en serai maître,
La divine beauté des larmes se commettre
135 Avec tant de laideur grossière !… Vois-tu bien,
Les larmes, il n'est rien de plus sublime, rien,
Et je ne voudrais pas qu'excitant la risée,
Une seule, par moi, fût ridiculisée !…
[…]
140   ★★★

LE VRAI CYRANO DE BERGERAC (1619-1655)

Illustration pour l'édition de 1709 d'*Histoire comique des états et empires de la Lune.*

Avant d'apparaître sur scène dans la pièce d'Edmond Rostand, Cyrano de Bergerac a bel et bien existé. Contemporain de Molière, Savinien de Cyrano de Bergerac était un écrivain et un libre penseur qui maniait la plume et l'épée avec un égal
5 enthousiasme… Comme le héros qu'il a inspiré, Savinien de Cyrano a été un cadet de Gascogne et s'est illustré par sa bravoure au combat. Il a montré la même audace dans ses écrits, notamment dans ses virulentes *Lettres* (1654) — l'une d'elles, fameuse, est adressée à Montfleury, un comédien qu'il
10 détestait. Quant à ses romans *Histoire comique des états et empires de la Lune* (1657) et *Histoire comique des états et empires du Soleil* (1662), ils sont parmi les premiers récits de science-fiction connus. Comme dans la pièce qui portera son nom deux siècles plus tard, Cyrano de Bergerac a reçu une poutre de bois sur la tête et a succombé à ses blessures.

Roxane aime le beau Christian, mais elle constate qu'il manque d'esprit et s'en détourne. Cyrano, qui entre-temps s'est pris d'amitié pour Christian, offre alors ses mots à l'infortuné amoureux pour l'aider à reconquérir Roxane.

TROISIÈME ACTE, SCÈNE VII (extrait)

Roxane, Christian, Cyrano, d'abord caché sous le balcon.

ROXANE, *entrouvrant sa fenêtre.*

Qui donc m'appelle ?

145 CHRISTIAN.

Moi.

ROXANE.

Qui, moi ?

CHRISTIAN.

150 Christian.

ROXANE, *avec dédain.*

C'est vous ?

CHRISTIAN.

Je voudrais vous parler.

155 CYRANO, *sous le balcon, à Christian.*

Bien. Bien. Presque à voix basse.

ROXANE.

Non ! vous parlez trop mal. Allez-vous-en !

CHRISTIAN.

160 De grâce !...

ROXANE.

Non ! Vous ne m'aimez plus !

CHRISTIAN, *à qui Cyrano souffle ses mots.*

M'accuser, — juste dieux !

165 De n'aimer plus... quand... j'aime plus !

ROXANE, *qui allait refermer sa fenêtre, s'arrêtant.*

Tiens, mais c'est mieux !

CHRISTIAN, *même jeu.*

L'amour grandit bercé dans mon âme inquiète...

170 Que ce... cruel marmot prit pour... barcelonnette !

ROXANE, *s'avançant sur le balcon.*

C'est mieux ! — Mais, puisqu'il est cruel, vous fûtes sot
De ne pas, cet amour, l'étouffer au berceau !

CHRISTIAN, *même jeu.*

175 Aussi l'ai-je tenté, mais... tentative nulle :
Ce... nouveau-né, Madame, est un petit... Hercule.

ROXANE.

C'est mieux !

CHRISTIAN, *même jeu.*
180 De sorte qu'il… strangula comme rien…
Les deux serpents… Orgueil et… Doute.

ROXANE, *s'accoudant au balcon.*
Ah ! c'est très bien :
— Mais pourquoi parlez-vous de façon peu hâtive ?
185 Auriez-vous donc la goutte à l'imaginative ?

CYRANO, *tirant Christian sous le balcon et se glissant à sa place.*
Chut ! Cela devient trop difficile !…

ROXANE.
-Aujourd'hui…
190 Vos mots sont hésitants. Pourquoi ?

CYRANO, *parlant à mi-voix, comme Christian.*
C'est qu'il fait nuit,
Dans cette ombre, à tâtons, ils cherchent votre oreille.

ROXANE.
195 Les miens n'éprouvent pas difficulté pareille.

CYRANO.
Ils trouvent tout de suite ? oh ! cela va de soi,
Puisque c'est dans mon cœur, eux, que je les reçois ;
Or, moi, j'ai le cœur grand, vous, l'oreille petite.
200 D'ailleurs vos mots à vous descendent : ils vont vite
Les miens montent, Madame : il leur faut plus de temps !

ROXANE.
Mais ils montent bien mieux depuis quelques instants.

CYRANO.
205 De cette gymnastique, ils ont pris l'habitude !

ROXANE.
Je vous parle, en effet, d'une vraie altitude !

CYRANO.
Certes, et vous me tueriez si de cette hauteur
210 Vous me laissiez tomber un mot dur sur le cœur !

ROXANE, *avec un mouvement.*
Je descends !

CYRANO, *vivement.*
Non !

215 ROXANE, *lui montrant le banc qui est sous le balcon.*
Grimpez sur le banc, alors, vite !

CYRANO, *reculant avec effroi dans la nuit.*

Non !

Anonyme, *Le baiser de Roxane,* 1898.

ROXANE.

220   Comment… non?

CYRANO, *que l'émotion gagne de plus en plus.*
                    Laissez un peu que l'on profite…
De cette occasion qui s'offre… de pouvoir
Se parler doucement, sans se voir.

225   ROXANE.
                    Sans se voir?

CYRANO.
Mais oui, c'est adorable. On se devine à peine.
Vous voyez la noirceur d'un long manteau qui traîne,
230 J'aperçois la blancheur d'une robe d'été :
Moi je ne suis qu'une ombre, et vous qu'une clarté !
[…]

⋆⋆⋆

Sitôt marié à Roxane, Christian doit la quitter: son régiment,
auquel appartient également Cyrano, est appelé à la guerre.
Christian meurt au combat et Roxane entre au couvent.
Toutes les semaines, pendant quatorze ans, Cyrano lui rend visite
pour la distraire. Ce soir, il est arrivé en retard : il a été gravement blessé
sur la route. Roxane ignore que son vieil ami mourra bientôt.

CINQUIÈME ACTE, SCÈNES V (extrait) et **VI** (extrait)

235   ROXANE, *debout près de lui.*
Chacun de nous a sa blessure : j'ai la mienne.
Toujours vive, elle est là, cette blessure ancienne,
Elle est là, sous la lettre au papier jaunissant
Où l'on peut voir encor des larmes et du sang !

240 (*Le crépuscule commence à venir.*)

CYRANO.
Sa lettre !… N'aviez-vous pas dit qu'un jour, peut-être,
Vous me la feriez lire ?

ROXANE.
245   Ah ! vous voulez ?… Sa lettre ?

CYRANO.
Oui… Je veux… Aujourd'hui…

ROXANE, *lui donnant le sachet pendu à son cou.*
                    Tenez !

250   CYRANO, *le prenant.*
                         Je peux ouvrir ?

ROXANE.
Ouvrez… lisez !

(Elle revient à son métier, le replie, range ses laines.)

255
CYRANO, *lisant.*
“Roxane, adieu, je vais mourir!”

ROXANE, *s'arrêtant, étonnée.*
Tout haut?

CYRANO, *lisant.*
260
“C'est pour ce soir, je crois, ma bien-aimée!
“J'ai l'âme lourde encor d'amour inexprimé,
“Et je meurs! Jamais plus, jamais mes yeux grisés,
“Mes regards dont c'était…”

ROXANE.
265
Comme vous la lisez,
Sa lettre!

CYRANO, *continuant.*
“… dont c'était les frémissantes fêtes,
“Ne baiseront au vol les gestes que vous faites:
270
“J'en revois un petit qui vous est familier
“Pour toucher votre front, et je voudrais crier…”

ROXANE, *troublée.*
Comme vous la lisez, — cette lettre!

(La nuit vient insensiblement.)

275
CYRANO.
“Et je crie:
“Adieu!…”

ROXANE.
Vous la lisez…

280
CYRANO.
“Ma chère, ma chérie,
“Mon trésor…”

ROXANE, *rêveuse.*
D'une voix…

285
CYRANO.
“Mon amour!…”

ROXANE.
D'une voix…

(Elle tressaille.)
290
Mais… que je n'entends pas pour la première fois!

(Elle s'approche tout doucement, sans qu'il s'en aperçoive, passe derrière le fauteuil, se penche sans bruit, regarde la lettre. — L'ombre augmente.)

CYRANO.
“Mon cœur ne vous quitta jamais une seconde,
295
“Et je suis et serai jusque dans l'autre monde
“Celui qui vous aima sans mesure, celui…”

Anonyme, *Cyrano de Bergerac et Roxane*, vers 1900.

ROXANE, *lui posant la main sur l'épaule.*

Comment pouvez-vous lire à présent ? Il fait nuit.

(*Il tressaille, se retourne, la voit là tout près, fait un geste d'effroi, baisse la tête. Un long silence. Puis, dans l'ombre complètement venue, elle dit avec lenteur, joignant les mains :*)

Et pendant quatorze ans, il a joué ce rôle
D'être le vieil ami qui vient pour être drôle !

CYRANO.

Roxane !

ROXANE.

C'était vous.

CYRANO.

Non, non. Roxane, non !

ROXANE.

J'aurais dû deviner quand il disait mon nom !

CYRANO.

Non ! ce n'était pas moi !

ROXANE.

C'était vous !

CYRANO.

Je vous jure…

ROXANE.

J'aperçois toute la généreuse imposture :
Les lettres, c'était vous…

CYRANO.

Non !

ROXANE.

Les mots chers et fous,

C'était vous…

CYRANO.

Non !

ROXANE.

La voix dans la nuit, c'était vous.

CYRANO.

Je vous jure que non !

ROXANE.

L'âme, c'était la vôtre !

CYRANO.

Je ne vous aimais pas.

ROXANE.

Vous m'aimiez !

CYRANO, *se débattant.*
                    C'était l'autre !

340   ROXANE.
Vous m'aimiez !

           CYRANO, *d'une voix qui faiblit.*
           Non !

           ROXANE.
                    Déjà vous le dites plus bas !
345

           CYRANO.
Non, non, mon cher amour, je ne vous aimais pas !

           ROXANE.
Ah ! que de choses qui sont mortes… qui sont nées
350 — Pourquoi vous être tu pendant quatorze années,
Puisque sur cette lettre où, lui, n'était pour rien,
Ces pleurs étaient de vous ?

           CYRANO, *lui tendant la lettre.*
                    Ce sang était le sien.

355   ROXANE.
Alors pourquoi laisser ce sublime silence
Se briser aujourd'hui ?
[…]

           CYRANO.
360 Vous souvient-il du soir où Christian vous parla
Sous le balcon ? Eh bien ! toute ma vie est là :
Pendant que je restais en bas, dans l'ombre noire,
D'autres montaient cueillir le baiser de la gloire !
[…]

365   ROXANE.
Je vous aime, vivez !

           CYRANO.
                    Non ! car c'est dans le conte
Que lorsqu'on dit : Je t'aime ! Au prince plein de honte,
370 Il sent sa laideur fondre à ces mots de soleil…
Mais tu t'apercevrais que je reste pareil.

           ROXANE.
J'ai fait votre malheur ! moi ! moi !

           CYRANO.
                    Vous ?… au contraire !
375
J'ignorais la douceur féminine. Ma mère
Ne m'a pas trouvé beau. Je n'ai pas eu de sœur.
Plus tard, j'ai redouté l'amante à l'œil moqueur.
Je vous dois d'avoir eu, tout au moins, une amie.
380 Grâce à vous une robe a passé dans ma vie.

Edmond Rostand, *Cyrano de Bergerac* (extraits), 1898.

EDMOND ROSTAND
(1868-1918)

Paris, le 28 décembre 1897 : c'est soir de première pour le *Cyrano de Bergerac* d'Edmond Rostand. En coulisses, le jeune dramaturge, pressentant un fiasco, demande pardon aux comédiens de les avoir entraînés dans cette «effrayante aventure». Trois heures plus tard, c'est le triomphe qui, depuis, ne s'est jamais démenti. Rostand avait entamé sa carrière dans les lettres dix ans plus tôt avec un vaudeville (*Le gant rouge*, 1888) et un recueil de poésie (*Les musardises*, 1890) où la figure comique de «Pif-Luisant» semble annoncer celle de Cyrano. Rostand signera d'autres pièces et connaîtra de nouveaux succès (*L'aiglon*, 1900 ; *Chantecler*, 1904), qui resteront toutefois dans l'ombre immense du panache de *Cyrano*.

T'ES BELLE !

ACTE DEUX, SCÈNE 16

Paul-Edmond arrive par (D). Il a revêtu son habit de noces et il se dirige vers le téléphone.

PAUL-EDMOND

5 Allô, mademoiselle, je voudrais faire un longue distance à l'église Sainte-Thérèse d'Arvida, s'il vous plaît, à frais virés, au numéro 548-9933… Paul-Edmond Gagnon… Non, Edmond… Paul Gagnon… Merci… Allô, Johanne ! Où est-ce qu't'es, là ?… En arrière de l'église… Bon, O.K. Vous pouvez y aller… (*Un temps.*) T'es belle !… Ben oui, je l'sais que je te vois pas, mais je sais qu't'es
10 belle… O.K. Allez-y !

La suite de la scène est muette. Paul-Edmond se met en position avec le téléphone coincé sur l'oreille. Il fait comme s'il avançait dans l'allée centrale au bras de sa future. Arrivé devant le téléphone, il se met à genoux. Un temps. Il se lève debout. Un temps. Il se remet à genoux. Il se relève pour s'asseoir, mais il ne peut pas. Il
15 *reste debout. Soudain, il se met à sangloter.*

PAUL-EDMOND

(*Au téléphone.*) Ben… Chus ému !

Un temps. Il se met à genoux. Un temps. Il se relève. Il sort de sa poche un missel et il lit :

20 ### PAUL-EDMOND

(*Visiblement ému.*) Lecture de l'Épître de… Hein ? (*Plus fort.*) Lecture de l'Épître de saint Paul aux Éphésiens : « Mes frères, que les femmes soient soumises à leur mari comme au Seigneur ; car le mari est le chef de la femme comme Jésus-Christ est le chef de l'Église…, qui est son corps, dont il est aussi le Sauveur.
25 Ainsi, les maris doivent aimer leur femme comme leur propre corps. Celui qui aime sa femme s'aime lui-même…

On voit arriver, par l'arrière, notre rockeur du début. Il mange le contenu d'un sac de bâtons au fromage. Intrigué par ce qui se passe au téléphone, il s'approche en arrière de Paul-Edmond, qui ne le voit pas.

30 ### PAUL-EDMOND

… car nul ne hait sa propre chair, mais il la nourrit et l'entretient comme Jésus-Christ agit envers l'Église, parce que nous sommes les membres de son corps formé de sa chair et de ses os. C'est pourquoi l'homme abandonnera son père et sa mère et s'attachera à sa femme et ils seront tous deux une même chair. Que
35 chacun de vous aime donc sa femme comme lui-même et que la femme craigne et respecte son mari. Amen. »

LE ROCKEUR

C'est beau ! Ça, c'est vrai ! Qu'est c'est qu'tu fais là ?

PAUL-EDMOND

40 (*Lui fait comprendre par des gestes qu'il se marie.*) J'suis en train de me marier!

LE ROCKEUR

Hein?

PAUL-EDMOND

J'me marie au téléphone.

LE ROCKEUR

45 C'est la première fois que j'vois ça, man! (*Il regarde, respectueux. Paul-Edmond se remet à genoux. Le rockeur aussi. Un temps. Paul-Edmond se relève. Le rockeur suit. Un autre temps. Puis:*)

PAUL-EDMOND

50 Oui!… Je le veux!

Paul-Edmond essaie de se passer lui-même l'anneau au doigt; il n'y arrive pas. Le rockeur lui prend alors l'anneau et le lui passe au doigt dans les règles de l'art.

PAUL-EDMOND

Bon! Johanne… J't'embrasse, là!

55 *Par pudeur, le rockeur se détourne.*

PAUL-EDMOND

Ben c'est ça… À demain!… Non! Non! c'coup-là, je le manquerai pas!… Euh, Johanne?… Bonne soirée… madame Gagnon…

Suit une courte scène de «minouchage» où Paul-Edmond en arrive même à
60 *confondre le téléphone avec sa femme. Il raccroche. Le rockeur lui lance alors une poignée de bâtons au fromage en lui criant:*

LE ROCKEUR

Vive le marié!

Denis Bouchard, Rémy Girard, Raymond Legault
et Julie Vincent, *La déprime*, Montréal, VLB éditeur, 1991
© 1991 VLB éditeur, Denis Bouchard,
Rémy Girard, Raymond Legault
et Julie Vincent, p. 203 à 206.

Rita Lafontaine (Nana) et André Brassard (Le narrateur) dans *Encore une fois, si vous permettez.*

Le plateau est vide.

Le narrateur entre, s'assoit sur une chaise qu'il ne quittera pas jusqu'à la fin. Il peut bouger, gesticuler, croiser jambes et bras, mais il ne doit pas quitter la
5 *chaise jusqu'aux dernières minutes de la pièce.*

Nana, elle, envahit le plateau aussitôt arrivée, l'habite, le domine, en fait son royaume. C'est sa pièce à elle.

LE NARRATEUR. Ce soir, personne ne viendra crier : «Pour qui sont ces serpents qui sifflent sur vos
10 têtes ?» ni murmurer : «Va, je ne te hais point» en se tordant les mains. Aucun fantôme ne viendra hanter la tour de garde d'un château du royaume du Danemark où, semble-t-il, il y a quelque chose de pourri. Vous ne verrez pas trois femmes encore
15 jeunes s'emmurer à jamais dans une datcha en chuchotant le nom de Moscou la bien-aimée, l'espoir perdu. Aucune sœur n'attendra le retour de son frère pour venger la mort de leur père, aucun fils n'aura à venger l'insulte faite à son père, aucune
20 mère ne tuera ses trois enfants pour se venger de leur père. Et aucun mari ne verra sa poupée de femme le quitter parce qu'elle le méprise. Personne ne se transformera en rhinocéros. Des bonnes ne planifieront pas l'assassinat de leur maîtresse après
25 avoir dénoncé et fait incarcérer son amant. Aucun homme ne pleurera de rage au fond de son jardin en hurlant : «Ma cassette ! Ma cassette !» Personne ne sortira d'une poubelle pour venir raconter une histoire absurde. Des familles italiennes ne parti-
30 ront pas en villégiature. Aucun soldat au retour de la guerre ne vargera dans la porte de la chambre de son père pour protester contre la présence d'une deuxième femme dans le lit de sa mère. Aucune blonde évanescente ne se noiera. Un Grand
35 d'Espagne ne séduira pas mille et trois femmes espagnoles et une famille entière de femmes espagnoles ne souffrira pas sous le joug de la terrible Bernarda Alba. Vous ne verrez pas l'homme-animal déchirer son T-shirt trempé de sueur en hurlant :
40 «Stella ! Stella !», et sa belle-sœur ne sera pas perdue au moment précis où elle descendra du tramway nommé Désir. Aucune belle-mère ne mourra d'amour pour le plus jeune fils de son nouveau mari. La peste ne s'acharnera pas sur la ville de
45 Thèbes et la guerre de Troie n'aura pas lieu. Et le

Roi en personne ne se sentira pas obligé d'intervenir pour sauver un pauvre naïf des griffes d'un fieffé hypocrite. Il n'y aura pas de combat à l'épée, ni d'empoisonnement, ni de toux disgracieuse.
50 Personne ne mourra ou, si quelqu'un a à mourir, on en fera une scène comique. Non, vous ne verrez rien de tout ça. Ce que vous verrez, ce sera une femme toute simple, une simple femme qui viendra vous parler… j'allais dire de sa vie, mais celle
55 des autres sera tout aussi importante : son mari, ses fils, la parenté, le voisinage. Vous la reconnaîtrez peut-être. Vous l'avez souvent croisée au théâtre, dans le public et sur la scène, vous l'avez fréquentée dans la vie, elle vient de vous. Elle est née à une
60 époque précise de notre pays, elle évolue dans une ville qui nous ressemble, c'est vrai, mais, j'en suis convaincu, elle est multiple. Et universelle. Elle est la tante de Rodrigue, la cousine d'Électre, la sœur d'Ivanov, la marraine de Caligula, la petite nièce de
65 Mrs. Quickly, la mère de Ham ou de Clov et peut-être même des deux. Et quand elle s'exprime dans ses mots à elle, ceux qui parlent autrement la comprennent dans leurs mots à eux.

Elle traverse toutes les époques et fait partie de
70 toutes les cultures. Elle a toujours été là et le sera toujours. J'avais envie de la revoir, de l'entendre à nouveau. Pour le plaisir. Pour rire et pleurer. Encore une fois, si vous permettez. (*Il regarde en direction de la coulisse.*) Je l'entends justement qui vient. Elle
75 va nous parler d'abondance parce que la parole, pour elle, a toujours été une arme efficace. (*Il sourit.*) Comme on dit dans les classiques : «La voici qui s'avance !»

Entre Nana.

80 *Elle est visiblement furieuse.*

NANA. Envoye dans ta chambre ! Pis tu-suite ! Penses-tu que ça a du bon sens ! À ton âge ! À dix ans, on est supposé savoir ce qu'on fait ! Non, c'est pas vrai, qu'est-ce que je dis là, à dix ans, on n'est
85 pas supposé savoir ce qu'on fait. On a l'âge de raison, mais on n'a pas d'expérience. À dix ans, on est niaiseux, on est un enfant niaiseux pis on se conduit en enfant niaiseux ! Mais y me semble que ça, t'aurais dû savoir que ça se faisait pas !

90 LE NARRATEUR. J'ai pas fait exiprès.

NANA. Comment ça, t'as pas fait exiprès ! T'as pitché un morceau de glace en dessous d'une voiture en marche, viens pas me dire que t'as pas fait exiprès ! Y'est pas parti tu-seul'c'te motton de
95 glace-là !

LE NARRATEUR. Tout le monde le faisait !

NANA. Ben oui ! C'est intelligent, ça ! Tout le monde le faisait ! Te sens-tu obligé de faire comme tout le monde ? Si tout le monde décide d'aller se coller la
100 langue sur un piquet de clôture gelé, vas-tu risquer de t'arracher le bout de la langue pis de zozoter pour le reste de tes jours juste pour faire comme tout le monde ?

LE NARRATEUR. Si je l'avais pas fait…

105 NANA. Si tu l'avais pas fait, rien de tout ça serait arrivé, pis j'aurais pas eu si honte de toi ! Sais-tu ce que je viens de vivre ? Hein ? Le sais-tu ? On dirait que ça te dérange pas ! J'étais en train de faire mon lavage tranquillement, j'passais les caneçons de ton
110 père dans le tordeur en écoutant le radio, j'pense

 # QUELQUES ALLUSIONS LITTÉRAIRES

Daniel Maclise, *Procession des personnages de Shakespeare*, vers 1845.

Dans sa première réplique (lignes 8 à 78), le narrateur fait allusion à plusieurs pièces de théâtre. Par exemple, à la ligne 10, il fait allusion au *Cid* de Pierre Corneille ; aux lignes 11 à 14, à *Hamlet* de William Shakespeare ; aux lignes 26 et 27, à *L'avare* de Molière.

même que je chantais, pis ça sonne à' porte. J'avais pas le temps d'aller répondre, pis je pensais que c'était le p'tit gars de chez Provost qui venait livrer la viande, ça fait que je crie : «Entrez, c'est pas
115 barré !» du plus fort que je peux en espérant qu'y m'entende, pis j'me replonge dans le tordeur. Là, y'a rien qui se passait, ça fait que j'me sus retournée. J'pensais que le p'tit gars de chez Provost était trop gêné pour venir jusque dans' cuisine... Pis que
120 c'est que j'ai vu ressoudre dans ma salle à manger ? Une police ! Une police en uniforme ! Dans ma salle à manger ! Avec la casquette su'a' tête pis son gros manteau d'hiver ! Nu-pieds parce qu'y'avait quand même eu la gentillesse d'enlever ses bottes dans le
125 portique ! Y'avait une police nu-pieds dans ma salle à manger, c'est pas rien, ça ! Toi, évidemment, t'étais disparu dans ta chambre, ça fait que je pouvais pas savoir qu'y venait pour toi ! Sais-tu c'que j'ai pensé ? J'ai pensé que quelqu'un était mort ! J'ai
130 pensé que quelqu'un était mort ! Ton père, ou ben donc un de tes frères, ou ben donc toi ! Sais-tu c'qui s'est passé dans ma tête, hein, le sais-tu ? Ça a peut-être duré juste quequ'secondes, je le sais pas, mais j'ai vu un cadavre, en dessous d'une cou-
135 verte de laine carreautée, coupé en deux par un tramway ou ben écrapouti par un autobus, pis c'te cadavre-là, c'tait un de vous autres ! Y'avait même une main qui dépassait, pis y fallait que je devine à qui c'était ! Sais-tu c'que ça peut faire à une mère,
140 ça ? Hein ? Réponds !

LE NARRATEUR. T'es ben dramatique, moman.

NANA. Réponds-moi pas sus ce ton-là ! Attends qu'une police nu-bas me ramène coupée en deux en dessous d'une couverture de laine carreautée,
145 mon p'tit gars, pis on va voir qui c'est qui est le plus dramatique dans nous deux ! J'aurais pu me prendre le bras dans le tordeur, t'sais ! Jusqu'au coude ! Jusqu'en dessours des bras ! Comme ta tante Gertrude !

150 LE NARRATEUR. Ma tante Gertrude...

NANA. Laisse faire ta tante Gertrude, pis écoute-moi, j'ai pas fini ! J'tais là, devant la police, la bouche grande ouverte, pis un caneçon de ton père qui s'était pogné dans le tordeur pis qui arrêtait pas de
155 tourner, pis j'avais l'impression que le plancher de la cuisine allait se défoncer, pis que j'me retrouverais étendue sur la table de la cuisine de madame Forget, en bas, avec des restants de sandwiches au baloney collés dans le dos ! (*Le narrateur rit.*) Ris
160 pas, c'pas drôle !

LE NARRATEUR. T'as pas pensé aux sandwiches au baloney, moman, tu viens d'ajouter ça, là...

NANA. Y'étaient peut-être pas au baloney, mais j'les avais collés dans le dos pareil !

165 LE NARRATEUR. Moman...

NANA. Tais-toi pis écoute ! Pour une fois que je prends la parole, ici-dedans ! (*Le narrateur secoue la tête en retenant un sourire.*) J'osais pas y demander qui c'est qui était mort, tu comprends, j'avais trop
170 peur de m'écrouler là pis de mourir devant lui... deux morts dans la même famille le même jour, c'est un peu trop ! Ben non ! Personne était mort ! Y'avait juste... y'avait juste mon enfant insignifiant qui s'était fait arrêter comme un bandit de grand
175 chemin parce qu'y s'amusait avec ses insignifiants d'amis à pitcher des gros morceaux de glace en dessous des voitures qui passaient dans' rue ! Imagine si j'ai eu honte ! Dix ans ! Dix ans, pis déjà un bum ! Sais-tu ce que j'ai pensé quand y m'a conté
180 ça ? Hein ? Sais-tu ce que j'ai vu ? (*Le narrateur lève les yeux au ciel.*) Pis lève pas les yeux au ciel comme ça, j't'ai dit cent fois comment c'que j'haïs ça quand tu fais ça ! Pendant qu'y me contait ta... ta... ta mésaventure, là, j't'ai vu pour le reste de tes
185 jours en prison ! J't'ai vu en arrière des barreaux pour le reste de tes jours, mon p'tit gars ! J't'ai vu grandir, devenir un homme, te marier, avoir des enfants... (*Elle réalise ce qu'elle vient de dire.*) J'veux pas dire que tu te mariais pis que t'avais des enfants
190 en prison, là, j'veux dire que tu passais le reste de tes jours à rentrer pis à sortir de prison, pis que... Ah, chus toute mélangée, là, j'sais que tu ris de moi, pis ça m'énarve ! J'ai pas envie de passer le reste de mon existence avec un sac d'oranges dans
195 une main pis un mouchoir dans l'autre tou'es dimanches après-midi, dans une salle de visite de prison, c'est-tu clair ?

LE NARRATEUR. J'ai rien fait de ben grave, moman, énerve-toi pas comme ça... pis c'est pas juste à
200 cause du morceau de glace que la police est venue...

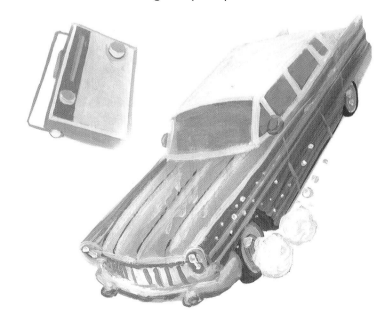

NANA. Est venue pourquoi, d'abord ? Juste pour me faire peur ? Juste pour m'énarver ?

LE NARRATEUR. Y t'a pas conté ce qui s'était passé ?

205 NANA. Y me l'a peut-être conté, mais y'aurait pu parler en chinois, ç'aurait faite pareil, j'étais assez énarvée…

LE NARRATEUR. Écoute, j'vas te conter ce qui est arrivé.

NANA. Fais ça vite. Tu donnes toujours trop de 210 détails.

LE NARRATEUR. Mais j'veux pas que tu me punisses…

NANA. Ben ça, mon p'tit gars, tu me laisseras juge de ça, hein ?

215 LE NARRATEUR. J'aurais dû me taire, aussi. Si tu l'as pas écouté, lui, tu sais pas c'qui s'est passé…

NANA (*l'air menaçant*). J'te promets que j'vas t'écouter, toi.

LE NARRATEUR. Ça va être beau après…

220 NANA. T'auras couru après. Vas-y, j't'écoute.

LE NARRATEUR. Hé, maudit !

NANA. Dis pas « maudit » devant moi ! J't'ai déjà dit de pas maudire devant moi ! Maudire, c'est aussi pire que de sacrer ! Tu cours après le trouble, mon 225 p'tit gars.

LE NARRATEUR. Chus pus sûr si j'ai ben ben envie de te conter tout ça.

NANA. Moi, j'ai le goût ! Envoye !

LE NARRATEUR. C'est vrai que moi pis ma gang, on 230 pitchait des morceaux de glace, bon… Mais on les pitchait pas en dessous des voitures qui passaient. On les pitchait en avant, avant que les voitures arrivent, pour voir comment les chauffeurs réagiraient, si y brakeraient complètement ou si y 235 feraient juste ralentir… C'tait juste un jeu, moman… c'tait pas grave… La plupart du temps, les chauffeurs s'en rendaient même pas compte parce que les morceaux de glace étaient trop petits… À un moment donné, c'tait mon tour, j'ai pris un 240 morceau un peu plus gros pour que le chauffeur de la voiture qui s'en venait le voye ben… pis Jean-Paul Jodoin m'a retenu le bras. J'me sus débattu, j'ai fini par me libérer, le morceau de glace est parti trop tard, y'a passé en dessous des roues d'en 245 arrière de la voiture… pis le gars a pensé qu'y'avait écrasé un enfant.

NANA. Ah, c'tait donc ça, l'histoire de l'enfant écrasé ! Y me semblait aussi, qu'y'avait une histoire d'enfant écrasé ! Y'est sorti de la voiture en pensant 250 qu'y'avait écrasé un enfant, pis y'a juste trouvé un morceau de glace ! J'comprends qu'y'a appelé la police ! Peux-tu t'imaginer comment y se sentait ? Hein ? Peux-tu t'imaginer les secondes qu'y'a passées, c't'homme-là, à penser qu'y'avait passé 255 su'l'corps d'un pauvre tit-enfant qui essayait de traverser la rue ! Peut-être à quatre pattes ! Y'a peut-être pensé que c'tait un bébé échappé de sa mère qui traversait la rue à quatre pattes ! Mon Dieu ! Le pauvre homme ! T'es chanceux qu'y t'aye pas

étranglé sur place ! C'est ça que j'aurais faite cer-
tain, moi, j't'aurais passé su'l'corps avec mon char !
Pis j'exagère à peine ! Ben laisse-moi te dire que tu
vas payer pour ça longtemps, toi !

LE NARRATEUR. J'ai pas fait exiprès, moman !

NANA. Arrête de dire ça ! Si t'étais moins suiveux,
aussi, y t'arriverait pas des affaires de même !

LE NARRATEUR. C'est la première fois que ça
arrive !

NANA. C'est pas une raison ! T'es pas capable de
penser par toi-même ? Hein ? T'es pas capable de
t'en rendre compte quand tes amis disent des niaiseries, pis quand y font des niaiseries ? Faudrait que
je soye toujours à côté de toi pour te donner des
conseils, te dire fais ça, c'est correct, fais pas ça,
c'est dangereux ?

LE NARRATEUR. Y'avaient déjà joué à ça pis y
disaient que c'était le fun…

NANA. Ben oui, c'est ça, recommence comme t'à
l'heure ! Si y te disaient que c'est le fun de se passer
le cou dans le tordeur, tu les croirais !

LE NARRATEUR (narquois). C'est peut-être le fun de
se passer le cou dans le tordeur !

NANA. Aïe ! Commence pas ça avec moi, ces p'tites
jokes de smatte-là ! Ça pognera pas aujourd'hui,
j't'avertis ! Quand je pense au pauvre petit enfant
écrasé en dessous des roues d'une grosse voiture…
La pauvre mère !

LE NARRATEUR. Moman, y'en n'a pas eu, d'enfant
écrasé…

NANA. Une chance ! Y manquerait pus rien que ça !
Un criminel dans' famille ! La honte ! La parenté !
Les voisins ! C'est pas une voilette que je serais
obligée de porter, à' messe, le dimanche matin,
c'est un masque à gaz ! La prochaine fois que tes
amis vont parler de jouer à quequ' chose d'aussi
niaiseux, là, pense à ta pauvre mère qui a pas envie
de porter un masque à gaz à' messe, le dimanche
matin, parce qu'a'l'a trop honte de son enfant de
dix ans !

LE NARRATEUR. Arrête de dire que t'as honte de
moi, j'haïs ça !

NANA. Chus quand même pas pour te dire que
chus fière de toi, y'a un pauvre homme qui a failli
faire une crise cardiaque parce que tu y'as faite
accroire qu'y'avait écrapouti un enfant comme une
galette ! J'comprends qu'y'a appelé la police !
J't'aurais réglé ton compte moi-même, moi, si
j'avais été à sa place ! Pis laisse-moi te dire que c'est
pas le morceau de glace qui aurait le plus souffert !
Ah, pis ça sert à rien de discuter avec toi, on finit
toujours par tourner en rond, pis ça finit pus. Tout
ce que je te demande, à l'avenir, c'est de réfléchir
avant de poser des gestes niaiseux comme celui-là !

Pis si tes amis rient de toi parce que tu veux pas
315 faire comme eux autres, dis-leur que t'aimes mieux
pas être suiveux pis faire quequ'chose de ta vie que
de faire tout c'qu'on te demande pour montrer
que t'es smatte pis finir tes jours à Bordeaux !

LE NARRATEUR. Tu me voyais vraiment en prison ?

320 NANA. Avec un caluron su'a tête, pis un pyjama
barré ! Pis j'te dis que t'avais le caquet bas !

Le narrateur sourit.

LE NARRATEUR. La mère de Jean-Paul Jodoin m'a
demandé, l'autre jour, oùsque je prenais mon
325 imagination…

NANA. Tu y diras, la prochaine fois, que l'imagination, ça peut servir à prévenir ! J'aime mieux penser
le pire pis être soulagée de ce qui m'arrive que de
penser à rien pis être surpris des malheurs qui me
330 tombent dessus ! En attendant, va chercher la commande chez Provost, ça a ben l'air que le p'tit gars
est en vacances !

LE NARRATEUR. Tu me punis pas ? Tu disais, tout à
l'heure, que t'étais pour me punir.

335 NANA. As-tu eu peur, quand l'homme est sorti de
sa voiture ?

LE NARRATEUR. Ben oui.

NANA. Pis quand la police est arrivée ?

LE NARRATEUR. Encore plus.

340 NANA. Ben, t'as été assez puni pour aujourd'hui.
La police, c'est la plus grosse punition ! (*Elle fait
quelques pas vers la coulisse.*) Au fait, comment y'a
fait, l'homme, pour savoir que c'était toi qui avais
pitché le morceau de glace ?

345 LE NARRATEUR. C'est les autres qui m'ont vendu.

Elle le regarde quelques secondes.

NANA. J'pense que j'ai pas besoin de passer de
commentaires là-dessus, hein ? Ça t'en dit assez sur
la solidarité de tes amis ! (*Elle fait quelques pas vers
350 la coulisse.*) Si l'homme nous poursuit en justice, je
dirai que t'es pas mon enfant, que j't'ai adopté,
que tes vrais parents étaient des bandits, pis que
chus pas responsable de tes niaiseries. Pis compte
pas sur moi pour aller te visiter à l'École de Réforme !
355 (*Elle se tourne encore vers lui.*) L'École de Réforme !
Tu sais ce que ça veut dire ?

Elle sort.

LE NARRATEUR. Ai-je besoin d'ajouter que la menace
de l'École de Réforme a plané sur moi pendant
360 toute mon enfance ?

Nana revient.

NANA. C'est là qu'y prennent les insignifiants
comme toi, les têtes folles, les têtes fortes, les têtes
brûlées, les naïfs, les suiveux, qu'y leur rasent la
365 tête, qu'y leur passent un pyjama fait avec une
poche de patates, pis qu'y les mettent aux travaux
forcés ! Au lieu d'aller à l'école, y cassent des pierres
avec des marteaux, imagine si c'est intéressant !
Dans ton cas, je leur dirai que t'aimes mieux les
370 morceaux de glace !

Elle sort.

LE NARRATEUR. Elle va revenir. Elle a quelque chose
derrière la tête.

Nana revient.

375 NANA. J't'ai-tu déjà conté ce qui était vraiment
arrivé à ta tante Gertrude ?

LE NARRATEUR. Oui, moman, souvent.

NANA. Écoute ben ça. A' faisait son lavage comme
moi, à' matin, pis est-tait rendue comme moi à
380 passer son linge dans le tordeur. C'tait une machine
moins moderne que la mienne, par exemple, la
mienne est électrique, mais elle, y fallait qu'a'
tourne une grande poignée avec la main droite
pendant qu'a' glissait le linge mouillé dans le
385 tordeur avec la main gauche. Tu me suis ?

Elle mime les gestes qu'elle vient de décrire.

LE NARRATEUR. Ben oui, c'est clair.

NANA. Bon. A' dit qu'est-tait dans' lune, moi j'dis
qu'est folle. En tout cas. Ça a l'air que le téléphone
390 a sonné pis qu'a'l'a voulu finir de passer un pan-
talon de pyjama de ton oncle Alfred avant de
répondre, mais que dans son énarvement — tu sais
comment c'qu'a'l'est, toute l'énarve —, que dans
son énarvement, a' s'est pogné le bout de la main
395 gauche dans le tordeur. Jusque-là, c'est pas ben
grave, ça nous arrive à toutes. Ça pince, on se retire
la main, on souffle dessus, pis on continue. Mais
elle, la folle, trop énarvée pour arrêter de tourner la
poignée avec sa main droite ! Faut-tu être épaisse !
400 Ça fait qu'a' continue de crinquer comme une
bonne pendant que le téléphone continue à sonner… pis a' se passe le bras dans le tordeur même
pas automatique jusqu'à l'épaule ! Imagine, a' s'est
elle-même crinqué le bras dans le tordeur ! Pis folle
405 comme a'l'est, si ça avait été possible, chus sûre
qu'a' se serait passé le corps au grand complet, pis
que son mari, en revenant de travailler, l'aurait
retrouvée dans le tas de linge, toute tortillée, pis
mince comme une galette ! Aïe, y'ont été obligés
410 d'y faire des points de soudure du bout de l'index

jusqu'en dessours de l'épaule ! Quand a' venait ici, après ça, a' nous montrait son opération, pis moi j'aurais pu perdre sans connaissance tellement c'tait laid ! A' l'avait une couture, là, mon petit gars,
415 ça montait, ça montait… Ça passait par son gras de bras… t'sais comment c'qua'l'a le gras du bras mou… A'l'a juste à donner une petite tape dessus pis ça se met à branler comme une bolée de Jell-O… C'est ma belle-sœur, mais j'te dis qu'est pas tou-
420 jours brillante, brillante…

Elle sort.

LE NARRATEUR. Ma tante Gertrude s'était à peine pincé le bout de l'index et du majeur, puis elle avait eu un bleu pendant quelques jours…

425 *Nana revient.*

NANA. As-tu toute cru c'que je viens de te conter ?

LE NARRATEUR. Je savais que c'était pas fini.

NANA. J'te parle !

LE NARRATEUR. Non, moman, j'ai pas toute cru
430 c'que tu viens de me conter.

NANA. Bon. O.K. T'es moins naïf que je pensais. Quand tes amis vont te conter des folleries, là, pis qu'y vont te faire des promesses à pus finir si tu fais c'qu'y te demandent, tu penseras à l'histoire de ta
435 tante Gertrude. Tu diviseras toute par dix, pis ça va te donner une idée du vrai fun qui t'attend !

Le narrateur sourit. […]

***

LE NARRATEUR. Elle n'a jamais connu la coulisse
440 d'un théâtre ni d'un studio de télévision, elle n'a jamais assisté à une répétition, à une parade de costumes, à une générale, à une première. Elle est partie sans savoir comment tout ça se faisait. C'est un des plus grands regrets de ma vie. […]

445 *Nana revient.*

NANA. Je l'ai toujours dit, y'a rien à l'épreuve de c'te femme-là ! Rien ! J'sais pas comment a' fait son compte, j'la vois jamais venir, c'est pas compliqué, j'la vois jamais venir ! A' me tricote ça derrière le
450 dos, pis moi, l'épaisse, j'm'en rends pas compte ! Jamais ! Pis ça fait au-dessus de trente ans que ça dure ! *A' finit toujours par se faire inviter à souper !* Comprends-tu ça, toi ? Vient toujours un moment ousque j'm'entends y dire : «Pourquoi vous v'nez
455 pas souper, samedi soir ?» Pourquoi j'dis ça ? J'me sens-tu obligée parce que son mari est le frère de ton père ? J'dis-tu ça juste pour me débarrasser d'elle au téléphone parce qu'a' parle trop fort ? Je le sais pas ! Un mystère ! A'l'a peut-être des dons

460 d'hypnotiseur avec sa voix, pis je le sais pas ! Ça vient encore d'arriver, juste là, imagine-toi donc ! A' m'appelle soi-disant pour me dire bonjour, j'me dis : «On sait ben, c'est jeudi, samedi est pas loin, y faut que je fasse attention !» Comme de faite ! Je
465 sais pas trop c'qu'a m'a conté, comment a'm'a enfirouâpé ça, mais j'ai fini par m'entendre dire la sautadite de phrase, pis y viennent encore souper samedi soir ! Chus encore pognée avec ta tante Gertrude, ton oncle Alfred, pis leur ennuyante fille
470 Lucille pour souper samedi ! J'sais que tu l'aimes, ta cousine Lucille, toi, mais moi, c't'enfant-là me tire l'agressivité du corps !

LE NARRATEUR. C'est pus une enfant, moman.

NANA. T'as quoi, là, toi ? Dix-huit ? Ben a'l'a dix-sept
475 ans, c'est vrai que c'est pus une enfant. C't'encore pire !

LE NARRATEUR. J'sais qu'a' t'énerve parce qu'a' l'a des tics, mais…

NANA. Des tics ? C't'enfant-là est un véritable arbre
480 de Noël qui clignote à l'année ! Pendant l'âge ingrat, quand a' partait d'ici avec ses parents, j'faisais des grimaces pendant des heures !

LE NARRATEUR. Moman…

NANA. Quoi, moman ?

485 LE NARRATEUR. Tu m'as promis de moins exagérer quand tu parles.

NANA. J'ai essayé, pis c'est plate pour crever la bouche ouverte ! Les affaires sont jamais assez inté-ressantes pour qu'on les conte telles quelles,
490 voyons donc ! Rien qu'à penser que j'vas les voir arriver samedi soir, j'ai envie de faire ma valise pis de partir pour la planète Mars. C'est-tu trop comme exagération, ça ?

LE NARRATEUR. C'est pas mal…

495 NANA. Si j'exagérais pas, tu me trouverais plate !

LE NARRATEUR. C'est vrai…

NANA. Ben laisse-moi faire. Là, ton oncle Alfred va prendre la place de ton père, au bout de la table, pis ton père va être trop lâche pour y dire, y va
500 allumer sa maudite pipe qui sent le yable qui s'est pas lavé depuis la venue du divin Messie, pis y va nous parler de Fernandel[2] ! C't'homme-là a juste un sujet de conversation, *Fernandel* ! As-tu déjà vu ça, toi ? Les hommes de son âge, j'sais pas, moi,
505 y parlent de Marilyn Monroe ou ben de Lana

---

1. Acteur et chanteur français (1903-1971) très populaire dans les années 1950-1960.

Turner ou ben du hockey, mais lui y nous parle de Fernandel ! Quand y commence à nous conter le dernier film de Fernandel qu'y a vu, j'sais pas si tu t'en es déjà rendu compte, mais moi j'sors ! J'vas
510 faire semblant de brasser quequ'chose dans' cuisine ou ben j'dis que j'ai un téléphone à faire, pis j'me retrouve à demander des nouvelles à personne au bout de la ligne, mais y faut que je fasse quequ'chose, sinon j'vas y grimper dans' face ! [...]
515 Si y nous conte pis y nous mime encore une fois «Cœur de coq», j'fais une crise tellement grande qu'y vont m'entendre jusqu'à Ausable Chasms !

Ils rient tous les deux.

NANA. Chus pas mal drôle aujourd'hui, hein ?

520 LE NARRATEUR. Oui, t'es particulièrement en forme !

NANA. Faut ben, sinon j'exploserais.

LE NARRATEUR. T'exploserais comment ? D'habitude, t'ajoutes une image...

525 NANA. Attends... (*Toute fière d'elle.*) J'exploserais comme un Presto qui est resté sur le rond du poêle trop longtemps, pis vous seriez obligés d'aller me décoller du plafond !

Ils rient de plus belle.

530 NANA. Ah, ça fait du bien ! Écoute, j'veux ben croire que ton oncle Alfred c'est le frère de ton père, mais laisse-moi te dire que c'est pas lui qui a accroché les lanternes après le derrière des mouches à feu !

535 *Ils se tordent de rire.*

NANA. C'est monsieur Gagnon de Saint-Pacôme, un ami de tes grands-parents paternels, qui disait ça. C'est drôle, hein ?

LE NARRATEUR. C'est pas mal beau, oui. J'vas m'en
540 servir, un jour.

NANA (*plus sérieuse*). J'en doute pas. Faudrait qu'on s'en reparle de ça, d'ailleurs... Pis elle ! ELLE ! Ça fait trente ans qu'a' vient manger ici, pis sais-tu c'qu'a' me dit, en partant, depuis quequ'temps ?

545 LE NARRATEUR. Ben oui, mais...

NANA. «Le thé était bon !» Le thé ! A' me fait l'honneur d'aimer mon thé !

LE NARRATEUR. C't'une farce qu'a' fait, moman...

NANA. Une farce qui dure trois ans, mon p'tit gars,
550 ça s'appelle une maladie ! Son mari avec Fernandel, elle avec son thé, pis leur fille avec ses grimaces, j'te

AU SUJET DE NANA

Nana était le surnom de la mère de Michel Tremblay. D'ailleurs, dans Encore une fois, si vous permettez, *le célèbre écrivain exprime tout son amour à sa mère.*

5 Michel Tremblay: Dans la vie, il y a souvent un être, mort ou vivant, à qui nous n'osons pas — ou n'avons pas pu — exprimer quelque chose. Pour toutes sortes de raisons: il est parti trop tôt; nous manquons de courage, de
10 sincérité ou la communication est difficile. Alors, notre vérité lui échappera toujours. Dans mon cas, cette personne, c'est ma mère. [...] Elle m'a tout donné: mon sens critique, mon côté comique et mélodramatique, mon
15 penchant pour l'exagération — donc pour la transposition, ma tête de cochon, ma mauvaise foi... Avant que je ne devienne dramaturge, ma mère m'a donc transmis l'essence de la théâtralité. C'est normal qu'*Encore une fois...*
20 arrive au bout de quarante ans d'écriture. J'avais besoin de recul et d'expérience pour écrire cette pièce. Au début de ma carrière, j'aurais fait un hommage à ma mère. Or, ici, je lui suis tout simplement reconnaissant.

Luc Boulanger, *Pièces à conviction,*
entretiens avec Michel Tremblay, Montréal,
© Leméac Éditeur, 2001, p. 166 et 167.

dis que ça fait une jolie maisonnée ! Y doivent pas rire comme nous autres tous'es jours !

LE NARRATEUR. Tu fais toujours du roast beef
555 quand y viennent…

NANA. Mon roast beef a la réputation d'être le meilleur à l'est des Rocheuses, tu sauras !

LE NARRATEUR. Oui, mais tu le fais saignant… Peut-être qu'a'l'aime ça plus cuit, je sais pas…

560 NANA. Ça veut dire quoi, ça ? A't'en a-tu déjà parlé ?

LE NARRATEUR. Ben non…

NANA. Réponds-moi franchement, là. Ta tante Gertrude s'est-tu déjà plainte de mon roast beef ?

LE NARRATEUR. J'te dis que non… J'te dis juste
565 qu'y'a sûrement du monde qui aime ça plus cuit…

NANA. R'garde-moi donc, là, toi… Parles-tu de toi, là ?

LE NARRATEUR. Ben…

NANA. T'haïs mon roast beef depuis dix-huit ans,
570 pis tu me l'as jamais dit !

LE NARRATEUR. J'ai pas dit que j'haïssais ton roast beef, moman…

NANA. Tu manges du roast beef qui t'écœure depuis dix-huit ans, pis t'as jamais eu le courage de
575 me le dire !

LE NARRATEUR. Moman, tu dis tellement de bien de ton roast beef depuis toujours que c'est difficile de te contredire !

NANA. J'en reviens pas ! Y'aime pas mon manger !
580 (Elle porte la main à son cœur.) Y va me faire mourir. Mes patates, elles, sont-tu assez cuites ? Mes petits pois sont-tu assez chauds ? Mes carottes sont-tu coupées trop gros ? Mon gravy est-tu assez épais ? Y'a-tu trop de thé dedans ? Y'a-tu quequ'chose que
585 je fais comme faut, ou ben si toute est comme mon roast beef, pas mangeable ?

LE NARRATEUR. Moman, j'ai pas dit que j'aimais pas ton manger… Hé que c'est difficile de discuter avec toi !

590 NANA. T'iras manger chez tes amis qui mangent des sandwiches au baloney à l'année longue, mon p'tit gars, pis j'te dis que tu vas t'ennuyer de ta mère !

LE NARRATEUR. Moman, écoute-moi, là. J'voulais
595 juste dire que à mon goût, à mon goût à moi, tu fais pas rôtir ton roast beef assez longtemps. C'est toute ! Y'a rien d'autre ! Y'a pas de problème ! Y'a pas de drame !

MICHEL TREMBLAY
(né au Québec en 1942)

Dramaturge, romancier et scénariste, Michel Tremblay est l'un des plus grands écrivains québécois. C'est avec sa pièce *Les belles-sœurs*, montée au Théâtre du Rideau-Vert en 1968, que sa carrière littéraire prend son envol. En 2006, à peine remis d'une importante maladie, Michel Tremblay renoue avec le fantastique dans son roman *Le trou dans le mur*. Profondément ancrée dans la réalité québécoise, son œuvre rejoint les rangs des classiques universels.

NANA. Ben oui, mais ton père aime ça quand le
600 sang pisse dans l'assiette !

LE NARRATEUR. J'veux ben croire, mais on n'est pas toutes obligés d'avoir les mêmes goûts que lui ! T'as pas aussitôt refermé la porte du four que tu le ressors, moman !

605 NANA. R'garde qui c'est qui exagère, là !

LE NARRATEUR. C'est vrai ! Tu le mets, quoi, une demi-heure à 400 ? L'extérieur est tout brûlé, pis l'intérieur est encore vivant !

NANA. Demande-moi l'entame, c'est toute !

610 LE NARRATEUR. Écoute… Quand j'étais petit, j'étais le plus jeune de toutes les familles qui fréquentaient la maison, c'qui fait que, le samedi soir, j'étais servi en dernier… T'achetais un énorme roast beef, tu le faisais quasiment pas cuire, ce qui fait que moi,
615 j'héritais du cœur, tu comprends, du cœur du roast beef, le moins cuit, le plus cru, le bœuf palpitait quasiment encore dans mon assiette ! C'tait rouge, plein de sang, pis ça goûtait la débarbouillette mouillée ! J'avais l'impression qu'y'avait un bœuf,
620 dans' salle de bains, pis que tu venais d'y trancher un morceau de cuisse pour le mettre dans mon assiette !

NANA. Pis tu me l'as jamais dit.

LE NARRATEUR. J'me serais fait tuer.

625 NANA. Si tu m'avais dit ça devant le monde, oui, mais…

LE NARRATEUR. C'est pas grave, moman, tu me donneras l'entame, samedi prochain, pis on en reparlera pus…

Michel Tremblay, « Encore une fois, si vous permettez », dans *Théâtre II*, Montréal, © Leméac/Actes Sud, 2006, p. 321 à 329, 347 à 351.

Répertoire ✚

Lire du théâtre

- Vous trouverez de nombreux textes de théâtre en librairie et en bibliothèque. Il suffit de les chercher par titres ou par auteurs, comme vous le feriez pour un roman. Vous pouvez aussi consulter le site *Arts vivants* du Théâtre français du Centre national des Arts. Vous y trouverez, à la rubrique «Lire le théâtre», trois palmarès : un sur les pièces du répertoire, de l'Antiquité jusqu'à la moitié du vingtième siècle ; un sur les pièces québécoises et canadiennes écrites en français ; un dernier sur les pièces contemporaines. Vous aurez là suffisamment de titres pour vous constituer la bibliothèque idéale de l'amateur ou de l'amatrice de théâtre. Les anthologies comme *Mille ans de théâtre* sont également intéressantes.

Lire sur le théâtre

- Si vous désirez en apprendre davantage sur les compagnies théâtrales contemporaines ainsi que sur les comédiens, les comédiennes et les dramaturges de l'heure, consultez la rubrique «Le théâtre aujourd'hui» sur le site *Arts vivants* du Théâtre français du Centre national des Arts.

- Lisez dans la presse les entrevues que ces artistes accordent à la veille d'une représentation ainsi que les articles critiques sur les pièces de théâtre.

Vivre des expériences culturelles liées au théâtre

- Pour connaître le théâtre, rien de mieux que de le fréquenter. Des pièces de théâtre sont jouées en de nombreux endroits, que ce soit par des troupes professionnelles ou amateurs. Lisez les pages culturelles des journaux et surveillez les affiches annonçant les représentations pour ne pas les rater. Si vous habitez dans une ville où il y a un conservatoire ou une école d'art dramatique, sachez que les finissants montent une pièce à la fin de chaque année scolaire : le public peut y assister pour un coût minime.

- Vous pouvez assister aux lectures publiques données avant les représentations proprement dites. Ces lectures sont une belle occasion de savourer le texte de théâtre et de prendre conscience du travail des comédiens et comédiennes. Comme ces lectures sont moins publicisées, il est parfois plus facile de se renseigner directement au théâtre pour savoir quand elles ont lieu.

- Le théâtre vous passionne et vous aimeriez jouer ? Joignez une troupe amateur. Ces troupes sont toujours à la recherche de membres pour venir grossir leurs rangs. Si le monde du théâtre vous intéresse, mais que vous ne voulez pas monter sur les planches, proposez vos services comme accessoiriste, chorégraphe des combats, éclairagiste, placier ou placière, etc.

Anne Brochet et Gérard Depardieu dans *Cyrano de Bergerac* (1990).

LE roman
AU coeur
DE LA vie

Au cœur de la vie se trouve une énigme:

Quel objet donne des pouvoirs psychiques
à celui qui le tient entre ses mains?

Cet objet nous fait combattre des créatures imaginaires...
Et nous permet de comprendre des langues étrangères.

Il nous fait monter à cheval, manier l'épée...
Et, à bout de souffle, nous écrier: «Un pour tous, tous pour un!»

Il éveille en nous la curiosité et l'angoisse...
Et nous permet d'élucider les mystères, de coincer les criminels.

Il éclaire les profondeurs de l'esprit...
Et rend limpides les sentiments enfouis.

Il est capable de reconstituer une époque révolue...
Pour nous faire vivre dans la peau de nos ancêtres.

Il contracte l'espace et étire le temps...

Quel est donc cet objet qui réinvente le monde?

Le roman !

Sommaire

PAGE PRÉCÉDENTE: Diana Ong, *La lectrice numéro 1*, 1999.

LE SEIGNEUR DES ANNEAUX

rodon était assis immobile, plongé dans ses pensées. Même à la lumière du matin, il ressentait l'ombre ténébreuse des nouvelles que Gandalf lui avait apportées. Enfin, il rompit le silence.

— Hier soir, vous avez commencé à me dire d'étranges choses sur mon anneau,
5 Gandalf, dit-il. Et puis vous vous êtes arrêté parce que, m'avez-vous dit, mieux valait laisser ces choses-là pour le plein jour. Ne croyez-vous pas le moment venu d'achever ? Vous dites que l'anneau est dangereux, beaucoup plus dangereux que je ne puis le croire. En quoi ?

— De bien des façons, répondit le magicien. Il a une puissance bien plus grande que
10 je n'aurais osé le rêver au début, une puissance telle qu'en fin de compte il asservirait totalement tout mortel qui en serait possesseur. C'est lui qui le posséderait.

En Eregion, il y a bien longtemps, étaient fabriqués de nombreux anneaux elfiques, des anneaux magiques comme vous les appelez, et ils étaient, bien sûr, de diverses sortes : plus ou moins puissants. Les moindres n'étaient que des essais dans cet art avant qu'il
15 n'eût atteint sa maturité, et pour les Elfes orfèvres ce n'étaient que des babioles, néanmoins, à mon idée, dangereuses pour les mortels. Mais les Grands Anneaux, les Anneaux de Puissance, eux, étaient périlleux.

Un mortel qui conserve un des Grands Anneaux, Frodon, ne meurt point, mais il ne croît pas ni n'obtient un supplément de vie ; il continue simplement jusqu'à ce qu'enfin
20 chaque minute lui devienne lassitude. Et s'il se sert souvent de l'Anneau pour se rendre invisible, il *s'évanouit* : il finit par devenir invisible en permanence, et il se promène dans le crépuscule sous l'œil du pouvoir ténébreux qui régit les Anneaux. Oui, tôt ou tard — tard s'il est fort ou si ses intentions sont pures au début, mais jamais la force ou les bonnes intentions ne dureront — tôt ou tard, le pouvoir ténébreux le dévorera.

25 — Que c'est terrifiant ! dit Frodon.

Il y eut de nouveau un long silence. On entendait, venant du jardin, le bruit que faisait Sam Gamegie en tondant la pelouse.

— Depuis quand savez-vous cela ? finit par demander Frodon. Et qu'en savait Bilbon ?

— Bilbon n'en savait pas plus que ce qu'il vous a dit, je suis sûr, dit Gandalf. Il ne vous
30 aurait certainement rien repassé qu'il aurait pensé être dangereux, même si je lui ai promis de veiller sur vous. Il trouvait l'anneau très beau, et très utile en cas de besoin ; et si quelque chose n'allait pas ou était bizarre, c'était lui-même. Il disait que l'anneau « prenait une place croissante dans son esprit », et il ne cessait de s'en inquiéter, mais il ne soupçonnait pas que l'anneau même en fût responsable. Bien qu'il eût découvert que
35 l'objet nécessitait une surveillance ; celui-ci ne paraissait pas être toujours de la même

dimension ou du même poids; il se rétrécissait ou se dilatait d'étrange façon, et il pouvait glisser soudain d'un doigt qu'il avait enserré étroitement.

— Oui, il m'en a prévenu dans sa dernière lettre, dit Frodon, aussi l'ai-je gardé au bout de sa chaînette.

40 — C'est très sage, dit Gandalf. Mais pour ce qui est de la longueur de sa vie, Bilbon ne l'a jamais en aucune façon rattachée à l'anneau. Il s'en accordait tout le mérite, et il en était très fier. Mais il n'en devenait pas moins agité et inquiet. *Maigre et détiré*, disait-il. Signe que l'anneau commençait son assujettissement.

— Depuis quand savez-vous tout cela? demanda de nouveau Frodon.

45 — Savoir? dit Gandalf. J'ai su beaucoup de choses que seuls connaissent les Sages, Frodon. Mais si vous entendez la connaissance au sujet de cet anneau particulier, eh bien, je ne *sais* toujours pas, pourrait-on dire. Il y a une dernière épreuve à tenter. Mais je ne doute plus de mes hypothèses.

Quand ai-je commencé à les former? dit-il d'un ton rêveur. Voyons, ce fut l'année où
50 le Conseil Blanc chassa la puissance ténébreuse de la Forêt Noire, juste avant la Bataille des Cinq Armées, que Bilbon trouva son anneau. Une ombre tomba alors sur mon cœur, sans toutefois que je susse encore ce que je craignais. Je me demandais comment Gollum était venu en possession d'un Grand Anneau, comme ce l'était manifestement — cela au moins était clair dès le début. Puis j'ai entendu l'étrange histoire de Bilbon, comme quoi il l'avait
55 «gagné», et je ne pouvais le croire. Quand enfin j'ai pu tirer de lui la vérité, j'ai vu aussitôt qu'il avait voulu supprimer tout doute quant à la légitimité de ses prétentions sur l'anneau. Tout comme Gollum avec son «cadeau d'anniversaire». Ces mensonges étaient trop semblables pour ma tranquillité. L'anneau avait clairement un pouvoir maléfique qui agissait aussitôt sur qui le détenait. Ce fut là le premier véritable avertissement que j'eus

de ce que tout n'était pas bien. Je répétai souvent à Bilbon qu'il valait mieux laisser pareils anneaux inemployés; mais il s'en formalisait, et il ne tarda pas à s'irriter. Il n'y avait pas grand-chose à faire. Je ne pouvais le lui prendre sans déclencher un mal plus grand; et je n'en avais d'ailleurs aucun droit. Je ne pouvais qu'observer et attendre. J'aurais pu peut-être consulter Saroumane le Blanc, mais quelque chose me retenait.

65   — Qui est-ce? demanda Frodon. Je n'ai jamais entendu parler de lui.

— Cela se peut, répondit Gandalf. Il ne s'intéresse ou ne s'intéressait pas aux Hobbits. Oui, il est grand parmi les Sages. C'est le chef de mon ordre, et il est à la tête du Conseil. Son savoir est profond, mais son orgueil a crû parallèlement, et il prend ombrage de toute ingérence. La tradition des Anneaux elfiques, grands et petits, est son domaine. Il l'a longtemps étudiée, cherchant les secrets perdus de leur fabrication; mais quand les débats du Conseil portèrent sur les Anneaux, tout ce qu'il voulut bien nous révéler de ses connaissances s'opposait à mes craintes. Mes doutes furent donc mis en sommeil — mais un sommeil inquiet. Je continuai d'observer et d'attendre.

Et tout semblait aller bien pour Bilbon. Les années passaient et ne semblaient pas le toucher. Il ne montrait pas de signes de l'âge. L'ombre m'envahit de nouveau. Mais je me disais: «Après tout, il est d'une famille de grande longévité du côté maternel. Il y a encore le temps. Attendons!»

Et j'attendis. Jusqu'à cette nuit où il quitta cette maison. Il dit et fit alors des choses qui m'emplirent d'une crainte qu'aucune parole de Saroumane ne put calmer. Je sus enfin que quelque chose de sombre et de mortel était à l'œuvre. Et j'ai passé la plupart des années suivantes à découvrir la vérité.

— Il n'y a pas eu de mal permanent, j'espère? demanda anxieusement Frodon. Il s'en tirerait sans dommage à la fin, n'est-ce pas? Il pourra reposer en paix, je veux dire?

— Il s'est aussitôt senti mieux, dit Gandalf. Mais il n'est qu'une seule puissance au monde qui sache tout des Anneaux et de leurs effets, et, à ma connaissance, il n'en est aucune au monde qui sache tout des Hobbits. Parmi les Sages, je suis le seul qui s'intéresse à la tradition hobbite: branche obscure de la connaissance, mais pleine de surprises. Ils peuvent être mous comme beurre et pourtant, parfois, aussi durs que de vieilles souches. Je croirais assez que certains résisteraient aux Anneaux bien plus longtemps que ne le croiraient la plupart des Sages. Je ne pense pas que vous ayez à vous tourmenter au sujet de Bilbon.

Évidemment, il a possédé l'anneau de nombreuses années, et il s'en est servi; il pourrait donc falloir assez longtemps pour que

disparaisse l'influence — avant qu'il soit sans danger pour lui de le revoir, par exemple. Autrement, il pourrait continuer à vivre des années, tout à fait heureux: s'arrêter juste où il en était quand il s'en est séparé. Car il y a renoncé en fin de compte de son propre gré: c'est un point important. Non, je n'avais plus d'inquiétude pour ce cher Bilbon, une fois
110 qu'il eut laissé partir l'objet. C'est à *votre* égard que je me sens une responsabilité.

Dès le départ de Bilbon, et toujours depuis lors, je me suis profondément soucié de vous et de tous ces charmants, absurdes et impuissants Hobbits. Ce serait un coup douloureux pour le monde que la Puissance Ténébreuse étende sa domination sur la Comté; si tous vos aimables, joyeux et stupides Bolger, Sonnecor, Bophin, Sanglebuc, et
115 autres, sans compter les ridicules Sacquet, étaient réduits en esclavage.

Frodon frissonna:

— Mais pourquoi cela nous arriverait-il? demanda-t-il. Et pourquoi voudrait-elle de pareils esclaves?

— À vrai dire, répondit Gandalf, je pense que jusqu'à présent, notez-le bien, l'exis-
120 tence des Hobbits lui a complètement échappé. Vous devriez en être reconnaissants. Mais votre sécurité est passée. La Puissance n'a pas besoin de vous — elle a bien des serviteurs plus utiles — mais elle ne vous oubliera plus. Et les Hobbits misérables esclaves lui plairaient bien davantage que des Hobbits heureux et libres. La malignité et la vengeance sont des choses qui existent!

125 — La vengeance? dit Frodon. Vengeance de quoi? Je ne comprends toujours pas ce que cela peut avoir à faire avec Bilbon et moi-même, et avec notre anneau.

— Ça a tout à faire avec cela, dit Gandalf. Vous ne connaissez pas encore le véritable péril; mais vous le connaîtrez. Je n'en étais pas sûr moi-même, la dernière fois que je suis venu ici; mais le moment est venu de parler. Donnez-moi l'anneau un moment.

130 Frodon le tira de la poche de sa culotte, où il était accroché à une chaînette suspendue à sa ceinture. Il le détacha et le tendit lentement au magicien. Il parut soudain très lourd comme si lui ou Frodon lui-même répugnait à laisser Gandalf le toucher.

Gandalf l'éleva. Il parut être d'or pur et massif.

— Y voyez-vous quelque inscription? demanda le magicien.

135 — Non, répondit Frodon. Il n'y en a aucune. L'anneau est tout uni, et il ne montre jamais une égratignure ni aucun signe d'usure.

— Eh bien, regardez!

À l'étonnement et au désarroi de Frodon, le magicien jeta soudain l'anneau au milieu d'un endroit embrasé du feu. Frodon poussa un cri et voulut saisir les pincettes; mais
140 Gandalf le retint.

— Attendez, dit-il d'une voix autoritaire, jetant à Frodon un regard rapide de sous ses sourcils hérissés.

Aucun changement apparent ne se produisit sur l'anneau. Après un moment, Gandalf se leva, ferma les volets à l'extérieur de la fenêtre et tira les rideaux. L'obscurité et le silence
145 envahirent la pièce, encore que le claquement des cisailles de Sam, plus proches maintenant de la fenêtre, se fit encore entendre faiblement du jardin. Le magicien se tint un moment le regard fixé sur l'âtre: puis il se baissa, retira l'anneau du feu à l'aide des pincettes et le ramassa aussitôt. Frodon sursauta.

— Il est tout à fait froid, dit Gandalf. Prenez-le!

150 Frodon le reçut dans sa paume contractée: l'objet semblait être devenu plus épais et plus lourd que jamais.

— Élevez-le! dit Gandalf. Et regardez attentivement.

155 Le faisant, Frodon vit alors des lignes fines, plus fines que les plus fins traits de plume, qui couraient le long de l'anneau, à l'extérieur et à l'intérieur: des lignes de feu qui paraissaient former les lettres d'une gracieuse inscription. Elles brillaient d'un éclat 160 perçant et pourtant lointain, comme d'une grande profondeur.

— Je ne puis lire les lettres de feu, dit Frodon 165 d'une voix mal assurée.

— Non, dit Gandalf, mais moi je le peux. Les lettres sont de l'elfique, d'un mode antique, mais la langue est celle de Mordor, que je ne veux pas prononcer ici. Voici toutefois en langue commune ce que cela dit, assez littéralement:

170 *Un Anneau pour les gouverner tous. Un Anneau pour les trouver,*
Un Anneau pour les amener tous et dans les ténèbres les lier.

Ce ne sont que deux vers d'un poème depuis longtemps connu dans la tradition elfique:

Trois Anneaux pour les Rois Elfes sous le ciel,
Sept pour les Seigneurs Nains dans leurs demeures de pierre,
175 *Neuf pour les Hommes Mortels destinés au trépas,*
Un pour le Seigneur Ténébreux sur son sombre trône
Dans le Pays de Mordor où s'étendent les Ombres.
Un Anneau pour les gouverner tous. Un Anneau pour les trouver,
Un Anneau pour les amener tous et dans les ténèbres les lier
180 *Au pays de Mordor où s'étendent les Ombres.*

Il s'arrêta, et puis dit lentement d'une voix grave:

— Celui-ci est le Maître Anneau, l'Anneau Unique pour les gouverner tous. C'est l'Anneau Unique qu'il a perdu il y a bien des siècles, au grand affaiblissement de son pouvoir. Il le désire immensément — mais il ne faut *pas* qu'il l'ait.

185 Frodon restait assis en silence et sans mouvement. La peur semblait étendre une vaste main, comme un nuage sombre qui se lèverait à l'orient et s'avancerait pour l'engloutir:

— Cet anneau! balbutia-t-il. Comment, comment diantre est-il venu jusqu'à moi?

J.R.R. Tolkien, *Le seigneur des anneaux – Tome I: La communauté de l'anneau*, traduit de l'anglais par Francis Ledoux, Paris, Christian Bourgois Éditeur/ Éditions Gallimard Jeunesse, 1972/2000, p. 91 à 101.

LE SEIGNEUR DES ANNEAUX

Elrond appela les Hobbits autour de lui. Il regarda Frodon avec gravité:

— Le moment est venu, dit-il. Si l'Anneau doit partir, ce doit être bientôt. Mais ceux qui l'accompagneront ne doivent pas compter que leur mission soit assistée par la guerre ou par la force. Ils doivent passer dans le domaine de l'Ennemi, loin de toute
5 aide. Vous en tenez-vous toujours à votre parole, Frodon, selon laquelle vous serez le porteur de l'Anneau?

— Oui, dit Frodon. Je partirai avec Sam.

— Eh bien, je ne puis guère vous aider, fût-ce de mes conseils, dit Elrond. Je prévois très peu votre route, et j'ignore comment vous pourrez accomplir votre tâche. L'Ombre
10 s'est maintenant glissée jusqu'au pied des Montagnes, et elle a presque gagné les bords du Flot Gris; et sous l'Ombre, tout m'est obscur. Vous rencontrerez bien des ennemis, les uns déclarés et d'autres déguisés; et vous pourrez aussi trouver sur votre route des amis alors que vous les cherchez le moins. J'enverrai les messagers que je pourrai imaginer à ceux que je connais dans le vaste monde; mais les terres sont devenues à présent si périlleuses
15 que certains pourront bien s'égarer ou ne pas arriver plus vite que vous-mêmes.

Et je vous choisirai des compagnons pour aller avec vous aussi loin qu'ils le voudront bien ou que la chance le permettra. Il les faut peu nombreux, puisque notre espoir réside dans la rapidité et le secret. Eussé-je une phalange en armes des Anciens Jours que cela servirait seulement à éveiller la puissance du Mordor.

20 La Compagnie de l'Anneau sera de neuf; et les Neuf Marcheurs seront opposés aux Neuf Cavaliers qui sont mauvais. Gandalf ira avec vous et votre fidèle serviteur; car ceci sera sa grande tâche, et peut-être la fin de ses labeurs.

Pour le reste, ils représentent les autres Gens Libres du Monde: Elfes, Nains et Hommes. Legolas représentera les Elfes, et Gimli fils de Gloïn les Nains. Ils sont volon-
25 taires pour aller au moins jusqu'aux cols des Montagnes, et peut-être plus loin. Pour les Hommes, vous aurez Aragorn fils d'Arathorn, car l'Anneau d'Isildur le touche de près.

— Grands-Pas! s'écria Frodon.

— Oui, dit-il avec un sourire. Je vous demande encore une fois la permission d'être votre compagnon, Frodon.

30 — Je vous en aurais demandé la faveur, répondit Frodon, mais je croyais que vous alliez à Minas Tirith avec Boromir.

— C'est exact, dit Aragorn. Et L'Épée qui fut brisée sera reforgée avant que je ne parte en guerre. Mais votre route et la nôtre ne font qu'une pour des centaines de milles. Ainsi Boromir sera aussi de la Compagnie. C'est un vaillant homme.

35 — Il en reste deux à trouver, dit Elrond. Je vais y réfléchir. Je pourrai en trouver dans ma maisonnée qu'il me semblera bon d'envoyer.

— Mais cela ne laissera pas de place pour nous! s'écria Pippin, consterné. Nous ne voulons pas être abandonnés là. Nous voulons aller avec Frodon.

— C'est parce que vous ne comprenez pas et que vous ne pouvez imaginer ce qui les
40 attend.

— Frodon non plus, dit Gandalf, apportant à Pippin un secours inattendu. Ni aucun de nous clairement. Il est vrai que si ces Hobbits comprenaient le danger, ils n'oseraient pas partir. Mais ils le souhaiteraient encore ou souhaiteraient l'oser, et ils auraient honte et ils seraient malheureux. Je crois, Elrond, qu'en cette affaire mieux vaudrait se fier à leur
45 amitié qu'à ma grande sagesse. Même si vous choisissiez pour nous un Seigneur Elfe comme Glorfindel, il ne pourrait enlever la Tour Sombre, ni ouvrir la route au Feu par le pouvoir qui est en lui.

— Vous parlez avec gravité, dit Elrond, mais je reste dans le doute. La Comté, je le pressens, n'est pas dès maintenant exempte de péril; et j'avais pensé y renvoyer ces deux
50 comme messagers afin de faire ce qu'ils pourraient, suivant la façon de leur pays, pour avertir les gens du danger qui les menace. En tout cas, j'estime que le plus jeune, Peregrïn Touque, devrait rester. Mon cœur est contre son départ.

— Dans ce cas, Maître Elrond, il faudra m'enfermer en prison ou me renvoyer chez moi lié dans un sac, dit Pippin. Car autrement je suivrai la Compagnie.

55 — Qu'il en soit ainsi, alors. Vous irez, dit Elrond — et il soupira. À présent, la question des Neuf est réglée. La Compagnie devra se mettre en route dans une semaine.

L'Épée d'Elendil fut forgée à neuf par des forgerons elfiques, qui tracèrent sur la lame le dessin de sept étoiles placées entre le croissant de la Lune et le Soleil radié, et autour

étaient gravées de nombreuses runes; car
60 Aragorn fils d'Arathorn partait en guerre sur les
Marches de Mordor. Elle était très brillante, cette
épée, quand elle fut de nouveau complète; la
lumière du Soleil y scintillait avec un éclat rouge
et celle de la Lune y luisait avec un reflet froid; et
65 le fil en était dur et tranchant. Et Aragorn lui
donna un nouveau nom, l'appelant Anduril,
Flamme de l'Ouest.

Aragorn et Gandalf se promenaient ensemble
ou restaient assis à parler de leur route et des
70 dangers qu'ils y rencontreraient; et ils méditaient
sur les cartes historiées et sur les dessins des
livres de science qui se trouvaient dans la maison
d'Elrond. Frodon était parfois avec eux; mais il
s'en remettait à leur gouverne, et il passait autant
75 de temps qu'il le pouvait avec Bilbon.

Durant ces derniers jours, les Hobbits se tenaient ensemble le soir dans la Salle du Feu,
et là, parmi maintes histoires, ils entendirent raconter tout au long le lai de Beren et
Luthien et de la conquête du Grand Joyau; mais le jour, tandis que Merry et Pippin étaient
au-dehors, on trouvait Frodon et Sam avec Bilbon, dans sa petite chambre. Bilbon leur
80 lisait alors des passages de son livre (qui paraissait encore loin d'être complet) ou des
bribes de ses vers; ou encore il prenait des notes sur les aventures de Frodon.

Le matin du dernier jour, Frodon était seul avec Bilbon, quand le vieux Hobbit tira de
sous son lit un coffre de bois. Il souleva le couvercle et farfouilla à l'intérieur.

— Voici ton épée, dit-il. Mais elle a été brisée, comme tu le sais. Je l'ai prise pour la
85 garder en sécurité, mais j'ai oublié de demander si les forgerons pouvaient la réparer. Il n'y
a plus le temps. Alors, j'ai pensé que tu aimerais peut-être avoir ceci, tu sais bien?

Il sortit du coffre une petite épée, placée dans un vieux fourreau de cuir fatigué. Il la
tira, et la lame polie et bien entretenue étincela soudain, froide et brillante.

— Voici Dard, dit-il, la plongeant profondément et sans aucune peine dans une
90 poutre de bois. Prends-la, si tu veux. Je n'en aurai plus besoin, je pense.

Frodon l'accepta avec reconnaissance.

— Il y a aussi ceci, dit Bilbon.

Et il sortit un paquet qui paraissait assez lourd par rapport à son volume. Il déroula
plusieurs épaisseurs de vieux drap et souleva une petite cotte de mailles. Elle était tissée
95 d'anneaux serrés, presque aussi souple que de la toile, froide comme la glace et plus dure
que l'acier. Elle avait l'éclat de l'argent sous la lune, et elle était parsemée de gemmes
blanches. Elle s'accompagnait d'une ceinture de perles et de cristal.

— C'est une belle chose, n'est-ce pas? dit Bilbon, la faisant jouer dans la lumière. Et
utile. C'est une cotte de mailles de Nains que Thorïn m'avait donnée. Je l'ai reprise à
100 Grand'Cave avant de partir, et je l'ai emballée dans mes bagages. J'ai emporté tous les souvenirs de mon Voyage, sauf l'Anneau. Mais je ne pensais pas me servir de cela, et je n'en
ai plus besoin, sinon pour la regarder de temps à autre. On en sent à peine le poids quand
on la porte.

— J'aurais l'air… enfin. Je crois que j'aurais l'air bizarre là-dedans, dit Frodon.

105 — C'est exactement ce que j'ai dit moi-même, répliqua Bilbon. Mais peu importe l'air. Tu peux la porter sous tes vêtements extérieurs. Allons ! Tu dois partager ce secret avec moi. Ne le dis à personne d'autre ! Mais je me sentirais plus tranquille si tu la portais. J'ai idée qu'elle détournerait même les poignards des Cavaliers Noirs, acheva-t-il à voix presque basse.

110 — Très bien, je la prendrai, dit Frodon.

Bilbon la passa sur lui et accrocha Dard à la ceinture étincelante ; et Frodon enfila par-dessus sa vieille culotte, sa tunique et sa veste fatiguées par les intempéries.

— Tu as tout d'un simple Hobbit, dit Bilbon. Mais il y a plus à présent sur toi qu'il n'en apparaît au-dehors. Je te souhaite bonne chance !

115 Il se détourna pour regarder par la fenêtre en s'efforçant de fredonner un air.

— Je ne puis te remercier assez de cela, Bilbon, comme de toutes tes bontés passées, dit Frodon.

— N'essaie pas ! dit le vieux Hobbit, se retournant et lui donnant une claque dans le dos. Aïe ! s'écria-t-il. Tu es trop dur à frapper, à présent ! Mais voilà : les Hobbits doivent
120 rester toujours unis, surtout des Sacquet. Tout ce que je demande en retour, c'est ceci : prends de toi tout le soin possible et rapporte toutes les nouvelles que tu pourras, et toutes les vieilles chansons et les histoires que tu pourras récolter. Je vais faire de mon mieux pour terminer mon livre avant ton retour. J'aimerais écrire le second volume, s'il m'est donné de vivre.

125 Il se tut et se tourna de nouveau vers la fenêtre, chantant doucement :

À tout ce que j'ai vu,
Aux fleurs des prés et aux papillons,
Assis près du feu, je pense
Des étés passés ;

130 *Aux feuilles jaunes et aux filandres*
Des automnes qui furent
Avec la brume matinale, le soleil argenté
Et le vent dans ma chevelure.

Assis près du feu, je pense
135 *À ce que sera le monde*
Quand viendra l'hiver sans printemps
Que je ne verrai jamais.

Car il y a tant de choses encore
Que je n'ai jamais vues :
140 *Dans chaque bois à chaque printemps,*
Il y a un vert différent.

Assis près du feu, je pense
Aux gens d'il y a longtemps
Et aux gens qui verront un monde
145 *Que je ne connaîtrai jamais.*

Mais tout le temps que je suis à penser
Aux temps qui furent jadis,
Je guette les pas qui reviendront
Et les voix à la porte.

150 C'était un jour froid et gris de la fin de décembre. Le vent d'est ruisselait à travers les branches dénudées et s'agitait dans les pins noirs des collines. Des nuages déchiquetés couraient dans le ciel, sombres et bas. Comme les ombres mornes du crépuscule commençaient à s'étendre, la Compagnie s'apprêta à prendre la route. Elle devait partir à la nuit tombante, Elrond ayant conseillé de voyager aussi souvent que possible sous couvert
155 des ténèbres jusqu'à ce qu'ils fussent assez éloignés de Fondcombe.

— Vous devez craindre les nombreux yeux des serviteurs de Sauron, dit-il. Je ne doute pas que la nouvelle de la déconfiture des Cavaliers ne lui soit déjà parvenue, et il sera rempli de colère. Ses espions à pied ou ailés ne vont pas tarder à être aux aguets dans les terres du Nord. En suivant votre route, vous devrez
160 vous méfier même du ciel au-dessus de vos têtes.

La Compagnie emporta peu d'attirail de guerre, car son espoir résidait dans le secret, non dans le combat. Aragorn avait Anduril, mais aucune autre arme, et il partit vêtu seule-
165 ment de vert et de brun rouilleux, comme un Rôdeur dans les terres sauvages. Boromir avait une longue épée, de même façon qu'Anduril, mais de moindre lignage, et il portait aussi un bouclier et son cor de guerre.

170 — Il sonne haut et clair dans les vallées des collines, dit-il, et qu'alors tous les ennemis du Gondor s'enfuient !

Le portant à ses lèvres, il le fit retentir; l'écho bondit de roche en roche, et tous ceux qui entendirent cette voix dans Fondcombe se dressèrent vivement sur leurs pieds.

175 — Vous devrez réfléchir avant de sonner de nouveau de ce cor, Boromir, dit Elrond, jusqu'au moment où vous serez de nouveau aux frontières de votre terre et à ce qu'une nécessité implacable vous presse.

— Peut-être, dit Boromir. Mais j'ai toujours laissé crier mon cor en me mettant en route, et bien qu'après cela nous puissions marcher dans les ténèbres, je ne peux pas
180 partir comme un voleur dans la nuit.

Gimli le Nain était seul à porter ouvertement une courte chemise d'anneaux d'acier, car les Nains se moquent des fardeaux; et dans sa ceinture était plantée une hache à vaste lame. Legolas avait un arc et un carquois, et à la ceinture un long poignard blanc. Les jeunes Hobbits portaient les épées prises dans le Galgal; mais Frodon n'emportait que
185 Dard; et sa cotte de mailles demeurait cachée, selon le désir de Bilbon. Gandalf avait son bâton; mais, ceinte à son flanc, était l'épée elfique Glamdring, sœur d'Orcrist, maintenant posée sur la poitrine de Thorïn sous le Mont Solitaire.

Elrond les avait tous pourvus d'épais et chauds vêtements, et ils avaient des vestes et des manteaux fourrés. Des provisions, des couvertures et vêtements de rechange et autres

190 nécessités furent chargés sur un poney, qui n'était autre que la pauvre bête qu'ils avaient amenée de Bree.

Le séjour à Fondcombe avait opéré en lui un étonnant changement: il avait le poil luisant et il semblait avoir retrouvé toute la vigueur de la jeunesse. C'était Sam qui avait insisté sur son choix, déclarant que Bill (comme il l'appelait) dépérirait s'il ne les accom-
195 pagnait pas.

— Cette bête peut presque parler, dit-il, et elle n'y manquerait pas si elle restait un peu plus longtemps ici. Elle m'a dit par le regard aussi clairement que M. Pippin aurait pu l'exprimer en paroles: «Si vous ne me laissez pas aller avec vous, je vous suivrai de mon côté.»

Aussi, Bill, qui partait comme porte-charge, était-il le seul membre de la Compagnie
200 à ne montrer aucune dépression.

Les adieux s'étaient faits dans la grande salle devant le feu, et ils n'attendaient plus que Gandalf, qui n'était pas encore sorti de la maison. Une lueur du feu venait des portes ouvertes, et de douces lumières brillaient à maintes fenêtres. Bilbon, enveloppé dans un manteau, se tenait en silence sur le seuil à côté de Frodon. Aragorn était assis, la tête
205 contre les genoux; seul Elrond savait pleinement ce que cette heure représentait pour lui. Les autres se voyaient comme des ombres grises dans l'obscurité.

Sam, debout près du poney, se suçait les dents en jetant des regards moroses dans les ténèbres, où la rivière grondait sur les pierres en contrebas; son désir d'aventures était vraiment à l'étiage.

210 — Bill, mon gars, dit-il, tu ne devrais pas t'être collé à nous. Tu aurais pu rester ici et t'aurais eu le meilleur foin jusqu'à ce que sorte l'herbe fraîche.

Bill battit l'air de sa queue, sans rien dire.

Sam, assurant le paquetage sur ses épaules, repassa avec inquiétude dans son esprit tout ce qu'il y avait emmagasiné, se demandant s'il n'avait rien oublié: son trésor principal, son
215 matériel de cuisine; et la petite boîte de sel qu'il portait toujours et qu'il remplissait quand il en avait l'occasion; une bonne provision d'herbe à pipe (mais bien insuffisante, j'en gagerais); du silex et de la mèche; des bas de laine; du linge; diverses petites choses appartenant à son maître, que Frodon avait oubliées et que Sam avait casées pour les sortir triomphalement quand le besoin s'en ferait sentir. Il passa tout en revue.

220 — De la corde! murmura-t-il. Il n'y a pas de corde. Et hier soir encore, tu t'es dit: «Sam, que dirais-tu d'un peu de corde? Ça te manquera, si tu n'en as pas.» Eh bien, ça me manquera. C'est trop tard pour en prendre maintenant.

À ce moment, Elrond sortit avec Gandalf, et il appela à lui la Compagnie:

— Voici mon dernier mot, dit-il d'une voix grave. Le porteur de l'Anneau part en
225 quête de la Montagne du Destin. C'est sur lui seul que pèse une responsabilité: ne pas rejeter l'Anneau, ni le remettre à aucun serviteur de l'Ennemi, ni en fait le laisser toucher par quiconque d'autre que les membres de la Compagnie et du Conseil, et cela seulement dans le cas de la plus urgente nécessité. Les autres l'accompagnent comme compagnons libres pour
230 l'aider en route. Vous pouvez rester, ou revenir, ou vous écarter dans d'autres chemins, selon l'occasion. Plus loin vous irez, moins il vous sera facile de vous retirer; cependant, aucun serment ni aucune obligation ne vous oblige à aller plus loin
235 que vous ne le voudrez. Car vous ne connaissez pas encore votre force d'âme, et vous ne sauriez prévoir ce que chacun pourra rencontrer sur la route.

— Déloyal est qui dirait adieu quand la route s'assombrit, dit Gimli.

240 — Peut-être, dit Elrond, mais que ne jure pas de marcher dans les ténèbres qui n'a pas vu la tombée de la nuit.

— Pourtant parole donnée peut fortifier cœur tremblant, dit Gimli.

245 — Ou le briser, dit Elrond. Ne regardez pas trop loin en avant! Adieu, et que la bénédiction des Elfes, des Hommes et de tous les Gens Libres vous accompagne. Que les étoiles brillent sur vos visages!

250 — Bo… bonne chance! cria Bilbon, bégayant de froid. Je ne pense pas que tu pourras tenir un journal, Frodon, mon garçon; mais je m'attends à un récit détaillé à ton retour. Et ne reste pas trop longtemps absent. Adieu!

J.R.R Tolkien, *Le seigneur des anneaux –
Tome I: La communauté de l'anneau*, traduit de l'anglais
par Francis Ledoux, Paris, Christian Bourgois Éditeur/
Éditions Gallimard Jeunesse, 1972/2000, p. 468 à 479.

JOHN RONALD REUEL TOLKIEN
(1892-1973)

Pris de la «fièvre des tranchées» au cœur des combats de la Première Guerre mondiale, le jeune soldat John Ronald Reuel Tolkien est rapatrié en Angleterre. Linguiste de formation et passionné par les langues anciennes, Tolkien invente, au cours de sa convalescence, une langue imaginaire: le *quenya*. Quarante ans plus tard, les Elfes parleront *quenya* dans *Le seigneur des anneaux* (1954-1955), l'œuvre maîtresse de Tolkien. Pour celui qui était d'abord et avant tout spécialiste de l'anglo-saxon médiéval et professeur à Oxford, l'invention d'une langue précédait la construction d'un monde fictif, avec ses mythes et ses légendes. Ces histoires merveilleuses que Tolkien a créées, dont *Bilbo le Hobbit* (1937) et *Le silmarillion* (publié à titre posthume en 1977), font désormais partie de l'imaginaire de millions de lecteurs.

LES TROIS MOUSQUETAIRES

LE JEUNE D'ARTAGNAN VIENT DE DÉBARQUER À PARIS
POUR ENTRER DANS LA COMPAGNIE DES MOUSQUETAIRES DU ROI.
EN SORTANT DE L'HÔTEL DE M. DE TRÉVILLE, CAPITAINE DES MOUSQUETAIRES,
D'ARTAGNAN PROVOQUE MALGRÉ LUI TROIS D'ENTRE EUX — ATHOS, PORTHOS,
ET ARAMIS — QU'IL S'ENGAGE À RENCONTRER EN DUEL...

LES MOUSQUETAIRES DU ROI ET LES GARDES DE M. LE CARDINAL

D'Artagnan ne connaissait personne à Paris. Il
5 alla donc au rendez-vous d'Athos sans amener de
second, résolu de se contenter de ceux qu'aurait
choisis son adversaire. D'ailleurs son intention était
formelle de faire au brave mousquetaire toutes les
excuses convenables, mais sans faiblesse, craignant
10 qu'il ne résultât de ce duel ce qui résulte toujours
de fâcheux, dans une affaire de ce genre, quand un
homme jeune et vigoureux se bat contre un adversaire blessé et affaibli: vaincu, il double le triomphe
de son antagoniste; vainqueur, il est accusé de for-
15 faiture et de facile audace.

Au reste, ou nous avons mal exposé le caractère
de notre chercheur d'aventures, ou notre lecteur a
déjà dû remarquer que d'Artagnan n'était point un
homme ordinaire. Aussi, tout en se répétant à lui-

20 même que sa mort était inévitable, il ne se résigna
point à mourir tout doucettement, comme un
autre moins courageux et moins modéré que lui
eût fait à sa place. Il réfléchit aux différents caractères de ceux avec lesquels il allait se battre, et
25 commença à voir plus clair dans sa situation. Il
espérait, grâce aux excuses loyales qu'il lui réser-
vait, se faire un ami d'Athos, dont l'air grand
seigneur et la mine austère lui agréaient fort. Il se
flattait de faire peur à Porthos avec l'aventure du
30 baudrier, qu'il pouvait, s'il n'était pas tué sur le
coup, raconter à tout le monde, récit qui, poussé
adroitement à l'effet, devait couvrir Porthos de
ridicule; enfin, quant au sournois Aramis, il n'en
avait pas très grand-peur, et en supposant qu'il
35 arrivât jusqu'à lui, il se chargeait de l'expédier bel
et bien, ou du moins en le frappant au visage,
comme César avait recommandé de faire aux soldats de Pompée, d'endommager à tout jamais
cette beauté dont il était si fier.

40 Ensuite il y avait chez d'Artagnan ce fonds inébranlable de résolution qu'avaient déposé dans son cœur les conseils de son père, conseils dont la substance était: «Ne rien souffrir de personne que du roi, du cardinal et de M. de Tréville.» Il vola
45 donc plutôt qu'il ne marcha vers le couvent des Carmes Déchaussés, ou plutôt Deschaux, comme on disait à cette époque, sorte de bâtiment sans fenêtres, bordé de prés arides, succursale du Pré-aux-Clercs, et qui servait d'ordinaire aux rencontres
50 des gens qui n'avaient pas de temps à perdre.

Lorsque d'Artagnan arriva en vue du petit terrain vague qui s'étendait au pied de ce monastère, Athos attendait depuis cinq minutes seulement, et midi sonnait. Il était donc ponctuel comme la
55 Samaritaine, et le plus rigoureux casuiste à l'égard des duels n'avait rien à dire.

Athos, qui souffrait toujours cruellement de sa blessure, quoiqu'elle eût été pansée à neuf par le chirurgien de M. de Tréville, s'était assis sur une
60 borne et attendait son adversaire avec cette contenance paisible et cet air digne qui ne l'abandonnaient jamais. À l'aspect de d'Artagnan, il se leva et fit poliment quelques pas au-devant de lui. Celui-ci, de son côté, n'aborda son adversaire que le cha-
65 peau à la main et sa plume traînant jusqu'à terre.

— Monsieur, dit Athos, j'ai fait prévenir deux de mes amis qui me serviront de seconds, mais ces deux amis ne sont point encore arrivés. Je m'étonne qu'ils tardent: ce n'est pas leur habitude.

70 — Je n'ai pas de seconds, moi, Monsieur, dit d'Artagnan, car, arrivé d'hier seulement à Paris, je n'y connais encore personne que M. de Tréville, auquel j'ai été recommandé par mon père qui a l'honneur d'être quelque peu de ses amis.

75 Athos réfléchit un instant.

— Vous ne connaissez que M. de Tréville? demanda-t-il.

— Oui, Monsieur, je ne connais que lui.

— Ah çà, mais…, continua Athos parlant
80 moitié à lui-même, moitié à d'Artagnan, ah çà, mais si je vous tue, j'aurai l'air d'un mangeur d'enfants, moi!

— Pas trop, Monsieur, répondit d'Artagnan avec un salut qui ne manquait pas de dignité; pas
85 trop, puisque vous me faites l'honneur de tirer l'épée contre moi avec une blessure dont vous devez être fort incommodé.

— Très incommodé, sur ma parole, et vous m'avez fait un mal du diable, je dois le dire; mais je
90 prendrai la main gauche, c'est mon habitude en pareille circonstance. Ne croyez donc pas que je vous fasse une grâce, je tire proprement des deux mains; et il y aura même désavantage pour vous: un gaucher est très gênant pour les gens qui ne
95 sont pas prévenus. Je regrette de ne pas vous avoir fait part plus tôt de cette circonstance.

— Vous êtes vraiment, Monsieur, dit d'Artagnan en s'inclinant de nouveau, d'une courtoisie dont je vous suis on ne peut plus reconnaissant.

100 — Vous me rendez confus, répondit Athos avec son air de gentilhomme; causons donc d'autre chose, je vous prie, à moins que cela ne vous soit désagréable. Ah! sangbleu! que vous m'avez fait mal! L'épaule me brûle.

105 — Si vous vouliez permettre…, dit d'Artagnan avec timidité.

— Quoi, Monsieur?

— J'ai un baume miraculeux pour les blessures, un baume qui me vient de ma mère, et dont j'ai fait
110 l'épreuve sur moi-même.

— Eh bien ?

— Eh bien ! je suis sûr qu'en moins de trois jours ce baume vous guérirait, et au bout de trois jours, quand vous seriez guéri, eh bien ! Monsieur,
115 ce me serait toujours un grand honneur d'être votre homme.

D'Artagnan dit ces mots avec une simplicité qui faisait honneur à sa courtoisie, sans porter aucunement atteinte à son courage.

120 — Pardieu, Monsieur, dit Athos, voici une proposition qui me plaît, non pas que je l'accepte, mais elle sent son gentilhomme d'une lieue. C'est ainsi que parlaient et faisaient ces preux du temps de Charlemagne, sur lesquels tout cavalier doit
125 chercher à se modeler. Malheureusement, nous ne sommes plus au temps du grand empereur. Nous sommes au temps de M. le cardinal, et d'ici à trois jours on saurait, si bien gardé que soit le secret, on saurait, dis-je, que nous devons nous battre, et l'on
130 s'opposerait à notre combat. Ah çà, mais ! ces flâneurs ne viendront donc pas ?

— Si vous êtes pressé, Monsieur, dit d'Artagnan à Athos avec la même simplicité qu'un instant auparavant il lui avait proposé de remettre le duel
135 à trois jours, si vous êtes pressé et qu'il vous plaise de m'expédier tout de suite, ne vous gênez pas, je vous en prie.

— Voilà encore un mot qui me plaît, dit Athos en faisant un gracieux signe de tête à d'Artagnan,
140 il n'est point d'un homme sans cervelle, et il est à coup sûr d'un homme de cœur. Monsieur, j'aime les hommes de votre trempe, et je vois que si nous ne nous tuons pas l'un l'autre, j'aurai plus tard un vrai plaisir dans votre conversation. Attendons ces
145 messieurs, je vous prie, j'ai tout le temps, et cela sera plus correct. Ah ! en voici un, je crois.

En effet, au bout de la rue de Vaugirard commençait à apparaître le gigantesque Porthos.

— Quoi ! s'écria d'Artagnan, votre premier
150 témoin est M. Porthos ?

— Oui, cela vous contrarie-t-il ?

— Non, aucunement.

— Et voici le second.

D'Artagnan se retourna du côté indiqué par
155 Athos, et reconnut Aramis.

— Quoi ! s'écria-t-il d'un accent plus étonné que la première fois, votre second témoin est M. Aramis ?

— Sans doute, ne savez-vous pas qu'on ne
160 nous voit jamais l'un sans l'autre, et qu'on nous appelle, dans les mousquetaires et dans les gardes, à la cour et à la ville, Athos, Porthos et Aramis ou les trois inséparables ? Après cela, comme vous arrivez de Dax ou de Pau…

165 — De Tarbes, dit d'Artagnan.

— … il vous est permis d'ignorer ce détail, dit Athos.

— Ma foi, dit d'Artagnan, vous êtes bien nommés, Messieurs, et mon aventure, si elle fait quelque
170 bruit, prouvera du moins que votre union n'est point fondée sur les contrastes.

Pendant ce temps, Porthos s'était rapproché, avait salué de la main Athos ; puis, se retournant vers d'Artagnan, il était resté tout étonné.

175 Disons, en passant, qu'il avait changé de baudrier et quitté son manteau.

— Ah ! ah ! fit-il, qu'est-ce que cela ?

— C'est avec Monsieur que je me bats, dit Athos en montrant de la main d'Artagnan, et en le saluant du même geste.

— C'est avec lui que je me bats aussi, dit Porthos.

— Mais à une heure seulement, répondit d'Artagnan.

— Et moi aussi, c'est avec Monsieur que je me bats, dit Aramis en arrivant à son tour sur le terrain.

— Mais à deux heures seulement, fit d'Artagnan avec le même calme.

— Mais à propos de quoi te bats-tu, toi, Athos? demanda Aramis.

— Ma foi, je ne sais pas trop, il m'a fait mal à l'épaule; et toi, Porthos?

— Ma foi, je me bats parce que je me bats, répondit Porthos en rougissant.

Athos, qui ne perdait rien, vit passer un fin sourire sur les lèvres du Gascon.

— Nous avons eu une discussion sur la toilette, dit le jeune homme.

— Et toi, Aramis? demanda Athos.

— Moi, je me bats pour cause de théologie, répondit Aramis tout en faisant signe à d'Artagnan qu'il le priait de tenir secrète la cause de son duel.

Athos vit passer un second sourire sur les lèvres de d'Artagnan.

— Vraiment, dit Athos.

— Oui, un point de saint Augustin sur lequel nous ne sommes pas d'accord, dit le Gascon.

— Décidément c'est un homme d'esprit, murmura Athos.

— Et maintenant que vous êtes rassemblés, Messieurs, dit d'Artagnan, permettez-moi de vous faire mes excuses.

À ce mot d'*excuses*, un nuage passa sur le front d'Athos, un sourire hautain glissa sur les lèvres de Porthos, et un signe négatif fut la réponse d'Aramis.

— Vous ne me comprenez pas, Messieurs, dit d'Artagnan en relevant sa tête, sur laquelle jouait en ce moment un rayon de soleil qui en dorait les lignes fines et hardies: je vous demande excuse dans le cas où je ne pourrais vous payer ma dette à tous trois, car M. Athos a le droit de me tuer le premier, ce qui ôte beaucoup de sa valeur à votre créance, Monsieur Porthos, et ce qui rend la vôtre à peu près nulle, Monsieur Aramis. Et maintenant, Messieurs, je vous le répète, excusez-moi, mais de cela seulement, et en garde!

À ces mots, du geste le plus cavalier qui se puisse voir, d'Artagnan tira son épée.

Le sang était monté à la tête de d'Artagnan, et dans ce moment il eût tiré son épée contre tous les mousquetaires du royaume, comme il venait de faire contre Athos, Porthos et Aramis.

Il était midi et un quart. Le soleil était à son zénith, et l'emplacement choisi pour être le théâtre du duel se trouvait exposé à toute son ardeur.

— Il fait très chaud, dit Athos en tirant son épée à son tour, et cependant je ne saurais ôter mon pourpoint; car, tout à l'heure encore, j'ai senti que ma blessure saignait, et je craindrais de gêner Monsieur en lui montrant du sang qu'il ne m'aurait pas tiré lui-même.

— C'est vrai, Monsieur, dit d'Artagnan, et tiré par un autre ou par moi, je vous assure que je

verrai toujours avec bien du regret le sang d'un
245 aussi brave gentilhomme ; je me battrai donc en
pourpoint comme vous.

— Voyons, voyons, dit Porthos, assez de compliments comme cela, et songez que nous attendons
notre tour.

250 — Parlez pour vous seul, Porthos, quand vous
aurez à dire de pareilles incongruités, interrompit
Aramis. Quant à moi, je trouve les choses que ces
Messieurs se disent fort bien dites et tout à fait
dignes de deux gentilshommes.

255 — Quand vous voudrez, Monsieur, dit Athos
en se mettant en garde.

— J'attendais vos ordres, dit d'Artagnan en
croisant le fer.

Mais les deux rapières avaient à peine résonné
260 en se touchant qu'une escouade des gardes de Son
Éminence, commandée par M. de Jussac, se mon-
tra à l'angle du couvent.

— Les gardes du cardinal ! s'écrièrent à la fois
Porthos et Aramis. L'épée au fourreau, Messieurs !
265 l'épée au fourreau !

Mais il était trop tard. Les deux combattants
avaient été vus dans une pose qui ne permettait
pas de douter de leurs intentions.

— Holà ! cria Jussac en s'avançant vers eux et
270 en faisant signe à ses hommes d'en faire autant,
holà ! mousquetaires, on se bat donc ici ? Et les
édits, qu'en faisons-nous ?

— Vous êtes bien généreux, Messieurs les
gardes, dit Athos plein de rancune, car Jussac était
275 l'un des agresseurs de l'avant-veille. Si nous vous
voyions battre, je vous réponds, moi, que nous
nous garderions bien de vous en empêcher.

Laissez-nous donc faire, et vous allez avoir du plaisir
sans prendre aucune peine.

280 — Messieurs, dit Jussac, c'est avec grand regret
que je vous déclare que la chose est impossible.
Notre devoir avant tout. Rengainez donc, s'il vous
plaît, et nous suivez.

— Monsieur, dit Aramis parodiant Jussac, ce
285 serait avec un grand plaisir que nous obéirions à
votre gracieuse invitation, si cela dépendait de nous ;
mais malheureusement la chose est impossible :
M. de Tréville nous l'a défendu. Passez donc votre
chemin, c'est ce que vous avez de mieux à faire.

290 Cette raillerie exaspéra Jussac.

— Nous vous chargerons donc, dit-il, si vous
désobéissez.

— Ils sont cinq, dit Athos à demi-voix, et nous
ne sommes que trois ; nous serons encore battus, et
295 il nous faudra mourir ici, car, je le déclare, je ne
reparais pas vaincu devant le capitaine.

Alors Porthos et Aramis se rapprochèrent à l'instant les uns des autres, pendant que Jussac alignait
ses soldats.

300 Ce seul moment suffit à d'Artagnan pour
prendre son parti : c'était là un de ces événements
qui décident de la vie d'un homme, c'était un
choix à faire entre le roi et le cardinal ; ce choix fait,
il fallait y persévérer. Se battre, c'est-à-dire désobéir
305 à la loi, c'est-à-dire risquer sa tête, c'est-à-dire se
faire d'un seul coup l'ennemi d'un ministre plus
puissant que le roi lui-même : voilà ce qu'entrevit le
jeune homme, et, disons-le à sa louange, il n'hésita
point une seconde. Se tournant donc vers Athos et
310 ses amis :

— Messieurs, dit-il, je reprendrai, s'il vous plaît,
quelque chose à vos paroles. Vous avez dit que

vous n'étiez que trois, mais il me semble, à moi, que nous sommes quatre.

315 — Mais vous n'êtes pas des nôtres, dit Porthos.

— C'est vrai, répondit d'Artagnan; je n'ai pas l'habit, mais j'ai l'âme. Mon cœur est mousquetaire, je le sens bien, Monsieur, et cela m'entraîne.

320 — Écartez-vous, jeune homme, cria Jussac, qui sans doute à ses gestes et à l'expression de son visage avait deviné le dessein de d'Artagnan. Vous pouvez vous retirer, nous y consentons. Sauvez votre peau; allez vite.

325 D'Artagnan ne bougea point.

— Décidément vous êtes un joli garçon, dit Athos en serrant la main du jeune homme.

— Allons! allons! prenons un parti, reprit Jussac.

330 — Voyons, dirent Porthos et Aramis, faisons quelque chose.

— Monsieur est plein de générosité, dit Athos.

Mais tous trois pensaient à la jeunesse de d'Artagnan et redoutaient son inexpérience.

335 — Nous ne serons que trois, dont un blessé, plus un enfant, reprit Athos, et l'on n'en dira pas moins que nous étions quatre hommes.

— Oui, mais reculer! dit Porthos.

— C'est difficile, reprit Athos.

340 D'Artagnan comprit leur irrésolution.

— Messieurs, essayez-moi toujours, dit-il, et je vous jure sur l'honneur que je ne veux pas m'en aller d'ici si nous sommes vaincus.

345 — Comment vous appelle-t-on, mon brave? dit Athos.

— D'Artagnan, Monsieur.

— Eh bien! Athos, Porthos, Aramis et d'Artagnan, en avant! cria Athos.

350 — Eh bien! voyons, Messieurs, vous décidez-vous à vous décider? cria pour la troisième fois Jussac.

— C'est fait, Messieurs, dit Athos.

— Et quel parti prenez-vous? demanda Jussac.

— Nous allons avoir l'honneur de vous charger, 355 répondit Aramis en levant son chapeau d'une main et tirant son épée de l'autre.

— Ah! vous résistez! s'écria Jussac.

— Sangdieu! cela vous étonne?

Et les neuf combattants se précipitèrent les uns 360 sur les autres avec une furie qui n'excluait pas une certaine méthode.

Athos prit un certain Cahusac, favori du cardinal; Porthos eut Biscarat et Aramis se vit en face de deux adversaires.

365 Quant à d'Artagnan, il se trouva lancé contre Jussac lui-même.

Le cœur du jeune Gascon battait à lui briser la poitrine, non pas de peur, Dieu merci! il n'en avait pas l'ombre, mais d'émulation; il se battait comme 370 un tigre en fureur, tournant dix fois autour de son adversaire, changeant vingt fois ses gardes et son terrain. Jussac était, comme on le disait alors, friand de la lame, et avait fort pratiqué; cependant il avait toutes les peines du monde à se défendre contre 375 un adversaire qui, agile et bondissant, s'écartait à

tout moment des règles reçues, attaquant de tous côtés à la fois, et tout cela en parant en homme qui a le plus grand respect pour son épiderme.

380 Enfin cette lutte finit par faire perdre patience à Jussac. Furieux d'être tenu en échec par celui qu'il avait regardé comme un enfant, il s'échauffa et commença à faire des fautes. D'Artagnan, qui, à défaut de la pratique, avait une profonde théorie, redoubla d'agilité. Jussac, voulant en finir, porta un 385 coup terrible à son adversaire en se fendant à fond ; mais celui-ci para prime, et tandis que Jussac se relevait, se glissant comme un serpent sous son fer, il lui passa son épée au travers du corps. Jussac tomba comme une masse.

390 D'Artagnan jeta alors un coup d'œil inquiet et rapide sur le champ de bataille.

Aramis avait déjà tué un de ses adversaires ; mais l'autre le pressait vivement. Cependant Aramis était en bonne situation et pouvait encore se 395 défendre.

Biscarat et Porthos venaient de faire coup fourré ; Porthos avait reçu un coup d'épée au travers du bras, et Biscarat au travers de la cuisse. Mais comme ni l'une ni l'autre des deux blessures 400 n'était grave, ils ne s'en escrimaient qu'avec plus d'acharnement.

Athos, blessé de nouveau par Cahusac, pâlissait à vue d'œil, mais il ne reculait pas d'une semelle : il avait seulement changé son épée de main, et se 405 battait de la main gauche.

D'Artagnan, selon les lois du duel de cette époque, pouvait secourir quelqu'un ; pendant qu'il cherchait du regard celui de ses compagnons qui avait besoin de son aide, il surprit un coup d'œil 410 d'Athos. Ce coup d'œil était d'une éloquence sublime. Athos serait mort plutôt que d'appeler au secours ; mais il pouvait regarder, et du regard demander un appui. D'Artagnan le devina, fit un bond terrible, et tomba sur le flanc de Cahusac en 415 criant :

— À moi, Monsieur le garde, je vous tue !

Cahusac se retourna ; il était temps. Athos, que son extrême courage soutenait seul, tomba sur un genou.

420 — Sangdieu ! criait-il à d'Artagnan, ne le tuez pas, jeune homme, je vous en prie ; j'ai une vieille affaire à terminer avec lui, quand je serai guéri et bien portant. Désarmez-le seulement, liez-lui l'épée. C'est cela. Bien ! très bien !

425 Cette exclamation était arrachée à Athos par l'épée de Cahusac qui sautait à vingt pas de lui. D'Artagnan et Cahusac s'élancèrent ensemble, l'un pour la ressaisir, l'autre pour s'en emparer ; mais d'Artagnan, plus leste, arriva le premier et mit le 430 pied dessus.

Cahusac courut à celui des gardes qu'avait tué Aramis, s'empara de sa rapière, et voulut revenir à d'Artagnan ; mais sur son chemin il rencontra Athos, qui, pendant cette pause d'un instant que 435 lui avait procurée d'Artagnan, avait repris haleine, et qui, de crainte que d'Artagnan ne lui tuât son ennemi, voulait recommencer le combat.

D'Artagnan comprit que ce serait désobliger Athos que de ne pas le laisser faire. En effet, quelques 440 secondes après, Cahusac tomba la gorge traversée d'un coup d'épée.

Au même instant, Aramis appuyait son épée contre la poitrine de son adversaire renversé, et le forçait à demander merci.

445 Restaient Porthos et Biscarat, Porthos faisait mille fanfaronnades, demandant à Biscarat quelle heure il pouvait bien être, et lui faisait ses compliments sur la compagnie que venait d'obtenir son frère dans le régiment de Navarre; mais, tout en
450 raillant, il ne gagnait rien. Biscarat était un de ces hommes de fer qui ne tombent que morts.

Cependant il fallait en finir. Le guet pouvait arriver et prendre tous les combattants blessés ou non, royalistes ou cardinalistes. Athos, Aramis et
455 d'Artagnan entourèrent Biscarat et le sommèrent de se rendre. Quoique seul contre tous, et avec un coup d'épée qui lui traversait la cuisse, Biscarat voulait tenir; mais Jussac, qui s'était relevé sur son coude, lui cria de se rendre. Biscarat était un
460 Gascon comme d'Artagnan; il fit la sourde oreille et se contenta de rire, et entre deux parades, trouvant le temps de désigner, du bout de son épée, une place à terre:

— Ici, dit-il, parodiant un verset de la Bible, ici
465 mourra Biscarat, seul de ceux qui sont avec lui.

— Mais ils sont quatre contre toi; finis-en, je te l'ordonne.

— Ah! si tu l'ordonnes, c'est autre chose, dit Biscarat; comme tu es mon brigadier, je dois obéir.

470 Et, en faisant un bond en arrière, il cassa son épée sur son genou pour ne pas la rendre, en jeta les morceaux par-dessus le mur du couvent et se croisa les bras en sifflant un air cardinaliste.

La bravoure est toujours respectée, même dans
475 un ennemi. Les mousquetaires saluèrent Biscarat de leurs épées et les remirent au fourreau. D'Artagnan en fit autant, puis, aidé de Biscarat, le seul qui fût resté debout, il porta sous le porche du couvent Jussac, Cahusac et celui des adversaires d'Aramis
480 qui n'était que blessé. Le quatrième, comme nous l'avons dit, était mort. Puis ils sonnèrent la cloche, et, emportant quatre épées sur cinq, ils s'acheminèrent ivres de joie vers l'hôtel de M. de Tréville.

On les voyait entrelacés, tenant toute la largeur
485 de la rue, et accostant chaque mousquetaire qu'ils rencontraient, si bien qu'à la fin ce fut une marche triomphale. Le cœur de d'Artagnan nageait dans l'ivresse, il marchait entre Athos et Porthos en les étreignant tendrement.

490 — Si je ne suis pas encore mousquetaire, dit-il à ses nouveaux amis en franchissant la porte de l'hôtel de M. de Tréville, au moins me voilà reçu apprenti, n'est-ce pas?

Alexandre Dumas, *Les trois mousquetaires* (extrait), 1844.

ALEXANDRE DUMAS (PÈRE)
(1802-1870)

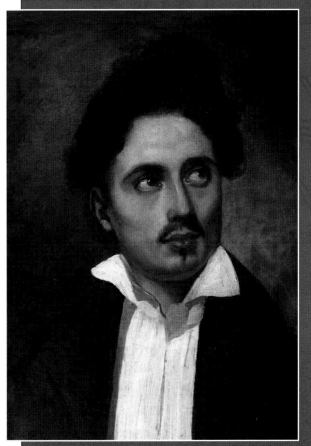

Eugène Delacroix, *Alexandre Dumas*, vers 1825.

«Alertes comme des singes, forts comme des bœufs, gais comme des pinsons». C'est par cette truculente formule que Gustave Flaubert décrivait les personnages créés par Alexandre Dumas. Fils d'un général de la Révolution française qu'il ne connut que par les récits héroïques qu'en faisait sa mère, Dumas fait ses premières armes au théâtre. Avec Victor Hugo, il est au premier rang de la bataille littéraire qui oppose, en 1830, les romantiques aux classiques. C'est cependant comme romancier qu'il connaîtra ses plus grands succès, avec notamment *Les trois mousquetaires* (1844), *Le comte de Monte-Cristo* (1845) et *La reine Margot* (1845). La trilogie des *Trois mousquetaires* — *Vingt ans après* et *Le vicomte de Bragelonne* complètent cette saga —, avec son suspense, ses combats et ses rebondissements, est devenue l'archétype même du roman de cape et d'épée. Le fils d'Alexandre Dumas a porté le même nom que son père et comme lui fut un auteur à succès (*La dame aux camélias*, 1846).

Le téléphone sonnait tandis que je montais les escaliers en courant, une pile de dossiers sous un bras et deux sacs contenant le repas de ce soir à la main. Je trébuchai sur Anatoly, lâchai un juron, laissai tomber les sacs et attrapai le combiné juste au moment où le répondeur se mettait en marche.

— Une seconde, dis-je d'une voix essoufflée par-dessus le message courtois que j'avais enregistré, ça va s'arrêter dans un instant.

— Sam, c'est Miriam. J'appelais juste pour vérifier le programme de ce soir. Tu viens toujours?

— Bien sûr. Le film commence à huit heures et demie et j'ai dit aux autres qu'on se retrouvait devant le cinéma à huit heures vingt. J'ai acheté des plats préparés qu'on pourra manger ici après la séance. Je suis contente de te revoir.»

Je rangeai les barquettes dans le frigo. Elsie et Sophie seraient sans doute de retour du parc d'ici une heure ou deux. Elles seraient surprises de me voir rentrée avant elles. Je me dirigeai jusqu'à ma chambre (même si à mes yeux le terme «placard» aurait décrit avec plus de précision un espace dans lequel il me fallait me coller contre une petite commode pour parvenir jusqu'à mon lit une place.) J'attrapai le tas de linge sale dans le coin et le fourrai dans la machine à laver.

Une pile de factures trônait sur la table de la cuisine, des assiettes s'amoncelaient en équilibre précaire dans le petit évier, des livres et des CD formaient des tours instables le long de toutes les plinthes. La poubelle débordait. La porte de la chambre d'Elsie s'ouvrait sur le spectacle d'un foutoir invraisemblable. Les plantes que de nombreux amis m'avaient offertes au moment de mon emménagement se desséchaient dans leurs pots. Je les aspergeai d'eau à l'aveuglette, tout en fredonnant une des petites comptines absurdes d'Elsie et en établissant mentalement une liste. Appeler l'agence de voyages. Appeler la banque. Ne pas oublier de parler à la maîtresse d'Elsie demain. Appeler l'agent immobilier demain matin. Trouver un cadeau pour les quarante ans d'Olivia. Lire le rapport sur le désastre ferroviaire d'Harrogate. Écrire cet article que j'avais promis au *Lancet*. Faire venir quelqu'un pour installer une chatière pour Anatoly.

La clé tourna dans la serrure et Sophie entra d'un pas incertain, les bras chargés du sac de pique-nique d'Elsie et d'une corde à sauter.

— Salut, dis-je tout en continuant de fouiller le tas de lettres éparpillées sur la table à la recherche de la note envoyée par la compagnie de ferry. Tu rentres tôt. Mais où est Elsie?

— Il est arrivé un truc dingue! Elle posa ses affaires sur la table et s'assit, ronde et luisante dans son caleçon en imitation peau de léopard et son tee-shirt étriqué et brillant. On est tombé sur votre sœur au moment d'entrer dans Clissold Park. Elsie a eu l'air vraiment ravie de la voir, elle s'est précipitée dans ses bras. Elle a dit qu'elle la ramènerait dans un petit moment. Quand je suis partie elles entraient dans le parc main dans la main. Bobbie — c'est bien comme ça qu'elle s'appelle? — allait lui acheter une glace.

— Je ne savais pas qu'elle venait dans le coin, m'exclamai-je, surprise. A-t-elle dit ce qu'elle faisait là?

— Ouais. Elle a dit que son mari l'avait déposée en allant à une réunion et qu'elle était allée choisir des rideaux dans ce magasin de tissus vraiment classe sur Church Street. De toute façon, elle vous racontera tout ça plus tard. Vous voulez que je vous fasse une tasse de thé?

— Faire tout le trajet jusqu'à Londres pour acheter des rideaux. C'est bien ma sœur. Du coup, maintenant que nous avons du temps et pas d'enfant, nous pourrions commencer à trier les livres et les CD. Je veux que tout soit mis par ordre
80 alphabétique.

Nous en étions à G et j'étais couverte de poussière et de sueur quand le téléphone se mit à sonner. C'était ma sœur.

— Bobbie, quelle bonne surprise. Où es-tu ?
85 Quand est-ce que tu arrives ?

— Pardon ? Bobbie eut l'air tout à fait interdite.

— Tu veux que je vienne te rejoindre au parc ?

90 — Quel parc ? Qu'est-ce que tu racontes, Sam ? J'appelais juste pour savoir si tu avais eu des nouvelles de maman. Elle…

—Attends un peu. Ma bouche était devenue étrangement sèche. D'où est-ce que tu m'ap-
95 pelles, Bobbie ?

— Mais enfin, de la maison, d'où veux-tu que ce soit ?

— Tu n'es pas avec Elsie ?

— Bien sûr que non que je ne suis pas avec
100 Elsie. Je n'ai pas la moindre idée de…

Mais je ne l'écoutais plus. J'avais déjà raccroché sans attendre la fin de ses protestations étonnées et crié à Sophie d'appeler immédiatement la police pour leur dire qu'Elsie avait été kidnappée.
105 Je dégringolai l'étroit escalier, quatre à quatre. Mon cœur se déchaînait dans ma poitrine, pitié qu'il ne lui soit rien arrivé, pitié qu'il ne lui soit rien arrivé. Je me précipitai dehors et me mis à courir, les pieds douloureux sur le trottoir brû-
110 lant. En haut de la rue, je bousculai des vieilles dames, des femmes promenant des poussettes et des jeunes garçons accompagnés de gros chiens. Je fendis à contre-courant la colonne molle des citadins qui rentraient du travail. Je traversai la
115 rue sous un tonnerre de klaxons et le regard courroucé de conducteurs qui abaissaient leur vitre pour jurer.

Passé les grilles de Clissold Park, je laissai derrière moi le petit pont et les canards gavés puis les
120 cerfs qui grattaient les hauts grillages de leur museau de velours pour rejoindre l'avenue plantée de marronniers. Sans ralentir je regardai de part et d'autre, mes yeux sautant d'une petite forme à la suivante. Il y avait tant d'enfants et pas
125 un seul qui soit ma fille. Je me précipitai dans le jardin d'enfants. Des garçons et des filles vêtus d'anoraks aux couleurs vives se balançaient, glissaient sur le toboggan, sautaient, grimpaient. Je m'arrêtai entre la balançoire et le bac à sable, là
130 où le mois dernier le gardien avait trouvé des seringues usagées disséminées, et lançai des regards éperdus autour de moi.

« Elsie ! hurlai-je. Elsie ! »

Elle n'était pas là, même s'il me semblait la
135 voir dans chaque enfant et l'entendre dans chaque cri. J'allai vérifier la pataugeoire, bleu turquoise et déserte, puis je me remis à courir jusqu'au café, puis aux larges étangs au fond du parc où nous allions toujours jeter du pain aux canards et aux
140 querelleuses oies du Canada. Je me penchai par-dessus la rambarde pour voir l'endroit où les croûtons et les détritus s'amoncelaient, comme si je craignais d'apercevoir son petit corps sous l'eau huileuse. Puis je rebroussai chemin et me
145 précipitai vers l'autre extrémité du parc. « Elsie ! appelai-je à intervalles réguliers. Elsie, ma chérie,

où es-tu ? » Mais c'était sans espoir de réponse, et je n'en reçus aucune. Je commençai à arrêter des gens, une femme accompagnée d'un enfant à peu
150 près du même âge, un groupe d'adolescents qui faisaient du skateboard, un vieux couple qui se tenait par la main.

« Vous n'avez pas vu une petite fille ? Elle porte un manteau bleu foncé, elle a les cheveux
155 blonds. Avec une femme ? »

Un homme crut se rappeler l'avoir aperçue. Il fit un signe vague en direction d'une plate-bande de rosiers ronde qui se trouvait derrière nous. Un petit garçon dont j'avais accosté la mère déclara
160 qu'il avait vu une petite fille en bleu assise sur le banc, celui-là, en désignant un banc vide.

Elle n'était nulle part. Je fermai les yeux et fis défiler des cauchemars dans ma tête: Elsie emmenée de force, hurlant, Elsie poussée dans
165 une voiture qui s'éloigne, Elsie martyrisée, Elsie qui m'appelait sans cesse. Cela ne servait à rien. Je me remis à courir jusqu'aux grilles du parc d'une foulée trébuchante, meurtrie par un point de côté, l'estomac rongé par la peur. De temps en
170 temps je l'appelai, et les groupes de badauds s'écartaient pour me laisser passer. Une folle.

Je fonçai jusqu'au cimetière proche du parc, parce que si quelqu'un voulait entraîner une victime à l'écart pour lui faire du mal, ce serait l'en-

175 droit qu'il choisirait. Des ronces m'agrippaient les vêtements. Je butai sur de vieilles tombes. J'aper-çus des couples, des groupes d'adolescents, mais pas d'enfants. J'appelai, je criai, consciente de la futilité de la chose vu l'immensité du lieu, plein
180 de recoins cachés. Même si Elsie était quelque part dans le cimetière il me serait impossible de la trouver.

Alors je retournai à la maison, l'estomac liqué-fié à l'idée que peut-être elle m'y attendait. Mais
185 elle n'y était pas. Sophie m'ouvrit la porte, le visage défait par la peur et la confusion. Deux agents de police étaient aussi présents. L'un deux, une femme, était au téléphone. J'expliquai d'une voix haletante ce qui s'était passé — que ce n'était pas
190 ma sœur qui était venue au parc — mais ils avaient déjà entendu le récit fragmentaire de Sophie.

— C'est ma faute, dit-elle, et je perçus une touche d'hystérie dans sa voix d'habitude neutre, tout ça c'est ma faute.

195 — Non, répondis-je d'une voix lasse. Com-ment pouvais-tu savoir ?

— Elsie avait l'air si contente de partir avec elle. Je ne comprends pas. Elle ne va pas facile-ment vers des inconnus.

200 — Ce n'était pas une inconnue.

Non, je n'avais pas de photo d'Elsie. Du moins pas ici. Et comme je m'embarquai dans une description détaillée de ma fille, la sonnette retentit. Je dégringolai à nouveau les escaliers et
205 ouvris la porte. Là, mon regard glissa du visage souriant d'un autre agent en uniforme jusqu'à une petite fille dans un manteau bleu marine qui léchait la fin d'un esquimau orange. Je tombai à genoux sur le trottoir et pendant un instant je
210 crus qu'il me serait impossible de retenir mon estomac, que j'allais salir les chaussures rutilantes de l'agent. J'entourai Elsie de mes bras et enfouis ma tête au creux de son ventre rebondi.

«Attention à ma glace», dit-elle. Enfin une
215 note d'inquiétude.

Je me remis debout et la soulevai dans mes bras. L'agent me sourit.

«Une jeune femme l'a trouvée en train de se promener dans le parc et me l'a amenée, dit-il.

220 Et cette petite demoiselle futée se rappelait son adresse.» Il chatouilla Elsie sous le menton. «Soyez plus attentive la prochaine fois.» Il leva les yeux en voyant les deux autres agents descendre les escaliers pour nous rejoindre. «La petite était
225 partie se promener dans le parc.» Ils échangèrent un signe de tête. La femme passa devant moi et dit quelques mots dans son poste radio, pour annuler quelque chose. L'autre gratifia son col-lègue d'un coup d'œil en l'air. Encore une mère
230 cinglée.

— Enfin, pas exactement… commençai-je, mais j'abandonnai. À quoi ressemblait-elle, la femme qui l'a «trouvée» ?

L'agent haussa les épaules.

235 — Elle était jeune. Je lui ai dit que vous vou-driez sans doute la remercier en personne mais elle a répondu que ce n'était rien.

Après m'être répandue en fausses excuses, je parvins à fermer la porte et à me retrouver seule
240 avec ma fille.

— Elsie. Avec qui tu étais ?

Elle leva les yeux dans ma direction, la bouche barbouillée d'orange.

— Tu as menti, répondit-elle. Elle est revenue
245 en vie. Je le savais.

* * *

Ma sortie au cinéma, tout le projet fut annulé. Nous passâmes la soirée ensemble, juste Elsie et moi à la maison une fois de plus, et je lui servis
250 exactement ce qu'elle demandait. Du gâteau de riz en boîte arrosé d'un filet de caramel en forme de poulain.

«Mais si, c'est un cheval, insistai-je. Regarde, voilà la queue et là les oreilles en pointe.»

255 Je faisais un effort extraordinaire pour paraître normale.

— Et comment allait Finn ?

— Très bien, répondit Elsie avec insouciance, occupée qu'elle était à étaler le caramel sur le
260 gâteau de riz avec sa cuiller.

— C'est très joli, Elsie. Tu ne vas pas en manger ? C'est bien. Qu'est-ce que tu as fait avec Finn ?

— On a vu des poules.

265 Je l'emmenai prendre son bain et m'employai à faire des bulles entre mes doigts.

— Ça, c'est une bulle géante, maman.

— Tu veux que j'essaie d'en faire une encore plus grande ? De quoi vous avez parlé avec Finn ?

270 — On a parlé parlé parlé.

— Voilà deux bébés bulles. Mais de quoi vous avez parlé ?

— On a parlé de notre maison.

— C'est bien.

275 — Je peux dormir dans ton lit, maman ?

Je la portai jusqu'à mon lit, contente de sentir sa chaleur mouillée contre ma chemise. Elle me dit de me déshabiller, ce que je fis, et nous nous allongeâmes ensemble sous les couvertures. Je
280 mis la main sur une brosse posée sur ma table de chevet et nous nous coiffâmes l'une l'autre. Nous chantâmes quelques chansons, je lui appris la pierre et le ciseau, ce jeu où il s'agissait de transformer mon gros poing et sa petite pogne en une
285 pierre, une feuille de papier ou des ciseaux. La pierre écrase les ciseaux, les ciseaux coupent le papier et le papier emballe la pierre. À chaque fois que nous recommencions, elle attendait que je montre ce que j'allais faire avant de prendre sa
290 décision, comme ça elle gagnait, je l'accusais de tricher et nous éclations de rire. Ce fut un moment de bonheur intense ; je dus me retenir à tout moment de sortir de la chambre en courant pour aller hurler. J'aurais pu le faire mais je ne
295 pouvais supporter l'idée de quitter Elsie des yeux ne serait-ce qu'une seconde.

— Quand est-ce qu'on pourra revoir Fing ? demanda-t-elle tout d'un coup sans prévenir.

Je ne sus pas quoi répondre.

300 — C'est drôle que tu aies parlé de la maison avec… avec Finn. C'est sans doute parce que tu avais joué à tant de jeux avec elle.

— Non, répondit Elsie avec fermeté.

Je ne pus m'empêcher de lui sourire.

305 — Pourquoi non ?

— Ce n'est pas cette maison-là, maman !

— Qu'est-ce que tu veux dire ?

— C'était ma maison spéciale.

— Comme c'est mignon, ma chérie. Je pres-
310 sai Elsie contre moi.

— Ouille, tu me fais mal.

— Désolée, ma chérie. Elle a mis des choses
dans la maison ?

— Oui, dit Elsie qui avait commencé à exa-
315 miner mes sourcils. Il y a un poil blanc ici.

Je ressentis une nausée vertigineuse. C'était
comme si je regardais au fond d'un précipice
ténébreux.

— Oui, je sais. C'est marrant, non ? Sans
320 déranger Elsie, j'attrapai à tâtons le crayon et le
bloc de papier que j'avais vus à côté du téléphone
sur la table de chevet. Si on faisait un tour dans
notre maison spéciale ?

— De quelle couleur sont tes yeux ?

325 — Aïe ! criai-je quand un doigt investigateur
s'enfonça dans mon œil gauche.

— Pardon, maman.

— Ils sont bleus.

— Et les miens ?

330 — Bleus. Elsie, si on faisait un tour dans la
maison spéciale pour voir ce qu'il y a ? Elsie ?

— Bon, d'accord, concéda-t-elle comme une
adolescente réfractaire.

— Très bien, ma chérie, ferme les yeux. Par-
335 fait. On remonte l'allée. Qu'est-ce qu'il y a sur la
porte ?

— Des feuilles rondes.

— Des feuilles rondes ? C'est étonnant, ça.
Ouvrons la porte et voyons ce qu'il y a sur le pail-
340 lasson.

— Il y a un verre de lait.

Je le notai sur le carnet.

— Un verre de lait sur un paillasson, dis-je de
ma meilleure voix d'institutrice de maternelle.
345 Comme c'est étrange ! Nous allons contourner le

verre de lait, sans le renverser, et aller dans la cuisine. Qu'y a-t-il dans la cuisine ?

— Un tambour.

— Un tambour dans la cuisine ? Quelle mai-
350 son de fous ! Et si on regardait ce qui se trouve
sur la télévision, d'accord ? Qu'y a-t-il sur la
télévision ?

— Une poire.

— C'est charmant. Tu aimes les poires, pas
355 vrai ? Tu mordras dedans tout à l'heure. Ne la
touche pas. Je t'ai vue la toucher. Elsie gloussa.
Allons à l'étage. Qu'y a-t-il sur l'escalier ?

— Un tambour.

— Un autre tambour. Tu es sûre ?

360 — Ouiiiii, répondit Elsie avec impatience.

— D'accord. C'est bien comme jeu, non ?
Maintenant, j'aimerais savoir ce qu'il y a dans le
bain.

— Une bague.

365 — C'est une drôle d'idée d'avoir une bague
dans un bain. Elle est peut-être tombée de ton
doigt pendant que tu barbotais dans l'eau ?

— Non, cria Elsie.

— Maintenant, sortons du bain et allons
370 dans la chambre d'Elsie. Qu'y a-t-il dans le lit ?

Elsie rit.

— Il y a un cygne dans le lit.

— Un cygne dans le lit. Et comment Elsie va-
t-elle faire pour dormir avec un cygne dans son
375 lit ? Les paupières d'Elsie commençaient à trembler, sa tête se faisait plus lourde. Dans une
seconde elle allait dormir. Allons dans la chambre
de maman. Qu'y a-t-il dans le lit de maman ?

À présent, la voix d'Elsie s'amenuisait, plus
380 lointaine.

— Maman est dans le lit de maman, répondit-
elle d'une voix douce. Et Elsie est dans les bras de
maman. Et elles ont les yeux fermés.

— C'est magnifique, dis-je. Mais je vis qu'Elsie
385 dormait déjà. Je m'avançai pour écarter quelques
mèches de cheveux de son front. Paul, le mysté-

rieux propriétaire absent de l'appartement, avait disposé un bureau dans le coin de sa chambre. Je m'y rendis sur la pointe des pieds et m'assis avec le carnet. Je me frottai doucement le cou du bout des doigts et pris mon pouls le long de ma carotide. Il devait approcher les cent vingt pulsations minute. Aujourd'hui, la meurtrière de mon amant avait kidnappé ma petite fille. Pourquoi ne l'avait-elle pas tuée, pourquoi ne lui avait-elle rien fait ? Tout d'un coup je me précipitai dans la salle de bains. Je ne vomis pas. Je pris quelques inspirations lentes et profondes, mais ce fut limite. Je retournai au bureau, j'allumai la petite lampe et inspectai les notes que j'avais prises.

La meurtrière, X, avait enlevé ma fille. Elle avait risqué de se faire arrêter. Et tout ça pour jouer à un de ces ridicules petits jeux de mémoire que nous pratiquions ensemble dans ma maison à la campagne à l'époque où elle y était. Quand Elsie m'avait dit ce qu'elles avaient fait ensemble, je m'attendais à entendre quelque chose de sordide, mais à la place je me retrouvai avec cette série absurde d'objets ordinaires : des feuilles rondes, un verre de lait, un tambour, une poire, un deuxième tambour, une bague, un cygne, et puis Elsie et moi dans mon lit les yeux fermés. Qu'est-ce que c'était que ces feuilles rondes ? Je fis de petits croquis des objets. Je retins la première lettre de chaque mot pour essayer d'y trouver un message caché, mais sans succès. J'essayai d'établir une relation entre chaque objet et le lieu où il avait été placé. Y avait-il quelque chose de délibérément paradoxal dans le fait de mettre un cygne dans un lit, ou un verre de lait sur un paillasson ? Peut-être cette fille sans nom avait-elle inscrit au hasard des objets dans l'esprit de ma fille dans le but de démontrer son pouvoir.

Je laissai là le bout de papier gribouillé et retournai m'allonger près d'Elsie dans le lit. J'écoutai le bruit de sa respiration, sensible au mouvement d'expansion puis de contraction de sa poitrine. À l'instant précis où je me disais que j'avais passé une nuit entière sans dormir et où je me demandais comment j'arriverais à affronter la journée, je fus réveillée par Elsie, qui me tirait les paupières. J'émis un grognement.

— Qu'est-ce qui se passe aujourd'hui, Elsie ?

— Je ne sais pas.

C'était son premier jour dans sa nouvelle école. Au téléphone, ma mère s'était montrée critique. Elsie n'est pas un meuble qu'on peut emporter à la campagne puis ramener à Londres selon son bon plaisir. Elle a besoin de stabilité et d'un foyer. Oui, je savais ce que ma mère voulait dire. Qu'elle avait besoin d'un père, de frères et de sœurs, et, de préférence, d'une mère qui me ressemble aussi peu que possible. Je m'étais montrée sûre et enjouée au téléphone. Quand elle avait raccroché, j'avais pleuré, j'étais passée de la colère à la déprime, puis je m'étais sentie mieux. L'école primaire était obligée d'accepter Elsie parce que l'appartement que nous occupions donnait presque sur la cour de récréation.

Mon ventre se noua quand Elsie, vêtue d'une robe jaune toute neuve, les cheveux bien peignés retenus par un ruban, traversa avec moi la rue qui la conduisait dans sa nouvelle école. Je voyais des petits enfants arriver et s'embrasser. Comment Elsie arriverait-elle à survivre à cette nouvelle épreuve ? Nous entrâmes dans le bureau de la directrice. Une femme d'âge mûr sourit à Elsie, qui lui répondit par un regard insistant. Elle nous conduisit jusqu'à la séance de réception des enfants, qui se déroulait dans une annexe. La maîtresse était une jeune femme aux cheveux noirs, dont j'enviai immédiatement le calme. Elle vint tout de suite à notre rencontre et prit Elsie par les épaules.

— Bonjour, Elsie. Tu veux que ta maman reste un peu avec nous ?

— Non, dit Elsie, soulignant sa réponse d'un froncement de sourcils décidé.

— Bon, alors fais-lui un bisou pour lui dire au revoir.

Je la pris dans mes bras et sentis ses petites mains derrière mon cou.

— Ça va ? demandai-je.

Elle hocha la tête.

— Elsie, pourquoi les feuilles sont-elles rondes ?

Elle sourit.

— On avait mis des feuilles rondes sur la porte.

— Quand ?

— Pour le père Noël.

Des feuilles rondes. Elle voulait dire une guirlande. Je restai bouche bée. J'embrassai Elsie sur le front et me précipitai dans le couloir. C'est une urgence, criai-je à l'intention d'une institutrice qui me lança un regard désapprobateur. Je remontai la rue à toute vitesse et me ruai jusqu'à l'appartement. Je sentis un point douloureux dans ma poitrine et un mauvais goût dans ma bouche. Je n'étais pas en forme. J'avais presque tout remisé au garde-meuble mais il me restait un ou deux cartons pleins des livres d'Elsie. J'en renversai un par terre et me mis à fourrager dans les albums. Il n'y était pas. Je renversai le deuxième carton. *Douze jours avant Noël en images*. Je l'emportai dans la chambre et m'assis au bureau. C'était bien ça. Les cygnes sur le lac. Cinq anneaux d'or. Les tambours au défilé. Et une perdrix dans un poirier. Et le verre de lait ? Je feuilletai le livre en me demandant s'il se pouvait que je sois sur une mauvaise piste. Non. Je m'autorisai un demi-

sourire. Huit crémières à l'étable. Alors c'était ça, une référence un peu arrangée à des comptines de Noël. Où voulait-elle en venir ?

J'inscrivis les titres dans l'ordre qu'Elsie m'avait donné : huit crémières à l'étable, neuf tambours au défilé, une perdrix dans un poirier, de nouveau neuf tambours au défilé, cinq anneaux d'or, sept cygnes sur le lac. Je fixai la liste et soudain les objets semblèrent s'éloigner tandis que les chiffres flottaient librement sur la page. Huit, neuf, un, neuf, cinq, sept. Un numéro si familier. J'attrapai le téléphone et composai le numéro. Pas de réponse. Bien sûr.

Nicci French, *Jeux de dupes*, traduit de l'anglais par Emmanuelle Delanoë-Brun, Paris, Éditions Flammarion, 1999, p. 390 à 396.

NICCI FRENCH
(née en 1997)

Nicci French est bel et bien née en 1997... mais Nicci Gerrard et Sean French, les écrivains et journalistes anglais qui se cachent derrière ce pseudonyme, ont vu le jour en 1958 et 1959 respectivement. C'est en 1997 qu'ils publient sous le nom de Nicci French leur premier roman écrit à quatre mains, *Mémoire piégée*. Pour l'écriture de *Jeux de dupes* (1998), les deux auteurs puisent dans l'expérience de Nicci Gerrard qui, avant de couvrir les faits divers et les grands procès, s'est occupée d'enfants psychologiquement pertubés. Les romanciers ont fait paraître sept autres romans en s'imposant toujours les mêmes contraintes : leur personnage principal doit être une femme et ils écrivent chacun à leur tour, l'un réécrivant le texte de l'autre jusqu'à la dernière ligne.

Amis de cœur

Ollie devait partir un samedi. Il prendrait l'avion pour Milan où ses parents l'atten-
draient. L'aéroport de Rome, Léonard-de-Vinci, n'était qu'à une demi-heure de la
maison. Comme Martin devait lui aussi prendre l'avion pour Paris le même jour, à
peu près à la même heure, son grand-père nous a proposé de les emmener tous les deux.
5 Mais nous avons décliné son offre.

— Non, *grazie*, a dit maman.

Nous tenions à accompagner Ollie et à lui dire au revoir sur place. Mais nous avons
accepté de partir tous en même temps et de nous retrouver à l'aéroport.

J'avais mis un T-shirt noir et des sandales noires. J'avais déjà pris le deuil. Ma vieille han-
10 tise des séparations avait resurgi telle une crise d'urticaire.

Ollie avait tranquillement préparé ses bagages la veille. Son gros sac marin attendait dans
l'entrée, avec son sac à dos et sa raquette de tennis. Nous avons veillé tard, nous remémorant
un à un les épisodes de l'été, mais dès le matin, j'ai bien vu qu'Ollie m'avait déjà presque
quittée. Il allait retrouver ses parents et une nouvelle vie s'ouvrait à lui. J'étais coincée ici pour
15 le reste des vacances, encore quinze jours avant la rentrée des classes.

Nous avons pris notre petit déjeuner tous ensemble.

— J'ai du mal à imaginer que ce soir tu dîneras à des centaines de kilomètres d'ici, a
déclaré nonna en secouant la tête.

Cette idée a suffi à me couper l'appétit. Nous avons laissé les restes du petit déjeuner sur
20 la table : tasses à moitié vides, petites miettes de biscuits, grosses miettes de *cornetti* fourrés
à la crème, noyaux et pépins de fruits. Puis nous nous sommes installés dans la voiture,
maman, papa, Ollie et moi. Ollie a dit au revoir à nonna et à nonno devant le portail. Nonna
l'a serré contre sa poitrine et a couvert son front de baisers.

— *Ciao*, nonna.

25 — Je te garde la chambre pour l'année prochaine ?

— Oui, bien sûr.

Nonno lui avait préparé un sac de poires et de prunes pour l'avion.

— Et ça, c'est pour ta mère, a-t-il ajouté en lui remettant une fleur fraîchement coupée enveloppée dans un papier cellophane.

30 Ollie l'a glissée précautionneusement dans la poche de son sac à dos.

— Merci beaucoup, a-t-il dit en faisant une chaleureuse accolade à nonno.

Ollie a sorti son livre de blagues pendant le trajet jusqu'à l'aéroport. Il m'a lu ses dernières trouvailles. J'ai ri, mais mon cœur était en larmes.

Nous nous sommes garés devant l'aéroport et avons accompagné Ollie jusqu'à l'enre-
35 gistrement. J'ai regardé les pistes : elles avaient été construites sur les vestiges des anciens mouillages des navires romains.

Papa a accompagné Ollie jusqu'au comptoir, bien qu'Ollie sût très bien se débrouiller tout seul. Il avait l'habitude de voyager. Cela se voyait à l'aisance avec laquelle il se déplaçait dans l'aéroport, s'arrêtant pour s'acheter un paquet de chewing-gums, un journal.

40 — C'est bon, a dit papa à Ollie, la main posée sur sa nuque.

Ollie a sorti son passeport et son billet, et les a tendus à l'employé.

— Milan, a-t-il annoncé avant de faire enregistrer son bagage.

Nous avons retrouvé Martin en compagnie de ses grands-parents à un autre comptoir où il s'enregistrait pour le vol de Paris. Sa grand-mère portait une robe imprimée à grosses
45 fleurs de couleurs vives et son grand-père un short écossais. À côté d'eux, nonno avait l'air d'un dandy.

— Ollie, Lukey ! s'est exclamé Martin. Comment ça va ?

— *Male*, ai-je répondu, pour dire que ça n'allait pas du tout. Tous mes amis s'en vont.

Nous l'avons accompagné jusqu'aux barrières de sécurité. La grand-mère de Martin ne
50 cessait de le recoiffer et de tirer sur ses vêtements, comme si elle habillait une poupée.

Nous n'avions pas le droit d'aller plus loin. Autour de moi, ce n'était que panneaux d'affi-
chage des vols en partance, chariots surchargés de bagages, embrassades à n'en plus finir : il n'était question que d'adieux.

— Bon, alors à bientôt, Lou, *cara mia*, m'a dit Martin en s'avançant vers moi et en m'em-
55 brassant moitié sur la bouche, moitié sur le menton.

J'ai rougi. Cela semblait si simple et si naturel pour lui. Puis il a embrassé maman et a serré la main de papa.

Ollie s'est approché de moi.

— *Ciao*, Lou, m'a-t-il dit tranquillement.

60 Ollie et moi nous sentions toujours un peu intimidés lorsque nous devions nous quitter, comme si nous étions gênés de nous dire au revoir.

— *Ciao*, Ollie, ai-je répondu en essayant de retenir mes larmes.

Alors Ollie s'est avancé vers moi, m'a prise par le bras et m'a embrassée. Ce n'était qu'un baiser furtif sur la joue. Mais je savais ce qu'il lui avait fallu de volonté pour se décider à le
65 faire. Je sentais encore ses lèvres : ce baiser scellait notre amitié.

Nous avons laissé Ollie et Martin côte à côte au terminal. Ils se sont retournés comme un seul homme pour nous dire au revoir de la main. Puis ils sont allés faire contrôler leurs passeports et se sont dirigés vers les portiques de sécurité, la tête penchée, absorbés par leur discussion : deux jeunes gens en route vers l'indépendance et l'âge adulte. J'ai ressenti un 70 violent désir de courir vers eux, de remonter le cours du temps. Puis j'ai éprouvé un brusque soulagement : finalement, l'été ne s'était pas trop mal passé. Martin s'en était bien sorti et nous aussi. Ce serait peut-être bien qu'il revienne l'année prochaine.

— *Siamo pronti* ? a demandé papa pour savoir si nous étions prêts.

Nous sommes retournés à la voiture et sortis du parking. Les avions s'élevaient dans le 75 ciel telles des flèches d'argent.

Nous étions à mi-chemin de la maison lorsque nous avons entendu une explosion. Elle a retenti sur des kilomètres à la ronde. Les voitures ont ralenti sur l'autoroute, mais il était impossible de voir quoi que ce soit.

— Qu'est-ce que c'était ? a demandé maman, la gorge nouée par l'angoisse.

80 Nous avons continué à rouler. Papa a allumé la radio. Nous étions presque arrivés lorsque le programme habituel a été interrompu par un flash d'informations. Une bombe venait d'exploser dans une salle d'attente de l'aéroport Léonard-de-Vinci. Ce n'était pas la première fois, et ce ne serait pas la dernière. Avec les alertes à la bombe, les explosions, c'était une guerre moderne d'un nouveau genre qui se livrait en Europe depuis des années. Mais jamais elle ne 85 m'avait atteinte personnellement.

J'étais hystérique. J'ai voulu retourner immédiatement à l'aéroport, mais maman a refusé. Papa nous a déposées à la maison avant de faire demi-tour, seul. Maman et moi sommes restées en compagnie de nonno et nonna. Le téléphone a sonné. C'était le père d'Ollie. Maman a pris l'appareil. Elle s'est mise à pleurer. J'ai guetté par la fenêtre le retour des 90 grands-parents de Martin, mais l'allée est restée désespérément vide.

Nonna m'a prise dans ses bras et a essayé de me calmer. Mais elle tremblait.

— Tout va bien se passer, Lukey. Attendons.

C'est exactement ce qu'elle me disait quand j'étais petite, et je la croyais chaque fois. Mais cette fois, non. Nonno a allumé la télévision, ce dont il avait horreur. Je suis sortie de la pièce. La bombe avait explosé dans la zone du terminal desservant les vols européens. J'ai tout d'abord songé à Martin, et je me suis sentie soulagée, puis choquée de ce soulagement.

Papa n'est pas revenu avant le soir. Il nous a appelés toutes les demi-heures, mais il n'avait rien à nous apprendre. Martin est rentré à l'heure du dîner. Son grand-père le portait comme un bébé. Il était en train de fumer une cigarette dans les toilettes lorsque c'est arrivé, et c'est ce qui l'a sauvé. Ils ont dû lui ouvrir les doigts de force pour lui prendre sa cigarette lorsqu'ils l'ont découvert, tétanisé par la peur.

Greta et Tad sont arrivés en fin d'après-midi et se sont rendus directement à l'aéroport où ils ont passé la nuit avec les autres familles qui attendaient des nouvelles, les journalistes et les équipes de secours. C'était exactement le genre d'événements que le père d'Ollie aurait pu être amené à couvrir.

Aucun de nous n'est allé se coucher. Personne n'a fermé l'œil. Au matin, le nom d'Ollie est apparu sur la liste des passagers manquants. Le soir même, nous avons appris qu'Ollie faisait partie des treize victimes qui attendaient pour embarquer dans le vol 85 à destination de Milan et qui devait continuer vers Bruxelles. Cela s'était produit le matin, à l'heure où tout commence, où les fleurs s'ouvrent, où la vie reprend son cours. Par la suite, comme maman, il m'a été impossible d'aller à la plage au lever du jour.

Les jours suivants, je les ai vécus comme dans un gros orage. Tout d'abord dans un épais nuage d'incrédulité. Puis dans une pluie de larmes torrentielle qui semblait ne jamais vouloir cesser. J'étais inconsolable. Rien ne m'était plus insupportable que l'idée que je ne reverrais plus jamais Ollie.

Les parents de Martin sont descendus de Paris dans une grosse voiture qui avait l'air déplacée dans notre petite station balnéaire mais qui allait parfaitement bien avec la piscine, la statue du faune, le hors-bord. Ils étaient dans tous leurs états. Ils sont venus à la maison et ont discuté avec maman, papa, les parents d'Ollie. J'imagine qu'ils devaient se sentir coupables de ce que leur fils soit vivant tandis qu'Ollie était mort. Et comment les parents d'Ollie ne les auraient-ils pas haïs pour cette raison? Je les détestais. Je détestais tout le monde. J'en voulais à mes parents d'avoir annulé notre voyage en Belgique et aux Pays-Bas. J'en voulais à mes grands-parents d'avoir vécu aussi vieux. Je m'en voulais de n'être pas allée à Milan avec Ollie.

— Au moins, nous serions morts ensemble, ai-je sangloté.

— Les choses n'arrivent pas par hasard, il y a toujours une raison, a dit papa.

Cela me rappelait ce que Tad disait souvent en plaisantant: «Si c'est arrivé, c'est que ça devait arriver.» Ces phrases qui ne voulaient pas dire grand-chose prenaient tout leur sens aujourd'hui.

— Il faut que tu le croies, Lukey, a insisté papa en me caressant les cheveux.

Mais je m'y refusais. C'était impossible.

— Donne-moi une raison valable pour justifier la mort d'Ollie! Il n'y a pas de raison valable! ai-je balbutié entre mes larmes.

— On ne peut pas savoir, Lukey, est intervenue maman. C'est ainsi.

— Pourquoi ne sommes-nous pas partis en voyage comme prévu? ai-je répété. Si nous étions partis, ça ne serait pas arrivé!

— Arrête, a répondu maman. La vie est impossible si on commence à raisonner de cette façon.

Mais je savais qu'ils étaient tous de mon avis. C'était inconcevable autrement.

140   — Vous pourriez au moins le dire parce que je sais que c'est ce que vous pensez ! me suis-je écriée.

Maman a regardé papa en silence, et ce silence était pour moi un aveu. Ç'aurait été inhumain de leur part de ne pas penser comme moi.

Je ne crois pas que beaucoup de gens aient versé autant de larmes que nous. Toute la
145 ville a pleuré, défilant à la maison dans un grand élan d'affection. Pendant ce temps, toutes sortes de pensées me traversaient inlassablement l'esprit. Pourquoi Martin n'était-il pas mort à la place d'Ollie ? Puis je m'en voulais d'avoir eu ce genre d'idée, car j'aurais tellement aimé que ce soit vrai… J'aurais sacrifié Martin, mais pas Ollie. Ce qui était horrible, c'est que Martin pensait la même chose. Il m'a écrit plus tard pour me le dire. Il pensait qu'Ollie n'avait pas
150 mérité ça, qu'il valait beaucoup mieux que lui. Je lui ai répondu la seule chose que je pouvais lui répondre : « Personne ne mérite de mourir aussi jeune. Et pas de cette façon. »

* * *

Je n'ai pas revue Greta et Tad avant le mois de septembre. Ils sont venus à Rome juste après la rentrée des classes. Je leur ai donné tout ce qu'Ollie avait laissé à la maison de la
155 plage : sa raquette de ping-pong, une paire de chaussettes, des pierres qu'il avait ramassées, ses petits morceaux de verre polis par la mer, les poteries qu'il avait faites. Et une petite médaille en or qu'il avait oubliée. Je ne l'avais jamais vu la porter, mais il la gardait dans son portefeuille. Ses grands-parents la lui avaient offerte à la naissance et il ne s'en séparait jamais. Ça me rappelait les petits médaillons que portaient les enfants dans la Rome antique :
160 on les appelait les *bullae*; ils contenaient une amulette censée les protéger du mal. Les filles les portaient jusqu'à leur mariage et les garçons jusqu'au jour où ils devenaient citoyens. Les choses auraient-elles été différentes si Ollie avait porté sa médaille ? Je ne le saurai jamais.

Comme d'habitude, Greta et Tad sont arrivés chargés de cadeaux pour moi. Le père d'Ollie a
165 apporté une très belle photo de son fils. Il souriait, les yeux pétillants de malice. Il y avait tout ce que j'aimais chez Ollie, tout ce que j'aimais chez eux. Il y avait aussi une photo d'Ollie et de moi, ensemble; on y voyait ce que nous étions et sommes toujours:
170 *amici, amici del cuore.*

Greta avait une lettre pour moi. Elle l'avait trouvée dans les bagages d'Ollie, qui se trouvaient dans l'avion et leur avaient été restitués par la suite. Je ne sais pas s'il avait eu l'intention de l'envoyer. Peut-
175 être était-il trop timide. Cela non plus je ne le saurai jamais. Sur l'enveloppe, il avait écrit LUCREZIA en lettres capitales, et voici ce qu'elle contenait:

Chère Lou,

Merci pour ce formidable été. On s'est bien amusés. J'espère que tu viendras me voir pour de
180 *bon en Angleterre. Nous irons tous les deux prendre le thé dans les règles de l'art et ensuite nous irons au vomitorium. Si tu vas à Paris, méfie-toi des baratineurs dans le genre de Martin. Écris-moi ou envoie-moi un e-mail. Ou téléphone-moi... J'imagine qu'on se verra à Noël, comme d'habitude. S'il te plaît, demande à nonna de faire des tortellini. J'en aurai par-dessus la tête du rosbif et des patates. Vous allez tous me manquer, mais toi surtout.*

185 Il avait signé *baci*, ce qui voulait dire «baisers».

À mesure que je lisais sa lettre, la voix d'Ollie me revenait en mémoire, son rire, bien des choses que j'aimais en lui. Je lui ai répondu, tout en sachant qu'il ne lirait jamais ma lettre que j'ai enterrée près du petit temple, à côté des fraises sauvages.

Cher Ollie,

190 *Je sais que tu n'es plus là pour lire cette lettre, mais je suis persuadée que d'une manière ou d'une autre elle te parviendra. Comme le jour où je me suis aperçue que le Père Noël n'existait pas, j'ai eu du mal à y croire. À accepter que la vie ne soit pas exactement tout ce qu'on imaginait. C'est la même chose pour la mort. Nous savons parfaitement que c'est ainsi, mais c'est très difficile de croire que les gens que nous aimons puissent mourir un jour. Et qu'ils puissent*
195 *mourir non quand ils sont aussi vieux que les «fossiles» que nous voyions sur la plage, mais aussi jeunes que toi. Je ne peux pas croire que tu sois mort. Je ne sais même pas ce que ça veut dire, hormis le fait que tu n'es plus là. Je ne vois plus tes yeux rieurs. Je n'entends plus ta voix. Ton père m'a apporté une photo de nous deux. Tu as l'air tellement vivant que j'ai envie de tendre la main pour te toucher. Tu vas leur manquer en Angleterre. Tu vas nous manquer ici. Les anges ont de la*
200 *chance là-haut. J'espère que tu as retrouvé tes dieux. Et j'espère par-dessus tout que nous nous retrouverons un jour.*

Je t'aime,

Lou

KATE BANKS
(née aux États-Unis en 1960)

Avant de prendre elle-même la plume, Kate Banks a d'abord travaillé pendant plusieurs années dans une maison d'édition new-yorkaise. C'est à Rome, où elle s'est établie dans les années 1990, qu'elle a commencé à écrire des romans et des ouvrages illustrés pour le jeune public: *Si la lune pouvait parler* (1997), *Qui va là ?* (1998), *Amis de cœur* (2006). Kate Banks vit maintenant dans le sud de la France.

Kate Banks, *Amis de cœur*, traduit de l'anglais par Anne Krief, Paris, © Scripto, Gallimard Jeunesse, 2006, p. 177 à 193.

L'esclave

L a *Marie-Galante* aborda enfin Montréal le premier jour de juin. Le temps était incertain mais les bancs de brouillard
5   s'étaient enfin levés, révélant peu à peu au loin la masse sombre des fortifications. En forçant la vue, on pouvait apercevoir, toujours en chantier, le mur de maçonnerie commencé une quinzaine d'années plus tôt et, dans la partie est,
10 le reliquat de l'ancienne palissade de bois construite au siècle précédent pour protéger la ville des attaques iroquoises. Cinq portes et cinq poternes percées dans la muraille donnaient sur le fleuve.

15 Un soleil pâle perçait maintenant les nuages du côté est et s'accrochait aux toits des maisons, à ceux de l'église Notre-Dame et de la chapelle Bonsecours, en balayant les remparts. François sentit battre son cœur. Kawindalé aussi, mais
20 pour des raisons différentes. Rivée depuis le matin au bastingage, elle attendait impatiemment elle aussi de voir apparaître cette ville que tout l'équipage espérait avec fièvre. Et c'était ce bourg minuscule qui surgissait enfin de la brume ?
25 Que Montréal lui paraissait donc modeste en comparaison de la Nouvelle York !

Quelques centaines de maisons de briques rouges ou grises s'éparpillaient en désordre le long du fleuve, côtoyant pêle-mêle des bâtiments
30 conventuels, des entrepôts et des édifices administratifs. L'agglomération occupait peu d'espace et paraissait noyée dans une mer de végétation. « C'est donc ici que je vivrai désormais ? » se dit la jeune Noire, le cœur serré d'appréhension.

35 Elle porta son regard sur le maître, qui donnait déjà ses directives en prévision du débarquement. Sa relation avec lui s'étant amorcée sous de fâcheux auspices, il lui semblait peu probable que les choses s'améliorent avec une nouvelle maî-
40 tresse, les femmes s'étant souvent montrées beaucoup plus intransigeantes à son égard…

Le deux-mâts s'approchait lentement de la rive dont la grève bourbeuse bordée de roches à fleur d'eau tenait lieu de quai. La *Marie-Galante*
45 dut s'échouer en aval de la ville, au pied des rapides de Sainte-Marie, où des hommes postés sur la grève attelèrent deux puissants chevaux de trait

aux amarres et halèrent doucement l'embarcation à contre-courant jusqu'à la hauteur de l'en-
50 trée des fortifications.

L'arrivée d'un bateau était un événement très couru et plusieurs Montréalistes, friands de nouvelles fraîches, s'étaient portés à l'arrivée de leurs concitoyens. On avait d'ailleurs repéré la goélette
55 depuis une bonne distance déjà et des canotiers remontant le fleuve avaient répandu la nouvelle de son approche. Thérèse de Couagne, épouse de Francheville, avait envoyé des renforts de domestiques et d'engagés, au cas où on aurait eu besoin
60 de bras, et tout ce beau monde venait grossir les rangs des curieux qui se pressaient nombreux sur la plage.

D'un bond, François fut sur le sol. Pierre Poulin, son frère cadet, fut le premier à le serrer
65 dans ses bras.

— Comme il fait bon de te retrouver ! Je dois t'avouer qu'on a craint le pire, des rumeurs voulant que ton bateau soit disparu dans une tempête devant Trois-Rivières ! Dieu soit béni, tu
70 es là ! fit-il en écrasant François avec force contre sa poitrine de géant.

Gêné par cette effusion en public, François se dégagea aussitôt pour déclarer, tout de même remué, que s'ils étaient encore en vie c'était bien
75 grâce au capitaine Le Court. Celui-ci lâcha sa pipe pour commenter, du haut du pont d'où il surveillait le débarquement :

— J'y suis pas pour grand-chose. Le diable seul sait comment on a pu réchapper d'un pareil
80 coup de chien, rapport que le fleuve était aussi déchaîné que mon étalon les jours de rut !

Des gouttes de pluie commencèrent à tomber doucement sur le joyeux attroupement, ce qui eut pour effet de disperser quelques curieux. Mais
85 l'averse cessa aussi subitement qu'elle avait débuté et François reprit la direction des opérations, inquiet pour ses marchandises.

Il donna des ordres brefs et on commença à extraire les lourds ballots de la cale pour les
90 déposer un à un sur le sol boueux. Des vaches laissées en pâture sur les terrains de la commune s'étaient approchées prudemment et roulaient de grands yeux curieux.

Des sacs de grains, de pois, de sel s'empilèrent les uns sur les autres. On sortit ensuite les couvertures de laine et les étoffes anglaises, soigneusement emballées, puis on déchargea des tonneaux de vin de France, de guildive et de tafia en provenance de la Martinique, entremêlés à plusieurs dizaines de barriques de rhum. On extirpa encore du ventre du beau voilier des paquets d'outils, de verroteries, d'ustensiles d'étain, de cuivre et de fer, et enfin des fusils, de la poudre et des couteaux. François donna l'ordre aux charretiers de s'avancer et de remplir au plus vite leurs tombereaux dont les chevaux piaffaient d'impatience, la bouche ouverte et les naseaux dilatés, excités par le vent qui levait.

Débarquée la dernière et encore abrutie par le mal de mer, Kawindalé fut soulagée de retrouver la terre ferme. Elle s'étira pour se délier les membres et prit un peu d'eau dans ses mains pour s'en asperger le visage, ravie de découvrir à quel point l'air de la rive était bon et chaud. Elle observait le nouveau décor avec anxiété en frottant de façon rituelle l'amulette de cuir pendue en médaillon à son cou, dans l'espoir d'y déceler un indice, un présage… Son grigri saurait bien éloigner d'elle le mauvais œil et la protéger du malheur, se répétait-elle en le pressant contre son cœur.

Francheville donna enfin le signal du départ et la troupe s'ébranla lentement vers la porte de la ville. Un soleil de plomb perçait entre les nuages et la touffeur humide faisait perler la sueur sur les fronts.

Un second attroupement se forma bientôt près de la porte principale, à quelques centaines de pas de la rive. Des hommes et des femmes à demi-nus, la peau décorée de couleurs vives et les cheveux enduits de graisse, se regroupaient au passage de la petite caravane et observaient la négresse avec une curiosité animée. L'Africaine, méfiante, les regardait du coin de l'œil en feignant l'indifférence. Elle avait croisé déjà des Iroquois venus marchander des fourrures avec son ancien maître et leur réputation de guerriers féroces la faisait frémir. Les Indiens qui l'entouraient maintenant ne lui semblaient guère plus rassurants…

La jeune femme sursauta quand l'un d'eux s'approcha pour toucher sa chevelure et effleurer du revers de la main son visage. Elle prit peur et le repoussa vivement. L'autre, étonné, la saisit par le bras en prononçant quelques paroles qu'elle ne comprit pas. Paniquée, Kawindalé chercha à se dégager et, n'y parvenant pas, lui donna un coup de pied dans les jambes. Le Peau-Rouge, imperturbable, la fixait toujours en répétant ce qui ressemblait à des menaces. Francheville, qui n'avait pas eu le temps de réagir plus tôt, s'interposa et, dans la langue de son interlocuteur, mit fin à l'algarade.

L'Algonquin lâcha prise. Il était venu en territoire allié faire la traite des fourrures et son intention n'était pas belliqueuse. Les gens de sa tribu avaient d'ailleurs monté un campement à l'extérieur des murs et savouraient tranquillement la chaleur réconfortante de cette matinée printanière. L'esclave, à demi rassurée, promenait un regard attentif sur le curieux rassemblement dont la bonhomie et la joie de vivre lui rappelaient confusément de lointains souvenirs d'enfance. Les hommes fumaient la pipe en bavardant, assis sur le sol, les jambes croisées, pendant que quelques femmes cuisaient dans des chaudrons de fer la sagamité, une épaisse pulpe de farine assaisonnée de morceaux de viande. Des mères portaient leur bébé debout dans un berceau allongé fait de fines planches de bois recouvertes de fourrure et vaquaient tranquillement à leurs occupations.

Francheville fit signe aux porteurs de presser le pas. Il n'eut pas à décliner son identité car les soldats de la guérite l'avaient reconnu de loin et la lourde porte de chêne était déjà ouverte. La petite troupe se retrouva bientôt à l'intérieur des murs, à quelques toises de la place du Marché déjà débordante d'activité. Des cris d'enfants et des bruits de conversations fusaient de toutes parts, mêlés aux piaffements des chevaux et aux grognements des porcs furetant en liberté dans la cohue.

Kawindalé suivait François Poulin un peu en retrait, mais elle attirait l'attention. Le nègre était rare à Montréal et considéré comme une denrée de luxe. Quelques gentilshommes, des familles de marchands ou d'artisans, certains prélats ou encore des communautés religieuses en possédaient, mais il valait trois fois le prix de l'Indien. La jeune négresse de Francheville impressionnait d'autant qu'elle était grande, bien proportionnée et fort belle.

Elle avançait la tête haute, tous les sens en éveil, frappée du contraste qu'elle constatait déjà entre ces Canadiens exubérants, se tapant dans le dos et causant à tue-tête, et le souvenir de ses récents maîtres hollandais, d'un naturel tellement plus réservé…

Deux jeunes servantes attachées à la maison de Francheville marchaient devant Kawindalé et tournaient régulièrement vers elle des yeux curieux, cherchant à lier connaissance. Celle-ci évitait leurs regards et feignait d'ignorer leur manège. La plus osée, une brunette assez vive mais dépourvue de beauté, ralentit en synchronisant son pas sur celui de la négresse.

— Je m'appelle Barbe, et toi ? fit-elle à l'intention de l'autre qui tourna aussitôt la tête vers elle, un sourire railleur aux lèvres.

— Barbe ? Barbe au menton ? Kawindalé se mit à rire à belles dents. L'Indienne, pas maligne pour cinq sous, en fit autant.

— Mais c'est pas mon vrai nom, tu sais. Mon vrai nom, c'est Nataori… i…

Un coup de tonnerre déchira le ciel et couvrit sa confidence. Kawindalé pressa le pas sans plus s'occuper d'elle.

En s'engageant dans la rue Saint-Paul, François croisa son voisin occupé à palabrer avec une poignée de badauds. Bellay l'aperçut et s'approcha. Il était court et rondelet et portait un justaucorps de drap gris-blanc assorti d'une culotte de même tissu et sur lequel il avait enfilé, en dépit de la chaleur suffocante, une longue veste à fleurs d'argent. Il suait à grosses gouttes, le visage cramoisi sous une lourde perruque à boudins.

— Messire de Francheville, enfin de retour ? Je me réjouis de voir que vous avez échappé au naufrage, mais je doute que vous échappiez cette fois au déluge ! fit-il en montrant le ciel qui chavirait. Que vous paraissez en intéressante compagnie !

L'homme entourait les épaules de François en signe de bienvenue en lorgnant ouvertement du côté de Kawindalé.

— Il y a un bail qu'on ne s'est vu, mon ami ! Comment vous portez-vous donc ? répondit François en lui serrant la poigne. Et dites-moi ce qui se passe ici. Il y a une telle agitation, continua-t-il, curieux de savoir ce qui pouvait tant exciter les esprits.

— C'est encore l'intendant Dupuy qui fait des siennes, figurez-vous. Il vient d'émettre une ordonnance qui interdit à tout habitant, sous peine d'amende, de nourrir et d'entretenir des bestiaux dans les limites de la ville. Il en aurait en particulier contre les porcs, à cause de la puanteur et des risques de contagion. Louable effort, mais il faut bien se nourrir, non ? dit-il en épongeant son front et ses tempes du revers de sa manche. Mais dites-moi donc plutôt où vous avez pêché cette sirène noire ? fit-il enfin, lui qui n'avait cessé de guigner Kawindalé du coin de l'œil.

Bellay était amateur de femmes, et des mauvaises langues racontaient qu'il avait pris de force plusieurs de ses domestiques et qu'il avait même un fort penchant pour l'Indienne…

Le joyeux luron amusait François, qui lui laissa entendre que si on lui avait cédé la négresse à prix fort, à l'usage elle valait amplement l'investissement. L'autre éclata d'un rire complice et jeta sur Kawindalé un regard encore plus lubrique. Des rires fusèrent. La jeune femme ne saisit pas le détail des propos mais en comprit d'instinct l'esprit. Du coup, elle haït Bellay et sentit monter du tréfonds d'elle-même une rage impuissante qu'elle se garda bien cependant de laisser percer.

L'homme s'était approché de l'esclave afin d'en apprécier de plus près les charmes quand Francheville, préoccupé tout à coup par son chargement, coupa court, salua son voisin et repartit d'un pas décidé vers la maison. Les porteurs, les charretiers et tout le reste de la cohorte le suivirent en catastrophe.

Un deuxième coup de tonnerre leur fit presser le pas. Une pluie chaude et drue s'abattit sur la ville et la place se vida de ses occupants. La chaussée se transforma vite en marécage où piétinaient pesamment les bêtes et les charrettes. Les trottoirs de bois irréguliers et mal entretenus s'avéraient dangereux et le petit groupe jugea plus prudent d'avancer directement au centre de la rue.

Devant l'urgence de mettre la cargaison à l'abri, c'est au pas de course que l'on termina le parcours menant chez François Poulin. Les jupes relevées et les souliers en loques clapotant dans la vase, Kawindalé n'eut qu'un bref aperçu des belles façades de pierres, des portes de bois sculptées et des larges fenêtres des maisons en enfilade qui se dressaient le long de la rue Saint-Paul. Elle

s'étonna pourtant de voir les habitations si rapprochées alors qu'il y avait tant d'espace. Une voiture à chevaux roulant à vive allure les éclaboussa des pieds à la tête et Pierre Poulin échappa un juron :

— Fichtre d'abruti ! Si j'attrape ce cocher, je le fais fouetter sur-le-champ !

Ils étaient mouillés jusqu'aux os, la boue malodorante ruisselant sur leurs vêtements défraîchis.

Le cortège s'immobilisa bientôt devant une vaste demeure de trois étages en pierres grises, flanquée d'autant de cheminées et de quantité de fenêtres à battants. Les charrettes entrèrent par la porte cochère percée dans la muraille et menant aux écuries.

— Georges-Arthur, ouvre les portes !

Un grand gars hirsute se précipita et ouvrit grandes les deux portes donnant accès aux voûtes, pendant que les hommes, les amis, les esclaves et tout un chacun transportaient en hâte les ballots, les poches de grains et les divers sacs de jute contenant les marchandises déjà un peu gâtées par la pluie.

— François, te voilà enfin !

La femme qui venait de lancer ce cri de l'âme déboucha en courant, ruisselante elle aussi, et se jeta dans les bras de son mari. François Poulin la reçut tout d'un bloc et la pressa contre lui. La pluie laissait de larges rigoles sur leurs visages réjouis.

— J'ai cru ne jamais te revoir. On racontait toutes sortes d'horreurs sur ton sort. Dieu que j'ai eu peur ! chuchotait Thérèse de Couagne, tremblante de bonheur.

— Ça va, remets-toi à présent ; je suis sain et sauf.

Revenant à ses préoccupations, il la repoussa doucement.

— Aide-moi plutôt à mettre tout cela à l'abri.

Dans les voûtes, des monceaux de marchandises posées directement sur des dalles ou des étagères rudimentaires s'accumulaient. Les denrées non périssables furent placées d'un côté, et de l'autre tout ce qui pouvait se gâter. Dans un va-et-vient étourdissant, tout le contenu des charrettes fut enfourné. Une incroyable animation régnait, et des paysannes occupées à tailler des capots de laine dans une pièce attenante accoururent saluer l'arrivée du maître. Elles étirèrent le cou vers la négresse, surprises.

Cette dernière était restée sous la pluie et retenait un jeune chien emprisonné dans ses jupes. Kawindalé caressait son doux pelage et son ventre chaud en sentant sous ses doigts le rapide battement de son cœur. En relevant la tête, elle croisa le regard de Thérèse de Couagne, adossée

contre la porte menant aux voûtes et qui la fixait sans aménité.

— Lâche cette bête et rends-toi utile. Il y a encore des ballots à transporter.

La voix était cassante et la jeune Noire sentit un frisson lui parcourir l'échine. S'approchant d'un tombereau, elle prit un sac qu'elle souleva d'un geste décidé et mit sur son épaule. Elle porta son fardeau à l'endroit qu'on lui indiquait, puis répéta l'opération à plusieurs reprises, sous l'œil inquisiteur de Thérèse de Couagne, plantée debout, les mains sur les hanches et totalement indifférente à la pluie qui la fouettait.

À l'intérieur, le travail achevait. Tout le monde avait mis l'épaule à la roue et, hormis quelques avaries, les pertes étaient minimes. Un éclair fulgurant déchira le ciel et fut suivi de près par le tonnerre.

— Bon Dieu de bon Dieu! La foudre n'est pas tombée bien loin d'ici, cette fois, s'exclama François en se précipitant vers la porte.

Un érable à sucre venait en effet d'être touché au fond du potager et une grosse branche était sectionnée.

— Il faudra la scier et en faire du bois de chauffage. Côté, tu t'en occuperas tantôt. Bon, à présent, un petit remontant, messieurs?

François roula un baril de guildive, le mit sur une étagère et en fit sauter le bouchon. Thérèse fit apporter des tasses que son mari remplit aussitôt d'un liquide fortement alcoolisé, d'un beau brun foncé et qui coulait généreusement en parfumant la pièce.

— C'est un alcool de canne à sucre qui vient tout droit des îles Sous-le-Vent. Mais prenez garde, ça cogne dur!

Les gars souriaient en claquant la langue, la gorge desséchée. Jeanne, une servante âgée mais d'apparence robuste, décida d'en verser aussi une petite rasade aux deux Indiennes et à Kawindalé. Et puisque c'était la fête pour le retour de monsieur, elle en servit une petite ration aux trois tailleuses qui se tenaient en retrait, un peu gênées de ne pas être déjà retournées à leurs tâches. Thérèse approuvait de la tête.

* * *

Toujours étendue sur la paillasse que Jeanne lui avait assignée sous l'escalier, Kawindalé repensait à cette conversation de la veille et s'étonnait encore de constater que les Indiens d'ici étaient en quelque sorte comme les nègres des Antilles: des prises de guerre, du butin dont on faisait des esclaves…

Une odeur de café fort vint lui chatouiller les narines et la tirer de ses sombres pensées. Elle vit Barbe poser un pichet rempli de café brûlant sur un plateau déjà chargé d'une pile de tartines et emporter le tout à l'étage.

Marie-Ange entrait par la porte de la cuisine, les bras chargés de légumes. Elle les déposa précipitamment sur la table, où ils roulèrent bruyamment. Un gros navet tomba sur le carrelage. Jeanne, debout près de l'âtre et qui ingurgitait lentement du pain trempé dans du lait, leva des yeux impatients:

— Mais, ma pauvre fille, tu n'apprendras donc jamais à faire les choses posément? Toujours à la course, comme si tu avais le diable aux trousses.

Marie-Ange baissait les yeux. Elle s'assit, prit un couteau à large bord et se mit à tailler fine-ment les légumes en s'efforçant de le faire lentement, le regard de Jeanne toujours posé sur elle. La jeune fille s'en fut ensuite près de l'âtre, prit un poêlon à long manche et y jeta des lardons. Puis elle fit griller des oignons qui crépitèrent en dégageant une chaude odeur qui parfuma toute la pièce.

— Allez, grouille-toi. La journée est déjà fort entamée, dit Jeanne en donnant un coup de pied sur la paillasse de Kawindalé.

Celle-ci ne l'avait pas vue venir et sursauta. Se redressant d'un coup, elle se leva avec une telle rapidité qu'elle en fut tout étourdie.

— On ne traîne pas au lit. Tiens-toi-le pour dit. Ici, c'est lever avec les poules et coucher avec le soleil.

Marie-Ange et Barbe retinrent un fou rire. Kawindalé leur jeta un regard maussade qui les fit rire davantage, surtout Barbe, la plus espiègle. La vieille Jeanne s'en retourna lentement à la huche, dont elle extirpa de gros croûtons enroulés dans un bout de tissu. Elle mit sur la table devant Kawindalé une généreuse ration de pain et un bol de thé chaud.

— Le pain n'est pas rationné, ici, pas plus que le thé, que le maître importe en quantité. Tu peux manger et boire à satiété. Pour ce qui est du reste, tu verras par toi-même. Allez, mange.

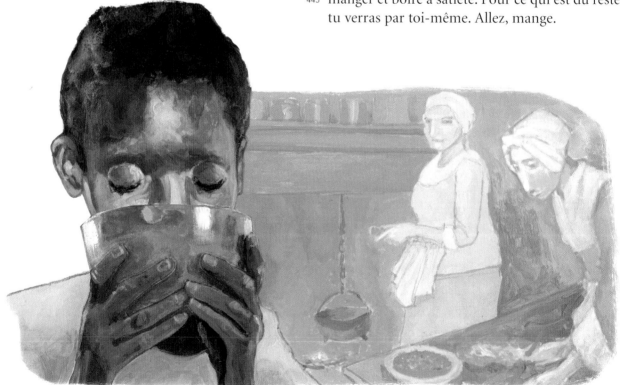

Jeanne jouait de prudence avec cette négresse «pièce d'Inde» dont le maître lui avait demandé de prendre grand soin. Il était impérieux pour elle d'asseoir tout de suite son autorité sur cette fille, quitte à paraître plus dure qu'elle ne l'était en réalité.

Son repas terminé, Jeanne lui dit :

— Voilà, tu fais maintenant partie de la maison et il faudra te plier à nos mœurs. Ici, chacune a ses tâches et s'y astreint sans traîner la patte. Tu t'occuperas des animaux, du pigeonnier, et je te dresserai au service. Et puis tu aideras les autres à la boutique, selon les besoins.

Jeanne fit une pause, le temps de s'assurer que l'autre l'avait bien comprise, puis continua :

— Madame veut que je te conduise à elle. Prépare-toi.

Ne sachant trop au juste ce qu'elle avait à préparer, la négresse se leva et resta plantée devant la vieille. Jeanne lui demanda de mieux ramasser ses cheveux et lui tendit un bout de corde pour consolider son chignon. La vieille lui donna aussi un morceau de chiffon et lui fit signe d'essuyer sa bouche et les commissures de ses lèvres.

— Enfin, c'est mieux que rien. Pour le reste, nous verrons plus tard, fit-elle, un rien de découragement dans la voix.

La vieille se mit à monter l'escalier avec lenteur en soufflant bruyamment à chaque marche, comme si l'effort était surhumain. La jeune Noire montait derrière elle, remplie d'appréhension à l'idée de rencontrer Mme de Couagne, devant laquelle elle se promit pourtant de rester bien calme. La porte s'ouvrit sur une grande salle d'où s'exhalait une exquise odeur de fleurs.

La pauvre fille fut impressionnée par l'élégance et le confort qui s'en dégageaient. Les beaux meubles, les bougeoirs d'argent et les toiles accrochées aux murs avaient fort peu à voir avec l'ameublement austère et froid de ses anciens maîtres. Un livre posé sur le secrétaire retint son attention : elle reconnut la sainte Bible, que son maître huguenot avait aussi. Elle était donc chez des gens pieux, encore que son expérience lui avait appris que cela ne lui rendrait pas forcément la vie plus douce…

Une porte s'ouvrit au fond de la pièce et Thérèse de Couagne apparut. Imposante dans la longue robe d'étamine gris souris qu'elle portait en semaine et sur laquelle elle nouait un tablier de coton rouge, madame claironna, la voix perchée haut et teintée de sarcasme :

— Voilà donc notre pièce d'Inde !

Elle s'approcha de la négresse et, en se déplaçant autour, elle se mit à l'observer avec une lenteur calculée. L'examen déplut à l'esclave et lui rappela le souvenir encore douloureux du marché public. Elle se garda bien cependant de manifester la moindre émotion et resta de marbre. Après un moment qui parut interminable à Kawindalé, Thérèse jeta avec une moue, comme à regret :

— Pas vilaine, quoique un peu maigre… Enfin, nous verrons à cela. Quel est ton nom ?

— Kawindalé, madame, fit la jeune fille d'une voix sans timbre.

— Comment ? insista Thérèse, qui feignit de ne pas avoir entendu.

— Ka-win-da-lé, madame, répéta la Noire en détachant bien chaque syllabe.

— Qu'est-ce que c'est que cela ? Je ne te demande pas ton nom africain mais celui que te donnaient tes maîtres français aux Antilles !

Thérèse la fixait durement à présent, impatientée par ce qu'elle croyait être de la mauvaise volonté.

— Angélique, madame. C'est le nom que je portais, répondit Kawindalé, mortifiée.

— Eh bien, voilà un nom chrétien. Et qui sonne français à mon oreille. Marie-Joseph-Angélique, c'est le nom que tu porteras désormais, et garde-toi bien de nous ressortir ce prénom de païenne qui ne ressemble à rien.

Kawindalé baissa les yeux pour cacher le dépit qui la submergeait.

— Quel âge as-tu ?

— Autour de seize ans, madame.

Elle avait répondu en osant fixer Thérèse de Couagne droit dans les yeux. Elle y perçut quelque

chose de métallique qui glaçait l'âme. Une séche-
resse émanait de ce regard et se répercutait jusque
dans ses gestes et sa démarche. Ses traits pourtant
réguliers et non dépourvus de beauté n'en étaient
540 pas moins durs, et les lèvres fines et à peine esquis-
sées trahissaient un manque de sensualité.

Kawindalé lança un bref regard à Jeanne, qui
restait là, figée comme une statue de sel. Elle eut
tout à coup l'intuition que la différence entre son
545 sort d'esclave et celui de la vieille domestique
n'était peut-être pas si grande qu'il y paraissait à
première vue.

Thérèse semblait réfléchir.

— Dis-moi, tes maîtres t'ont-ils au moins
550 fait baptiser? finit-elle par demander après un
moment.

— Baptiser? fit la négresse, l'air étonné. Je ne
crois pas, madame.

— Elle ne croit pas! Voyez-vous cela? Cette
555 impie ne sait même pas ce que c'est que le baptême… Nous partons de loin, soupira-t-elle, la
mine défaite.

Elle s'arrêta un temps, puis reprit:

— Je te ferai inscrire au petit catéchisme chez
560 nos bonnes filles de la Congrégation, pour qu'on
t'apprenne au moins les rudiments de notre religion. Tu ne seras baptisée que lorsque tu connaî-
tras les préceptes de base de notre sainte mère
l'Église.

565 — Oui, madame, répondit l'esclave.

Thérèse se tourna vers Jeanne et lui com-
manda, en regardant la négresse avec dégoût:

— Et passe-la à la brosse et au savon; elle pue.
Quelle odeur, mon Dieu! Frotte-la bien pour tuer
570 toute la vermine. Et coupe-lui les cheveux ras. Tu
lui donneras les vêtements de la Louve; elles sont
à peu près de la même taille. Et apprends-lui à
faire correctement le service.

— Bien, madame.

575 — Arrange-toi cette fois pour la tenir bien en
main! Si elle fuguait, elle aussi, tu aurais à t'en
repentir. Je ne passerai pas l'éponge la prochaine
fois.

— J'y veillerai, madame, s'empressa de ré-
580 pondre Jeanne en espérant que l'entretien soit
terminé.

Thérèse leur fit signe de se retirer, ce qu'elles
firent sans demander leur reste.

Micheline Bail, *L'esclave*, Montréal,
Éditions Libre Expression, 1999, p. 21 à 51.

MICHELINE BAIL

(née au Québec en 1946)

Après des études en histoire, Micheline Bail travaille aux Archives nationales du Québec à
Chicoutimi. C'est lors de ses recherches qu'elle
prend connaissance du destin tragique de Marie-
Joseph-Angélique. En 1734, cette jeune esclave
noire avait été accusée d'avoir mis le feu à la maison de sa maîtresse et d'avoir ainsi provoqué
«l'incendie de Montréal»: plus de quarante
maisons du Vieux-Montréal et l'hôpital Hôtel-
Dieu avaient alors été détruits par le feu.
Angélique sera condamnée à mort. À partir du
compte rendu du procès et en menant de minu-
tieuses recherches, Micheline Bail restitue dans
son roman *L'esclave* (1999) la vie en Nouvelle-
France au XVIIIe siècle.

Répertoire ✚

Lire des romans

- Vous pourrez découvrir des classiques comme une des versions de *Tristan et Iseult*, *Le comte de Monte-Cristo* d'Alexandre Dumas, *Kim* de Rudyard Kipling, *Frankenstein* de Mary Shelley, *Voyage au bout de la nuit* de Louis-Ferdinand Céline, *La nuit du carrefour* de Georges Simenon, *Autant en emporte le vent* de Margaret Mitchell ou *Notre-Dame de Paris* de Victor Hugo, pour ne nommer que ceux-là.

- Si vous préférez les auteurs d'aujourd'hui, tenez-vous au courant des nouveautés. Pour cela, consultez les ressources suivantes:
  - les sites Internet de littérature;
  - les cahiers spéciaux Rentrée littéraire des grands quotidiens;
  - les chroniques «Littérature» des quotidiens et des magazines;
  - les revues littéraires (certaines sont distribuées gratuitement dans les librairies);
  - le site Internet de certains libraires.

- Peu importe que vous cherchiez un classique ou une nouveauté, passez voir les bibliothécaires ou les libraires, les personnes les mieux placées pour vous mettre sur la piste d'un bon roman. Ces personnes vous proposeront des noms d'auteurs, des titres de romans et des collections spécialisées qui s'accorderont à vos goûts. De plus, les bibliothécaires peuvent guider vos recherches dans le catalogue de la bibliothèque.

Vivre des expériences culturelles liées au roman

- Le club de lecture de votre bibliothèque municipale organise peut-être des discussions auxquelles vous pourriez participer. S'il n'y a pas de club de lecture à votre bibliothèque, proposez d'en fonder un!

- Plusieurs romans ont été adaptés pour le cinéma. Regardez un de ces films, puis comparez-le au roman. Certaines œuvres très connues comme *La reine Margot* ont même fait l'objet de plusieurs adaptations cinématographiques que vous pourriez comparer entre elles.

- Des romans sont également adaptés pour le théâtre, le dessin animé et la bande dessinée. Certains jeux vidéo présentent des univers inspirés de grands classiques.

- Parcourez la section des livres-CD ou des livres-cassettes de votre bibliothèque à la recherche de romans que vous auriez envie d'écouter. Se faire lire une bonne histoire n'est pas un plaisir réservé exclusivement aux enfants…

- Rencontrez des auteurs de romans. Consultez les journaux de votre région pour savoir lesquels vous pourriez rencontrer à un salon du livre ou dans une librairie près de chez vous.

L'actrice Isabelle Adjani, dans le rôle de la reine Margot, film tourné en 1994.

Index des **auteurs** de textes littéraires

Index des **thèmes**

Sources iconographiques

Dossier 1

p. 4: © Philip Corbluth/Illustration Works/CORBIS • **p. 8:** Roel Smart/Istockphoto • **p. 9:** © Horacio Villalobos/CORBIS • **p. 10:** Richard Mirro/Istockphoto • **p. 11:** © Bettmann/CORBIS • **p. 13:** (h.) © Hulton-Deutsch Collection/CORBIS; (b.) © Jean-Francois Landry • **p. 15:** Succession Bernard Buffet/SODRAC (2008), photo: Visual Arts Library/Art Resource, NY • **p. 16:** Rasmus Rasmussen/Istockphoto • **p. 17:** Harald Sund/Getty images • **p. 18:** (g.) Rasmus Rasmussen/Istockphoto; (d.) Ronfromyork/Shutterstock • **p. 19:** Istockphoto • **p. 20:** © Succession Leonor Fini/SODRAC (2008), photo: Collection privée, © DACS/Agra Art, Warsaw, Poland / The Bridgeman Art Library • **p. 22:** © Images.com/CORBIS • **p. 23:** (h.) Lisa Thornberg/Istockphoto; (b.) © Ludovic Fremaux • **p. 25:** (h.) Collection privée, Archives Charmet/The Bridgeman Art Library; (b.) © Studio Patellani/CORBIS • **p. 26:** Netfalls/Shutterstock • **p. 28:** © Succession Salvador Dali/SODRAC (2008), photo: Giraudon/Art Resource, NY • **p. 30:** Istockphoto • **p. 31:** (h.) © The Andy Warhol Foundation/SODRAC (2008), photo: CORBIS; (b.) © Émile Dussault, 2006 • **p. 32:** (h.) ChipPix/Shutterstock; (b.) Getty images • **p. 33:** (g.) Istockphoto; (m) Cindy Hughes/Shutterstock; (d) Miklos Andrassy/Shutterstock • **p. 36:** akg-images • **p. 37:** Claudia Dewald/Istockphoto • **p. 38:** Cummer Museum of Art & Gardens/SuperStock • **p. 39:** Larrieu-Licorne/KHARBINE-TAPABOR • **p. 40:** (h.) akg-images/Archives CDA; (b.) Photos.com • **p. 41:** Sophia Tsibikaki/Istockphoto • **p. 43:** © Fabian Cevallos/Sygma/CORBIS

Dossier 2

p. 44: © Diana Ong/SuperStock • **p. 46:** © Stephane Cardinale/People Avenue/CORBIS • **p. 47:** Angel Herrero de Frutos/Istockphoto • **p. 48:** Ria-Novosti/TopFoto/Ponopresse • **p. 49:** Coll. Perron/KHARBINE-TAPABOR • **p. 51:** Keystone France/Eyedea • **p. 52:** *Chlorophylle contre les rats noirs*, © Macherot - Le Lombard (n.v. Dargaud-Lombard s.a.) • **p. 54:** Gracieuseté des Éditions des 400 coups • **p. 56:** © Stefano Bianchetti/CORBIS • **p. 58:** Reproduit avec l'autorisation de 2.4.7 Films • **p. 59:** © Christophe Karaba/epa/CORBIS • **p. 61:** © Roger Ressmeyer/CORBIS • **p. 64:** Istockphoto • **p. 65:** (h.) Photos.com; (b.) © John Springer Collection/CORBIS; (d.) Yuri Khristich/Istockphoto • **p. 67:** © Micheline Pelletier/Sygma/CORBIS • **p. 68:** Gracieuseté des Éditions Albin Michel • **p. 69:** © Pathe Films/avec l'aimable autorisation de Everett Collection/CP Photo • **p. 70:** Jazz Editions/Gamma-Eyedea/Ponopresse • **p. 72:** (h.) © Didier Bauweraerts/Van Parys Media/CORBIS; (b.) © Historical Picture Archive/CORBIS • **p. 73:** Musée d'Orsay, Paris, France, Giraudon / The Bridgeman Art Library • **p. 74:** © The Gallery Collection/CORBIS • **p. 75:** Collection KHARBINE-TAPABOR • **p. 76:** Réunion des Musées Nationaux/Art Resource, NY • **p. 77:** © The Art Archive/CORBIS • **p. 78:** © Succession Jacob Lawrence/SODRAC (2008), photo: Smithsonian American Art Museum, Washington, DC/Art Resource, NY • **p. 79:** © Eric Fougere/VIP Images/CORBIS • **p. 81:** Istockphoto • **p. 82:** (a.p.) Sharon Dominick/Istockphoto; (p.p.) Maude Chauvin photographe • **p. 84:** Patrick Sanfaçon/La Presse • **p. 85:** Erich Lessing/Art Resource, NY • **p. 86:** Pierre McCann/La Presse • **p. 87:** Collection privée/The Bridgeman Art Library • **p. 88:** © Pascal Sanchez • **p. 89:** Nord-Ouest Prod/TF1 Films/SONY/The Kobal Collection

Dossier 3

p. 90-91: © Stapleton Collection/CORBIS • **p. 92:** Gracieuseté de la revue Zinc • **p. 93:** © Succession Giorgio de Chirico/SODRAC (2008), photo: Collection privée/Peter Willi/The Bridgeman Art Library • **p. 94:** Skip ODonnell/Istockphoto • **p. 95:** akg-images • **p. 96:** "Le cavalier bleu" Wassily Kandinsky, photo: Eric Lessing/Art Resource/NY • **p. 97:** © Succession Joan Miro/SODRAC (2008), photo: The Metropolitan Museum of Art/Art Resource, NY • **p. 100:** (h.) Images.com/CORBIS; (b.) © Josée Lambert • **p. 101:** The Barnes Foundation, Merion, Pennsylvania, USA/The Bridgeman Art Library • **p. 104:** Hyacinth Manning/Istockphoto • **p. 105:** Droits réservés • **p. 106:** Christie's Images/SuperStock • **p. 107:** © Succession Giorgio de Chirico/SODRAC (2008), photo: akg-images • **p. 108:** © Sophie Bassouls/Sygma/CORBIS • **p. 109:** extrait de "Postconsommation" © Vincent Gagnon 2007 •

p. 111: © Succession Lawren Stewart Harris, photo: McMichael Canadian Art Collection: 1966.16.80 • **p. 112:** © Josee Lambert • **p. 113:** © The Gallery Collection/CORBIS • **p. 114:** (h.) Harry Frank/Istockphoto; (b.) Collection privée/The Bridgeman Art Library • **p. 115:** James Reynolds Draper/SuperStock • **p. 116:** (g.) © Peter Skingley/Reuters/CORBIS; (d.) Pushkin Museum, Moscow, Russia/The Bridgeman Art Library • **p. 118:** (h.) © Sophie Bassouls/Sygma/CORBIS; (b.) © Succession Pablo Picasso/SODRAC (2008), photo: SuperStock, Inc. • **p. 119:** © Succession Michael Rothenstein, photo: Fry Art Gallery, Saffron Walden Essex, UK/The Bridgeman Art Library • **p. 120:** Christie's Images/SuperStock • **p. 121:** Andersen Ulf/Gamma-yedea/Ponopresse • **p. 123:** © Richard Melloul/Sygma/CORBIS • **p. 124:** AP Photo/Czarek Sokolowski • **p. 125:** © Succession Jean Paul Riopelle/SODRAC (2008), photo: Musée national des beaux-arts de Québec, 2001-02, photographe: Patrick Altman • **p. 127:** © Laurent Gillieron/epa/CORBIS • **p. 128:** AFP/Getty images • **p. 130:** © Kèro • **p. 131:** Fit/Portman/K2/SFP/The Kobal Collection

Dossier 4

p. 132: Collection privée © Look and Learn/The Bridgeman Art Library • **p. 134:** (globe terrestre) Edward Grajeda/Istockphoto; (b.) AP Photo/Rebecca Blackwell • **p. 136:** © Sebastien Cailleux/CORBIS • **p. 137:** © Patrik Giardino/CORBIS • **p. 138:** © Jan Butchofsky-Houser/CORBIS • **p. 139:** © Leo Meier/CORBIS • **p. 140:** (g.) Istockphoto; (d.) Robert Mailloux/La Presse • **p. 142:** Denis Tangney/Istockphoto • **p. 143:** CP PHOTO/Richard Lam • **p. 144:** Andy Hall/Getty images • **p. 145:** Patrick Sanfaçon/La Presse • **p. 146:** © David Spurdens/CORBIS • **p. 147:** CP PHOTO/Clement Allard • **p. 148:** CP PHOTO/Jacques Boissinot • **p. 149:** AP Photo/Rick Rycroft • **p. 150:** © Antoine Serra/In Visu/CORBIS • **p. 151:** AP Photo/Rajesh Kumar Singh • **p. 152:** © J A Giordano/Saba/CORBIS • **p. 153:** AP Photo/Alexandra Boulat/VII • **p. 154:** © Atlantide Phototravel/CORBIS • **p. 155:** Ivanoh Demers/La Presse • **p. 157:** Caroline Penn/Panos • **p. 158:** AP Photo/David Guttenfelder • **p. 159:** © Eric Fougere/VIP Images/CORBIS • **p. 160:** © Sean Adair/Reuters/CORBIS • **p. 161:** AFP/Getty images • **p. 162:** (h.) © Eric Fougere/VIP Images/CORBIS; (b.) Régis Jauffret, Microfictions, © Éditions Gallimard • **p. 163:** Keystone-France/Eyedea/Ponopresse • **p. 167:** AFP/Getty images • **p. 168:** SuperStock • **p. 169:** © Scheufler Collection/CORBIS • **p. 171:** © Hugh Sitton/zefa/CORBIS • **p. 172:** © Radu Sigheti/Reuters/CORBIS • **p. 173:** CORBIS • **p. 174:** FP/Getty images • **p. 175:** © Bettmann/CORBIS • **p. 176:** Hulton-Deutsch Collection/CORBIS • **p. 177:** (h.) Alex Kershaw, Robert Capa: *L'homme qui jouait avec la vie* © J.C. Lattès. Photo: Getty images; (b.) © JP Laffont/Sygma/CORBIS

Dossier 5

p. 178: Richard H. Fox/SuperStock • **p. 180-181** (d.): Alexander Student Schnig/Istockphoto • **p. 185:** Photo: Monic Richard • **p. 186:** Coll. Perron/KHARBINE-TAPABOR • **p. 189:** Succession René Magritte/SODRAC (2008). Photo: Herscovici/Art Resource, NY • **p. 191:** akg-images • **p. 195:** Louis Monier/Gamma - Eyedea/Ponopresse • **p. 196:** Alexander Student Schnig/Istockphoto • **p. 197:** © Robbie Jack/CORBIS • **p. 198:** Paul Morton/Istockphoto • **p. 199:** AFP/Getty images • **p. 202:** Succession Marc-Aurèle Fortin/SODRAC (2008). Photo: Collection du Musée national des Beaux-Arts du Québec • **p. 205:** © Pierre Fournier/Sygma/CORBIS • **p. 206:** Jason Lugo/Istockphoto • **p. 207:** Coll. Jonas/KHARBINE-TAPABOR • **p. 208:** Jason Lugo/Istockphoto • **p. 209:** akg-images • **p. 210:** Jason Lugo/Istockphoto • **p. 211:** Coll. Jonas/KHARBINE-TAPABOR • **p. 212:** Jason Lugo/Istockphoto • **p. 213:** Bibliothèque des Arts Décoratifs, Paris, France, Archives Charmet/The Bridgeman Art Library • **p. 214:** Jason Lugo/Istockphoto • **p. 215:** Stefano Bianchetti/CORBIS • **p. 216-217** (d.): Alexander Student Schnig/Istockphoto • **p. 218:** © Pierre Desjardins • **p. 219:** Yale Center for British Art, Paul Mellon Fund, USA/The Bridgeman Art Library • **p. 225:** © Sophie Bassouls/CORBIS • **p. 227:** Hachette/Camera 1/Films A2/DD PROD/UGC/The Kobal Collection

Dossier 6

p. 228: © Diana Ong/SuperStock • **p. 231 à 239:** New Line/Saul Zaentz/Wing Nut/The Kobal Collection/Vinet, Pierre • **p. 240:** © New Line Cinema • **p. 241:** Hulton Archive/Getty images • **p. 242:** (h.) Istockphoto • **p. 249:** Collection privée, Archives Charmet/The Bridgeman Art Library • **p. 257:** © Eric Robert/VIP Production/CORBIS • **p. 265:** Andrew Manley/Istockphoto • **p. 273:** Renn/France 2/D.A/Degeto/R.C.S./The Kobal Collection